UNIVERSITY OF ULSTER

THE LIBRARY

Mouvements premiers

MOUVEMENTS PREMIERS

Études critiques offertes
à Georges Poulet

LIBRAIRIE JOSÉ CORTI
11, RUE DE MÉDICIS — PARIS
1972

LE PRÉSENT OUVRAGE EST SORTI
DES PRESSES DE L'IMPRIMERIE DE LA
MANUTENTION A MAYENNE, FRANCE ;
IL A ÉTÉ ACHEVÉ D'IMPRIMER
EN AVRIL 1973

© *Librairie José Corti,* 1972, Paris

Tous droits réservés pour tous les pays

Tous droits de reproduction, même partielle, sous quelque forme que ce soit, y compris la photographie, photocopie, microfilm, bande magnétique, disque ou autre, réservés pour tous pays. Toute reproduction, même fragmentaire, non expressément autorisée, constitue une contrefaçon passible des sanctions prévues par la loi sur la protection des droits d'auteurs (11 mars 1957).

N° d'édition : 489

Dépôt légal : 2e trimestre 1973

Il ne saurait y avoir de critique sans un mouvement premier par lequel la pensée critique se glisse à l'intérieur de la pensée critiquée et s'y installe provisoirement dans le rôle de sujet connaissant.

GEORGES POULET.

Cet ouvrage a été publié avec l'appui du Conseil d'Etat du canton de Zurich, du « Migros-Genossenschafts-Bund » Zurich et de la « Goethe-Stiftung für Kunst und Wissenschaft » Zurich.

DE PLATON A TRAHERNE : L'INTUITION DE L'INSTANT CHEZ LES POETES METAPHYSIQUES ANGLAIS DU DIX-SEPTIEME SIECLE

Dans l'admirable Introduction à ses *Etudes sur le temps humain* Georges Poulet a défini différents modes d'intuition du temps qui se sont succédé depuis « l'architecture des durées médiévales » jusqu'à « la création gidienne de l'instant ». Mais le dix-septième siècle est une époque de transition, traversée de courants contraires, et l'originalité même des poètes anglais que l'on nomme « métaphysiques » tient à la diversité de leurs formes de pensée, d'imagination et de sensibilité : je me suis longuement attaché à le prouver [1]. Si le sentiment d'une « existence qui se confine à l'instant » est un trait essentiel et constant du temps humain chez les auteurs français étudiés par Georges Poulet [2], il n'en est pas moins vrai que l'instant ne joue pas le même rôle ou ne présente pas les mêmes caractères chez Donne et chez Traherne, chez Marvell et chez Vaughan, chez George Herbert et chez son frère, le philosophe Herbert de Cherbury. Contrastes et nuances font apparaître des familles d'esprit. A côté de formes nouvelles, annonciatrices de la conscience moderne, subsistent des modes de conception anciens. Néanmoins sous les divergences s'affirme une continuité historique : l'intuition de l'instant est liée à une évolution de l'esprit humain vers l'intériorité et la subjectivité.

Donne saisit l'instant dans un acte de conscience qui est à la fois conscience d'une situation et conscience de soi avivée. Un tel instant a la plénitude concrète d'un moment d'expérience vécue : le moment de l'éveil après une nuit d'amour: (« Et maintenant bonjour à nos âmes qui s'éveillent... ») ou

1. R. Ellrodt, *Les Poètes Métaphysiques anglais,* 3 vol. (Paris, Corti, 1960). Désigné par *Poètes Métaphysiques.*

2. *Etudes sur le temps humain* (Paris, Plon, 1950), vol. I, p. XVI.

l'instant de la séparation dans les « Valédictions » renouvelées ; l'interruption d'un rêve ou le moment à la fois le plus ténu et le plus dense, la fin d'un baiser : « Ainsi, interromps ainsi ce dernier baiser plaintif [3]. » Ce moment n'est donc pas l'instant que l'esprit est amené à *concevoir* comme un présent ponctuel, « limite mobile aussi mince que sont étendues les régions qu'il sépare ». La phénoménologie moderne a montré que « l'expérience ne nous livre pas ce présent sans épaisseur [4] » et si la poésie de Donne, en son instantanéité même, nous offre un présent « épais », c'est qu'elle n'est pas simple réflexion, mais reconstitution dramatique d'une expérience.

Mais ce présent pourrait être le moment hédoniste, qui a la durée de la jouissance en même temps que sa précarité. L'originalité de Donne en regard des poètes de la Renaissance est qu'il n'évoque jamais le moment emporté par la fuite du temps. Aussi ne cherche-t-il pas à le prolonger ou à l'arrêter, comme la nuit des amants, thème favori de la poésie amoureuse, d'Ovide à Marlowe, de Shakespeare à John Ford [5]. Il ressent, certes, la menace du temps mais sur le mode de la dissolution, d'une déperdition de substance, d'un amoindrissement de l'être : l'homme est une statue « non pas de terre, mais de neige [6] ». Alors que la conscience moderne du phénoménologue découvre au cœur même du présent « épais » un devenir, des choses qui changent, la naissance et la mort des phénomènes [7], Donne, plus proche des hommes du Moyen Age, y découvre les choses qui subsistent : l'amour et soi-même. Il est vrai que l'existentialisme chrétien aura aussi l'intuition de ces instants privilégiés où « l'éternité semble gonfler le présent et l'approcher de la plénitude [8] ». Le sentiment du moi éternel analysé par Gaston Berger n'est pas différent de l'intuition revendiquée par le poète quand il saisit la pulsation même de la vie dans un unique instant, solstice de l'amour :

---

3. *The Good-morrow, The Dreame, The Expiration.* Voir *Poètes Métaphysiques,* I, 82.

4. Gaston Berger, *Phénoménologie du temps et prospective* (Paris, P.U.F., 1964), p. 120.

5. Cf. Erwin Stuerzl, *Der Zeitbegriff in der Elisabethanischen Literatur* (Wien-Stuttgart, Wilhelm Braumüller, 1965), p. 420-425.

6. La nuance a échappé à S. Stürzl qui illustre le sentiment de « Vergänglichkeit » chez Donne d'après les *Devotions, op. cit.,* p. 221, 224.

7. Berger, *Phénoménologie,* p. 121, 132.

8. *Ibid.,* p. 119. Cf. p. 193 : « Aux instants de plénitude, lorsqu'il n'y a plus ni regrets, ni attente, ni même espérance, temps et durée s'abolissent. »

L'amour, toujours pareil, ne connaît ni saisons, ni climats,
Ni mois, ni jours, ni heures, ces lambeaux du temps [9].

De là, triomphant de l'angoisse, le sentiment que les amants eux-mêmes ne sauraient mourir si leur passion se maintient au niveau d'intensité atteint seulement dans la tension frémissante du moment : « si nous aimons si pareillement, toi et moi, que nul de nous ne se relâche, nul de nous ne peut mourir » (*Good Morrow*). L'instant est alors un atome d'éternité. Sans doute se détache-t-il sur fond de temps, mais d'un temps superbement nié ; qu'importe qu'il charrie dans son cours les rois et les soleils si l'amour « garde fidèlement son jour premier, dernier et éternel » (*The Anniversarie*).

Cette inclusion de l'éternité dans le temps est analogue à cette inclusion de l'infinité divine dans la finitude de la créature humaine qui s'accomplit dans le mystère de l'Incarnation. Cet « isomorphisme » explique la prééminence de l'une et l'autre image dans l'œuvre de Donne [10]. Mais dans sa poésie profane, à la différence de la poésie religieuse, l'instant éternel a une réalité toute subjective : il est saisi dans la conscience. Ne serait-ce pas, néanmoins, à douze siècles de distance, la marque d'une révolution opérée par la pensée chrétienne ? Saint-Augustin ne fût-il pas le premier à saisir la réalité du temps dans l'âme humaine, l'âme individuelle ?

Ce n'est pas le lieu d'exposer les différentes conceptions du temps et de l'éternité que les Grecs ont avancées et dont la scolastique devait hériter. Plotin les a résumées dans la troisième *Ennéade* (III, VII). Il faut seulement en faire ressortir un trait commun : l'objectivité. On découvrira qu'il en découle l'impossibilité de concevoir l'instant autrement que comme un point ou une limite.

Le temps qui est l'image mobile de l'éternité dans le *Timée* (37 C) se confond avec le mouvement des planètes. Spatialisé, il est aussi mathématisé, et par là-même apparaît comme une projection de l'intelligible dans le sensible. Mais cette projection s'accomplit en dehors de la conscience. Dans ce temps global, divisible seulement à la manière d'une mélodie, il n'est pas d'instant privilégié. Sans doute le temps vient-il à l'existence dans le mythe platonicien de la création : d'où la concordance entre la pensée chrétienne et ce passage du *Timée*, le dialogue le mieux connu à travers le Moyen Age. Toutefois l'accent n'y est pas mis sur l'instant créateur, mais sur le devenir d'une réalité qui « imite l'éternité et se déroule en

---

9. *The Sunne rising*, V. *Poètes Métaphysiques*, I, 87.
10. V. *Poètes Métaphysiques*, I, 83-89, 214-236.

cercle suivant le Nombre ». La contemplation platonicienne laisse l'éternité hors du temps, le temps hors de l'éternité. Dès lors l'esprit appréhende en deux actes distincts l'être éternel et la totalité du temps. Vaughan sera imaginativement fidèle à l'orientation fondamentale de la pensée platonicienne quand il présentera l'éternité comme un pur anneau blanc de lumière et, en dessous, l'ombre vaste du temps — heures, jours, années — entraînée par les sphères (*The World*).

Dans la physique aristotélicienne le temps devient la mesure du mouvement et la mesure implique une opération de l'esprit humain, mais la distinction de l'antérieur et du postérieur repose sur les catégories logiques et non pas sur la succession des pensées que la conscience pourrait observer en elle-même. Aristote conçoit le temps comme une série de nombres correspondant à une série de moments qui n'ont eux-mêmes point d'étendue. Il est vrai qu'une permanence se découvre dans le moment aristotélicien, mais c'est la permanence de la mutabilité ou de la puissance, non de l'être :

> Toute l'analyse aristotélicienne du temps repose sur l'idée de la permanence du maintenant ; sans cette permanence le temps ne serait rien, car le passé n'est plus et l'avenir n'est pas encore... La seule réalité du temps est donc celle du maintenant [11].

L'idée d'un mouvement qui tend à la réalisation et à la perfection d'une forme, telle que l'expose Pierre Aubenque, s'accorde avec la conception chrétienne d'une durée des êtres finis appuyée sur « une double continuité : la continuité permanente des formes substantielles, la continuité successive du changement [12] ». Cette homologie des structures a permis l'intégration des théories aristotéliciennes à la pensée médiévale. La différence est que permanence et mouvement se fondent, pour le chrétien, sur l'acte créateur divin : d'où l'accent mis avant la Renaissance sur la continuité alors que l'analyse aristotélicienne, dans une perspective non métaphysique, peut nourrir le seul sentiment de la mutabilité.

Du fait même de la structure éclatée du temps aristotélicien, il ne peut y avoir d'instant plein, si ce n'est l'instant même où le mouvement s'abolit, où la division prend fin, où la forme se réalise, où l'être devient tel qu'en lui-même l'éternité le fige. Cette plénitude à terme n'est pas la plénitude

11. Pierre Aubenque, *Le Problème de l'Etre chez Aristote* (Paris, P.U.F. 1962), p. 436.
12. G. Poulet, *Etudes sur le temps humain*, vol. I, p. IV.

atteinte dans l'épaisseur même du présent par l'auteur des *Songs and Sonets.* Elle se conçoit et ne s'éprouve pas.

Un progrès vers l'intériorité s'esquisse chez Plotin. Il prend conscience de la confusion du temps et de l'espace, du temps et du nombre dans les théories antérieures (*Ennéades,* III, VII, 8). Mais s'il affirme que le temps existe dans l'âme, c'est à propos de l'âme du monde, lieu de l'univers sensible :

> L'âme produit ses actes l'un après l'autre, dans une succession toujours variée ; avec un nouvel acte elle engendre ce qui suit, et en même temps qu'un autre acte de pensée qui suit le précédent, se produit au jour un événement qui n'existait pas auparavant... Ainsi la vie de l'âme en se dissociant, occupe du temps ; la partie de cette vie qui avance occupe à chaque instant un temps nouveau ; sa vie passée occupe le temps passé [13].

Mais si Plotin est amené à « concevoir la nature du temps comme un allongement progressif de la vie de l'âme » (III, VII, 12), le temps n'en est pas moins indépendant de l'âme qui le perçoit. Même si l'observation de la vie intérieure a inspiré sa description des actes successifs de l'âme universelle, il ne décrit que des réalités extérieures à la conscience individuelle. Il reste ainsi fidèle à la pensée grecque, dont on a dit qu'elle « se contemple hors d'elle-même [14] ». Même lorsqu'il traite de la connaissance de soi, c'est un objet extérieur à l'âme et universel que Platon propose à la pensée : l'âme, dit-il, « si elle veut se connaître elle-même, doit regarder une âme » — il ne dit pas se regarder soi-même — « et dans cette âme la faculté propre à l'âme, l'intelligence... Cette partie-là semble toute divine, et celui qui la regarde, qui sait y découvrir... Dieu même et la pensée, celui-là a le plus de chance de se connaître lui-même » (*Alcibiade,* 133).

Plotin place l'éternité dans le monde intelligible, le temps dans l'univers sensible. Quand l'âme se refuse à ce que tout l'être intelligible lui soit présent d'un coup, elle agit en dehors de l'éternité : le temps alors est la *vie* de l'âme (III, VII, 11). Mais « le temps est anéanti quand l'âme s'en va s'unir à l'intelligible » (III, VII, 12). Or cette éternité que nous cherchons, c'est « une *vie* présente toute entière à la fois, pleine et indivisible en tout sens » (III, VII, 3). C'est encore l'éternité grecque de « l'être stable qui n'admet pas de modifications dans l'avenir et qui n'a pas changé dans le passé »

13. *Ennéades,* III, VII, 11 ; trad. Emile Bréhier (Paris, Belles Lettres, 1924-1931), III, 142-143.
14. Giovanni Gentile dans son *Bernardino Telesio* (Bari, 1911).

(*ibid.*), mais à l'idée *d'être* s'est associé le sentiment de la *vie* : il semble que l'essence acquière le frémissement de l'existence.

L'introspection augustinienne accomplit dans les *Confessions* la révolution « copernicienne » préparée par Plotin ; le temps y est défini comme une activité de l'âme, mais il s'agit de l'âme individuelle. Sans doute a-t-on rappelé à juste titre que saint Augustin n'est pas un précurseur des existentialistes, que le temps ne commence pas pour lui avec la conscience, mais qu'il est le devenir du monde [15]. Il n'en demeure pas moins qu'il a cherché anxieusement à déceler sa nature dans l'activité même de son esprit et qu'il est amené à la définir comme une « distension de l'âme » (XI, 26). Le temps se mesure en l'esprit. malgré le flot désordonné de ses impressions (XI. 27). Mais du moment que ni le passé ni l'avenir n'existent, les trois temps qui « existent » en l'esprit sont « le présent du passé, le présent du présent, le présent du futur. Le présent du passé, c'est la mémoire ; le présent du présent, c'est l'intuition directe ; le présent de l'avenir, c'est l'attente » (XI, 20). La réflexion philosophique avait d'abord, comme l'analyse aristotélicienne, réduit le présent à un point de temps qui « vole si rapidement du futur au passé qu'il n'a aucune étendue de durée » (XI, 15). Mais l'introspection révèle que, si le présent n'a point d'étendue, « elle *dure* néanmoins *l'attention* par laquelle ce qui va être son objet tend à ne l'être plus » (XI, 28). N'est-ce pas la première intuition de ce « présent perçu », et non plus conçu, qui sera appelé par William James « présent sensible » ? N'est-ce pas aussi l'anticipation du présent épais, ce « présent épanoui » qui peut être « tension vers une perception possible ou probable » ou « rétention » au sens de Husserl, le constat de « l'évanouissement d'une existence [16] » ? Si dissemblable qu'elle soit de forme ou d'objet, l'attention passionnée portée par Donne à l'instant vécu dans la conscience même suppose une telle expérience intérieure du temps, une attention qui maintient l'instant sous le regard de l'âme et en fait un présent gonflé par la mémoire et l'attente : ainsi pourraient se définir à la fois la structure du temps augustinien et la structure de poèmes tels que *The Good-Morrow* ou *A Nocturnall.* On est loin de la pure extériorité d'instants successifs.

Cet instant vécu, qui relève de l'expérience ordinaire, ne

15. J. Chaix-Ruy, *Saint Augustin. Temps et histoire* (Paris, Etudes augustiniennes, 1956), p. 3-4.
16. Berger, *Phénoménologie,* p. 121-123.

se doit point confondre avec l'instant extatique, ce *momentum intelligentiae* qui, à Ostie, a élevé Augustin et Monique à la vision de l'éternelle Sagesse en qui il n'est ni passé ni futur (IX, 10). Cette intuition appartient à une tradition mystique commune au christianisme et au platonisme. On l'a rencontrée chez Plotin (*Ennéades,* III, VII, 12). Selon Maître Eckhart « Dieu crée le monde dans un éternel présent » et l'âme saisit Dieu « dans l'instant présent[17] ». Pour Nicolas de Cues Dieu sera le « présent infini » et tous les temps seront compris dans l'unité du « présent » ou « maintenant[18] ».

Or, si la pensée médiévale ne pouvait ignorer l'instant éternel dans sa spéculation théologique, en philosophie naturelle, en revanche, elle semble avoir abandonné les voies de l'introspection augustinienne pour revenir avec Aristote à une notion purement objective du temps. Cette conception, certes, sera modifiée par le nominalisme. N'accorder de réalité qu'à l'existant, c'est rejeter le passé et l'avenir dans le domaine de l'irréel : dès lors « le seul temps réel pour Ockham, c'est le présent ». Durer ne signifie plus se perpétuer mais « se stabiliser sur l'écran du présent au milieu de survenances et de disparitions[19] ». Mais, à la logique de l'être, Ockham substitue une logique de l'existant, non pas une psychologie : il ne fait pas ouvertement appel à l'expérience intérieure, même s'il s'en inspire pour réduire le monde existant à l'individuel[20].

Cependant les mystères chrétiens de la Création et de l'Incarnation confèrent nécessairement à l'instant dans la pensée chrétienne une valeur qu'il ne pouvait avoir pour la pensée grecque. La création du monde et sa dissolution s'accomplissent dans l'instant qui est la frontière entre le temporel et

---

17. *Maître Eckhart, Traités et Sermons* (Paris, Aubier, 1942), p. 167. Cf. p. 165 : « le temps est toujours dans l'instant présent. Du fait que le ciel se meut circulairement, le jour date de la première rotation. Et voilà que se produit dans un instant présent le jour de l'âme, dans la lumière naturelle de l'âme où sont toutes choses ; là il y a un jour entier, là le jour et la nuit sont un. Il y a ensuite le jour de Dieu, où l'âme est dans le jour de l'éternité, dans un instant présent essentiel ; là le Père engendre son Fils unique dans un instant présent, là l'âme est réengendrée en Dieu. »

18. *De docta ignorantia,* II, 3 et I, 26. *Of Learned Ignorance,* tr. Fr. G. Heron (London, Routledge, 1954), p. 76 et 60.

19. Georges de Lagarde, *Naissance de l'esprit laïque au déclin du Moyen Age. L'individualisme Ockhamiste* (2e fascicule), *Bases de départ* (Paris, Droz, 1946), p. 181.

20. *Ibid.,* p. 66.

l'éternel[21]. L'Incarnation opère la rencontre de l'immanence et de la transcendance : Or, « le contact de ces deux réalités qui s'excluent, c'est cela qui fait l'instant[22] ». Nous avons montré l'accord profond entre les structures propres de l'esprit de Donne et les orientations fondamentales de la pensée chrétienne. Aussi n'est-il pas surprenant que l'instant ou le point soit l'image qui se présente spontanément à son esprit chaque fois que le poète ou le prédicateur évoque ces mystères :

> Dans *l'instant* s'est accomplie la création ; dans *l'instant* éclatera la Résurrection. « Maintenant : il n'est pas de mot plus vaste et qui embrasse plus de choses », s'écrie Donne à propos de la promesse de l'Apôtre, « maintenant le salut est plus près de nous ». Aussi l'aspect le plus saisissant de l'Eternité n'est-il pas à ses yeux la continuité, ni l'immuabilité, mais l'exaltation du moment, chaque minute renfermant l'infini, chaque minute l'emportant sur la présente en intensité[23].

Ici s'affirme une prédilection personnelle qui va au delà de la tradition chrétienne (et se soucie peu de l'exactitude philosophique). Donne n'hésite pas à identifier l'éternité à l'instant ou au point[24], sans se soucier des subtiles distinctions thomistes entre l'instant éternel et le *nunc temporis*[25]. Mais

---

21. C'est le mystère annoncé par saint Paul : « Voici, je vous dis un mystère : nous ne mourrons pas tous, mais tous nous serons changés, *en un instant, en un clin d'œil,* à la dernière trompette » (I, *Corinthiens,* XV, 51-52 ; cf. *Matthieu,* XXIV, 27). Les Pères de l'Eglise ont souvent commenté ces textes. V. notamment Grégoire de Nysse, *La Création de l'homme.* Tr. J. Laplace (Paris, éd. du Cerf, 1944), p. 99 : « l'Apôtre veut dire qu'un instant suffira à la transformation de la création et il exprime par cet instant indivisible et ce clin d'œil cette limite du temps qui n'a ni partie ni extension. »

22. Jean Wahl, *Etudes Kierkegaardiennes* (Paris, Aubier, 1938), p. 326, n. 2. Cf. p. 243 : « Avec le Christianisme... le temps se délivre du spatial avec lequel le temps abstrait s'identifiait ; l'instant acquiert un caractère de plénitude. L'instant, ce sera le contact de l'éternel et du temps, de l'immanent et du transcendant, avec prééminence de l'éternel et du transcendant. »

23. *Poètes Métaphysiques,* I, 89.

24. *Ibid.,* note 33.

25. La scolastique utilise l'instant, identique à lui-même, pour donner une idée de l'éternité ou de la simultanéité divine : cf. la leçon 8e du commentaire de saint Thomas sur le 4e livre de la *Physique* d'Aristote ; texte cité par Sertillanges, *Somme Théologique, Dieu,* I, p. 322. Mais saint Thomas souligne que si l'instant du temps est identique à lui-même comme sujet, il est toujours autre ration-

la forme d'esprit qui le pousse à ces hardiesses est à l'origine des affinités entre ces paradoxes et les paradoxes de Kierkegaard. Tous deux conçoivent l'existence humaine et le mystère chrétien sur le mode du discontinu ; pour tous deux l'existant « va d'instant à instant [26] ».

Lorsque Donne montre la grâce divine à l'œuvre dans le moment, qu'il exhorte le pécheur à se convertir dans la minute même, ou qu'il aspire à une possession instantanée de la joie céleste, traduit-il une simple impatience de l'angoisse et du désir ou est-il sur la voie de la théorie Kierkegardienne de l'instant religieux ? Jean Wahl l'a résumée ainsi :

> Du point de vue de Platon, l'instant ne peut être pensé ; ou, s'il est pensé, c'est de façon toute abstraite. Pour le chrétien il y a un instant de la grâce, où l'homme reçoit l'éternelle condition de la vérité ; il y a un instant de la décision et de la liberté ; il y a un instant, paradoxal entre tous, où les péchés sont remis [27].

Mais assez curieusement, l'extase vécue par la conscience comme un moment unique n'est pas chez Donne l'extase religieuse mais l'extase profane où peut s'élever un amour humain. S'il rejoint là une autre tradition, celle de l'amour courtois, c'est encore pour la dépasser. L'instant qui donne aux amants le sentiment de l'éternité dans les *Songs and Sonets* n'est pas un simple reflet de l'union mystique. Il garde la plénitude existentielle d'un moment de durée humaine. En cela il est plutôt comparable à ce « moment un et infini », cet « instant changé en éternité » qui porte aussi à sa pointe extrême d'intensité l'amour d'un Robert Browning, dont l'imagination fut également fascinée par le paradoxe de l'Incarnation [28]. La différence est que l'impermanence de l'instant pri-

---

nellement, « car comme le temps répond au mouvement, ainsi l'instant du temps répond au mobile ; or le mobile est évidemment le même, subjectivement, dans tout le cours du temps, mais il change rationnellement en tant qu'il est d'abord ici, ensuite là, et c'est cette variation qui est le mouvement. De la même manière, le flux de l'instant selon qu'il devient autre rationnellement c'est le temps. Or, l'éternité demeure la même et subjectivement et rationnellement : elle n'est donc pas l'instant du temps. » (Sertillanges, *Dieu,* I, 265 ; *Summa* Ia, qu. 10, art. 4, ad sec.)

26. Wahl, *Etudes Kierkegaardiennes,* p. 149.
27. *Ibid.,* p. 326.
28. V. *By the Fireside,* st. 37 (« Oh moment, one and infinite ») ; *The Last Ride Together,* l. 98 (« The instant made eternity »). Cf. *Two in the Campagna.*

vilégié est reconnue par le poète victorien, alors que Donne, encore qu'il l'ait sans doute ressentie, n'a pas à l'avouer dans des poèmes qui donnent l'illusion d'être composés à l'instant même et non pas l'instant d'après [29].

Ainsi donc, l'intuition de l'instant situe Donne à un carrefour. La tradition chrétienne exalte l'instant de deux manières. Objectivement, en tant que jonction du temporel, et de l'intemporel dans la Création et l'Incarnation. Subjectivement, dans l'union mystique qui élève l'âme au-dessus du temps. Mais, jusqu'à la Renaissance, l'expérience intérieure du temps ne s'est guère affirmée que chez Augustin. Une expérience toute humaine apporte à Donne le sentiment très vif de la valeur de l'instant ; d'un instant qui a sa plénitude propre, son épaisseur existentielle, au lieu d'être seulement l'accès à l'éternité. Cette expérience nous a paru liée chez lui à la conscience de soi [30] ; mode de conscience qui, en plaçant l'instant sous un regard attentif, avait aussi déterminé la théorie augustinienne du temps. Qu'à la « distension » de l'âme observée dans les *Confessions* Donne substitue une tension qui resserre l'intuition du présent, peu importe à notre propos. Ce qui nous intéresse, c'est d'observer qu'une évolution générale dans l'histoire de la conscience conduit de la pure extériorité du temps selon la pensée grecque à une intuition moderne de la subjectivité de l'instant ou de la durée. De même conduit-elle d'une intériorité mystique qui est négation pure du temps à une expérience intérieure qui peut conférer à l'instant profane la plénitude d'une vie éternelle.

Malgré des divergences profondes on peut donc déceler chez Donne un mouvement de l'esprit qui correspond à l'effort romantique « d'incarner l'éternité dans le temps » tel que l'a dépeint Georges Poulet [31]. Il est vrai que tous les poètes du Moyen-Age et de la Renaissance et après eux les poètes baroques et classiques chantent ordinairement une « éternité conçue, rêvée par l'homme, mais non vécue par lui ». Eternité donc objective, mais Donne, en certains de ses poèmes profanes, semble déjà saisir l'éternité dans son « expérience personnelle du temps ». Et la raison en est sans doute que sa conscience se trouve « si exclusivement absorbée en son objet actuel qu'il n'y a plus place pour autre chose. Seul le présent est présent [32]. »

29. *Two in the Campagna :* « Already how am I so far Out of that minute ? »
30. V. *Poètes Métaphysiques,* I, 117-164.
31. G. Poulet, *Mesure de l'instant* (Paris, Plon, 1968), p. 164.
32. *Ibid.,* p. 163.

Nous avons mis en évidence la même prédominance du présent dans la poésie de Georges Herbert alors même qu'elle épouse le mode narratif [33]. Cependant l'instant n'a pas la même plénitude pour un poète qui le plus souvent évoque l'instant de joie extatique comme un instant déjà enfui, mais encore présent par le prolongement d'une vibration :

> Cela ne se peut. Où est cette joie immense
> Qui emplissait mon cœur l'instant d'auparavant ?
>
> (*Temper* II)

Cette poétique du « just now [34] » fait songer — toutes différences mises à part — à l'analyse phénoménologique de la « rétention », cette conscience de ce qui « vient juste de se produire », « vient précisément de disparaître », « vient de mourir [35] ».

Si l'on dépasse le moment étiré de la mémoire primaire, si l'on admet (ce que Gaston Berger eût refusé) que la mémoire secondaire, dans la mesure où elle est reviviscence spontanée et non pas évocation [36], peut venir aussi gonfler le présent, le schème temporel de la mort et de la naissance se retrouve dans les intermittences de la grâce, les départs et les retours, les morts et les renaissances éprouvées par le chrétien :

> Quelle fraîcheur, Seigneur, douceur et pureté
> ont tes retours, comme fleurs au printemps...
> L'âge venu, maintenant je renais.
> Après tant et tant de morts, je vis, j'écris,
> je respire à nouveau la rosée et la pluie,
> prends plaisir à rimer : O ma seule lumière,
> il ne se peut
> que je sois l'homme
> sur qui toute la nuit sont tombées tes tempêtes.
>
> (*The Flower*)

A l'inverse, l'imagination d'Henry Vaughan se meut dans l'univers de la réminiscence et de la rétrospection comme en son lieu naturel [37]. On a dit que l'évocation d'un souvenir « est la visée d'une absence [38] ». L'éternité même dans cette poésie mystique est une éternité d'avant ou d'après le temps.

---

33. *Poètes Métaphysiques,* I, 270-278.
34. « That mightie joy, Which *just now* took up all my heart ». Cf. *Glimpse,* « Thou cam'st *but now* ; wilt thou so soon depart... »
35. Berger, *Phénoménologie,* p. 122, 128.
36. *Ibid.,* p. 123.
37. *Poètes Métaphysiques,* II, 201-203.
38. Berger, *Phénoménologie,* p. 130.

On n'est pas surpris que le poète platonise car « c'est ainsi que les Grecs concevaient l'éternité, comme quelque chose de situé en arrière, comme un espace parcouru, dont on se souvenait par la réminiscence [39] » : ainsi le poète revient-il en arrière vers l'illumination perdue dans *The Retreat.* Mais pour le chrétien en attente de la parousie, la lumière de l'éternité rayonne aussi de l'avenir. C'est pourquoi le présent, au lieu d'apporter la plénitude, n'est que le sentiment d'une absence ou d'une attente, d'une perte subie ou d'une restitution espérée, d'un mouvement qui éloigne de la source même de toute existence ou en rapproche insensiblement car le futur n'est jamais ressenti comme une imminence. Dès lors le moment privilégié est le moment antérieur, mais l'attention du poète englué dans le temps se porte moins sur le point de départ ou d'arrivée que sur la distance parcourue ou encore à parcourir : « Silencieux écoulement des jours ! Depuis que tu nous as quittés, voici douze cents heures... [40]. »

C'est pour d'autres raisons que la poésie de Crashaw ignore l'instant. Tout en elle est flux ou mouvement musical, élan vers un apogée qui est une expiration ou un engloutissement : « A full-mouth'd Diapason swallowes all [41]. » Mais ne pourrait-on considérer comme une série d'instants extatiques les « morts » successives que sont les défaillances amoureuses, profanes chez la jeune épousée, mystiques chez la sainte : « une mort telle que, mourant, on aime à mourir, et meurt à nouveau, et voudrait sans cesse ainsi succomber, vivre et mourir sans raison autre de vivre que mourir encore [42] » ? Ce qui domine chez le chantre de Sainte-Thérèse, c'est le sentiment d'une répétition d'accords dissonants, orientée, comme en musique, vers une résolution finale. La sensibilité d'un Hemingway, exaltant aussi l'instant érotique (sur le mode purement profane), s'attache à un moment d'expérience unique et la description illustre, sous sa forme la plus élémentaire, l'effort de la conscience moderne pour saisir dans la continuité absorbante d'un moment de jouissance un succédané d'éternité [43].

---

39. Wahl, *Etudes Kierkegaardiennes,* p. 242.

40. « Silence and stealth of days... » Cf. *Buriall :* « But the delay is all ».

41. *Musick's Duell,* 1, 156.

42. *In memory of... Lady Madre de Teresa.* Cf. sur le mode profane *Epithalamium* et *Out of the Italian. A Song.*

43. *For Whom The Bell Tolls* (Zephyr Books, 1946, p. 374) : « this was all and always ; this was what had been and now and whatever was to come... They were having now and before and always and now and now. Oh, now, now, now, the only now, and

S'il est vrai, comme nous l'avons suggéré, que les derniers vers de l'apostrophe de Marvell « A sa maîtresse trop rude » évoquent le « rythme haletant de l'amour physique », c'est qu'il vise à transformer l'universelle impermanence en un temps mesuré, et par là même dominé, qu'il soit accéléré par la passion comme en ce poème ou ralenti dans la jouissance du repos comme en la rêverie dans l'ombre verte du *Jardin*. L'instant présent redevient chez Marvell l'instant mobile de la sensibilité hédoniste, le temps éprouvé comme un écoulement, une fuite, ou, lorsque la conscience humaine le maîtrise, un moment d'existence compact : « il ne cesse pas néanmoins », écrivions-nous, d'éprouver le temps, en cet instant, « comme un mouvement, alors que Donne concentre la durée dans un immobile instant ». Aussi ce poète est-il fils de la Renaissance par son sentiment que chaque être, par son activité autonome, engendre « sa propre durée par la diversité de ses mouvements ». Mais par l'effort tenté pour maîtriser ou cristalliser cette durée, il illustre un volontarisme « baroque ». Qui plus est, le puritain se révèle infidèle à la tradition chrétienne en ne concevant pas une éternité ou un pur instant qui soit « la simultanéité de l'être, la *tota simul possessio* des scolastiques [44] ».

A ce point de notre étude, trois catégories se sont dessinées. L'instant acquiert une épaisseur existentielle et une valeur d'éternité chez les poètes dont l'imagination, ancrée dans la tradition chrétienne, est spontanément accordée au symbolisme de l'Incarnation : Donne et George Herbert. Cette perception de l'instant est éminemment active et consciente : aussi apparaît-elle liée à une intense attention à soi, une vive curiosité de la vie intérieure. De même qu'ils arrêtent leur attention sur un moment d'expérience, ces poètes prennent en quelque manière conscience de leur identité à l'arrêt : la réflexion sur soi est immobile. En revanche, il y a une fugue incessante de l'effusion lyrique chez un Crashaw et, chez le promeneur solitaire, Henri Vaughan, une errance de la rêverie ou de la méditation. Chez Marvell, en revanche, la contemplation errante se fige en tableaux successifs et la conscience réfléchie se mire à loisir en chaque milieu transparent, mais elle n'a pas à se dévoiler à elle-même dans le surgissement de l'instant.

---

above all now, and there is no other now but thou now and now is thy prophet. » Assez curieusement ce texte n'est pas cité dans la pénétrante étude de Claude Edmonde Magny sur « Hemingway ou l'exaltation de l'instant » (*L'âge du roman américain*, Paris, 1948).

44. *Poètes Métaphysiques*, II, 117-119.

Avec Lord Herbert et Thomas Traherne au moment labile succède à nouveau l'instant spécifique et stable. Instant idéal et limite pure chez l'un. Image immobile de l'éternité chez l'autre.

Si l'intuition de l'instant s'affirme, c'est qu'un acte de conscience réfléchie présente l'esprit à lui-même en dehors de toute durée. Si l'épaisseur existentielle observée chez Donne et chez Georges Herbert est absente de cet instant abstrait ou éternel, c'est que la conscience de soi est devenue chez ces poètes conscience de conscience. Il n'est pas possible de lier cette évolution dans l'intuition de l'instant à une influence directe de la pensée cartésienne, mais les similitudes n'en sont pas moins notables.

Le temps perçu par Lord Herbert est un temps éclaté. L'auteur du *De Veritate* assigne la perception du présent, du passé et du futur à trois « facultés » distinctes, le terme « faculté » désignant « l'acte particulier de l'esprit qu'exige chaque perception, acte qui permet de reconnaître la différence spécifique de chaque objet [45] ». Mais puisque la « faculté du passé » n'est qu'un assentiment aux vérités historiques, que la mémoire n'est que la présence sous-jacente à toute perception de toutes nos impressions passées et que la réminiscence, au sens thomiste, évoque les « caractères constants des choses » et s'exerce en dehors du temps ; puisque la « faculté qui a trait au futur » est une « érection de l'âme qui, dans l'intuition prophétique ou la prémonition, s'élève au plan de l'éternel d'où l'avenir, comme le passé, se découvre présent [46] », le présent n'est-il pas la seule réalité que nous puissions saisir ?

Or, la perception du présent se révèle intuition d'un instant isolé et statique : le philosophe s'attache même à prouver son indépendance à l'égard de la perception du mouvement :

> Cette faculté a trait au présent ou à l'instant... Il est clair qu'elle ne procède pas du mouvement... car le mouvement se décompose en parties qui comprennent plusieurs éléments. Ainsi donc la faculté qui se rapporte au mouvement est trop lente : tout aurait disparu avant qu'elle ne réussisse à noter un instant. Il faut donc qu'il y ait en nous une faculté spéciale qui corresponde à l'instant : *l'expérience* le prouve [47].

---

45. *Poètes Métaphysiques,* II, 15 : *De Veritate,* IV ; tr. M.H. Carré (Bristol, 1937), p. 108-114.
46. *Poètes Métaphysiques,* II, 16.
47. *De Veritate,* VIII ; éd. cit., p. 273 (nos italiques) .

On peut rapprocher cette démonstration, fondée sur l'expérience, c'est-à-dire l'introspection, d'une observation très fine qui découvre dans la perception d'un objet extérieur une première impression immédiate, distincte de la perception nette de ces qualités sensibles et analogue à une prémonition. L'extériorité pure de l'objet se dévoilerait à la conscience dans un instant sans durée aucune, analogue en son évidence fulgurante à cet instant du *cogito* qui dévoile la conscience à elle-même [48].

De cette homologie entre l'intuition herbertienne et l'intuition cartésienne découlent la même conception de l'instant comme une limite, la même insistance sur la divisibilité du temps à l'infini, le même sentiment de précarité car « de ce qu'un peu auparavant j'ai été il ne s'ensuit pas que je doive maintenant être [49] ». Mais au lieu de fonder la permanence de son être individuel à la manière de Descartes sur la certitude de l'existence de Dieu, ou, à la manière de Donne, sur le sentiment immédiat de l'éternité condensée en l'instant, le philosophe, qui s'avoue incapable d'imaginer l'éternel [50], recourt en poésie même au raisonnement pour se persuader de son immortalité [51].

Le sentiment de l'éternité, au contraire, serait chez Traherne antérieur à toute expérience du temps. Aux yeux du jeune enfant qui découvre le monde :

> Le blé était un froment immortel et resplendissant qui jamais ne serait moissonné et n'avait jamais été semé... Je ne savais point que les créatures étaient nées ou qu'elles devaient mourir : toutes choses demeuraient éternellement à leur place assignée. L'Eternité était manifeste dans la Lumière du Jour... [52]

L'enfance est symbole et cette vision est la vision de l'univers que nous propose le « divin Philosophe ». Vision du monde sensible et non pas du monde intelligible de Plotin, à moins que l'idée platonicienne ne soit, comme on le soupçonne parfois, que la transfiguration des apparences. Mais le trait le plus original est que le *nunc stans*, le *totum simul* se

48. *De Veritate*, VII ; éd. cit., p. 208.
49. J. Wahl, *Du rôle de l'idée de l'instant dans la philosophie de Descartes* (Paris, Vrin, 1953), p. 24-25 et 10.
50. *De Veritate*, III ; éd. cit., p. 91 ; cf. p. 104 : « infinity cannot be grasped except through the idea of the finite, nor eternity save through the form of time. »
51. V. *An Ode upon a Question moved, Whether Love should continue for ever ?* et *Poètes Métaphysiques*, II, 18.
52. *Centuries of Meditations*, III, 3.

fonde désormais sur le miracle de la présence intérieure. Car, prenant conscience que les « choses » sont des « pensées », les objets des représentations, si bien que le monde est dans l'esprit qui le pense, Traherne concevra l'éternité non point comme un mode d'être mais comme la présence simultanée en l'esprit divin et en l'esprit humain de toutes les représentations en leur multiplicité infinie. La conscience réfléchie découvre en elle-même, à travers la contemplation du monde, cette « parfaite simultanéité » divine dont l'indivisible *Cogito* est l'image. Pour Traherne comme Descartes, il n'y a en Dieu « qu'une seule action, toute simple et toute pure » et rien n'existe qui ne soit en acte : leur « idéalisme » est un « actualisme [53] ».

Dès lors il n'est de réalité que dans l'instant éternel. Le surgissement même de la conscience dans le monde, quand l'âme s'immerge dans la chair comme le veut la tradition platonicienne, ne crée pas ce contact entre l'éternel et le temporel, le transcendant et l'immanent qui est le mystère chrétien par excellence, le paradoxe kierkegaardien. Il semble que l'âme ait seulement à rouvrir les yeux sur les objets éternels qu'elle a contemplés de tous temps.

Ainsi s'achève cette exploration, trop resserrée sans doute dans l'espace d'un essai pour emporter pleinement la conviction. Ayant déjà défini, dans son originalité individuelle, l'intuition du temps chez chacun des poètes métaphysiques, nous avons ici tenté d'insérer nos observations antérieures dans une vision historique plus vaste, si vaste que nous avons dû limiter l'enquête à l'intuition de l'instant. Nos conclusions ne sont parfois que des hypothèses à vérifier. Il nous paraît toutefois incontestable que le christianisme et saint Augustin ont ouvert la voie à des formes nouvelles de pensée et sentiment, que l'approche subjective, dont les *Confessions* offrent le premier exemple, ne s'est répandue qu'au XVIIe siècle, et qu'en ce siècle même, au sein d'une prétendue « école métaphysique », s'affirme une remarquable diversité : survivance de conceptions anciennes, émergence de modes de sensibilité nouveaux et anticipation — serait-elle fugitive — des intuitions romantiques ou modernes.

A travers toutes les évolutions et toutes les nuances une identité s'observe : l'intuition de l'instant éternel est de tous les siècles. Elle n'est pas conditionnée par l'histoire et la société, comme le sont peut-être les conceptions du temps. Il

53. Cf. Wahl, *L'instant dans la philosophie de Descartes*, p. 15, 10, et *Poètes Métaphysiques*, II, 328-330, 345-347.

semble donc qu'elle procède d'une structure immuable de la réalité humaine, sinon d'une réalité divine. Il y eut toujours, il y aura toujours des mystiques et des poètes pour affirmer : « This Now is eternity[54] ».

Robert ELLRODT.

54. John Richard Jefferies, *The Story of my Heart* (London, 1883), p. 45.

IL POLITICO E IL CENTAURO

Non c'è lettore del Machiavelli che non ritenga nella memoria le immagini zoomorfe del capitolo XVIII del *Principe* : esse sono come la quintessenza di uno stile di pensiero i cui processi di concettualizzazione si intrecciano alla ricerca nativa della concretezza e della fisicità con un movimento binario, al fondo, che si ramifica nella superficie della frase per figure geometriche e che Nietzsche, decifratore perspicace di antitesi e paradossi, riconduceva al contrasto, manovrato da un'alta sapienza di artista maligno, tra un pensiero lungo. grave, duro, periglioso e un tempo di galoppo e di capriccio, da *allegrissimo* irrefrenabile. Ma al giudizio quasi unanime degli interpreti non corrisponde poi un'analisi dei meccanismi compositivi, della tecnica combinatoria di sovrapposizioni a sorpresa onde si genera la forza tematica della pagina, e non sarà quindi inutile fermarsi su questo punto anche per isolare meglio, di riflesso, certe strutture del ragionamento machiavelliano nel suo « andare drieto alla verità effettuale della cosa » contro la « imaginazione di essa », secondo quanto precisa l'avviso polemico che inaugura col capitolo XV il catalogo delle virtù necessarie a un principe il quale non abbia « altro obietto » o « pensiero », né assuma « cosa alcuna per sua arte, fuora della guerra ».

Se, per l'appunto, si considera come un insieme la sezione sulle « qualità » di un uomo di governo, colpisce subito il fatto che i capitoli XV, XVI, XVII e XIX riprendono e sviluppano lo stesso schema trattatistico (« Resta ora a vedere quali... Cominciandomi adunque alle prime soprascritte qualità, dico... Scendendo appresso alle altre preallegate qualità, dico... Ma perché circa le qualità di che di sopra si fa menzione, io ho parlato delle più importanti, l'altre voglio discorrere brevemente sotto queste generalità... ») mentre il capitolo XVIII, invece, abolisce i legami didascalici e punta direttamente, col sottinteso della conflittualità che sostanzia la vita politica, sulla contrapposizione bruciante tra un mondo di virtù ideali celebrate da tutti (« Quanto sia laudabile in uno principe mantenere e vivere con integrità e non con astuzia, ciascuno lo intende ») e la sfera dell'esperienza, che insegna il contrario (« nondimanco si vede per esperienzia ne' nostri tempi quelli principi aver fatto gran cose, che della fede hanno tenuto poco conto, e che hanno saputo con l'astuzia aggirare e' cervelli degli uomini »). Ciò che si mette così in moto sin dall'attacco del discorso, anche nell'articolazione sintattica, è lo scontro tra « fede » e « astuzia » con la vittoria finale di coloro che « aggirano » su « quelli che si sono fondati in sulla lealtà » : ognuno deve sapere che l' « integrità » non fornisce un sostegno sicuro al potere e che il paradosso che vi si cela, poiché l' « aggirare » risulta un fondamento tanto più solido, riproduce la logica nuda del reale. L'io dello scrittore resta fuori dall'enunciato, sotto il chiasmo di « ciascuno lo intende » e « si vede », ma emerge di colpo, alla battuta seguente, di fronte al « voi » di un interlocutore collettivo che viene ora introdotto, alla maniera di un dialogo, per ricevere riflessioni di chi prende a parlargli, scendendo alle radici del fenomeno, sulle « dua generazioni di combattere » secondo una formula che risale al Cicerone del *De officiis*. La citazione manca però di segnale interno e si deposita in un contesto assai diverso da quello dell'archetipo ciceroniano, tanto da far sospettare che si tratti di un calcolo malizioso dove l'adattamento maschera una deformazione o una forzatura. Un'occhiata di controllo sul *De officiis* toglie ogni dubbio al riguardo.

Dice Cicerone che bisogna volgersi alla forza nel caso estremo che riesca vano il confronto diplomatico (« si uti non licet superiore »), sottolineando anche sotto l'aspetto sintattico il carattere eccezionale del conflitto armato in confronto al « modus » pacifico della ragione. Il Machiavelli, trascrivendolo, sostituisce alla condizionale una causale (« ma perché el primo molte volte non basta, conviene ricorrere al secondo ») e il senso profondo della dichiarazione ne esce modificato radicalmente. Il passaggio dalla legge alla forza, da ciò che è proprio dell'uomo a ciò che definisce la bestia, fa parte della natura e non implica in fondo un principio di deviazione o degradazione, è un dato dell' « esperienza » che gioca alla pari con tutto il resto e che si iscrive freddamente nella legge più generale della causa e dell'effetto : donde la conclusione che « a uno principe è necessario sapere bene usare la bestia » e « l'uomo », così come esiste « la crudeltà male usata o bene usata », oramai in aperto contrasto con le tesi monofisitiche del *De officiis,* che pongono invece una « hominis figura » sublimata, non compromessa della « immanitas beluae », dall abbandono all' « appetitus » irrazionale che la converte in « fera ». E più il discorso avanza, più la divergenza si estende e si approfondisce in una trama beffarda di aggiramenti e di smentite che distruggono il testo ciceroniano senza nominarlo, da una parte con l'intervento inatteso del centauro, a riprova che il principe ha una doppia natura e « l'una sanza l'altra non è durabile », quasi allo stesso modo, si noti, in cui Lucrezio dissertava del nesso indissolubile di anima e di corpo (« nec sine corpore enim vitalis edere motus/sola potest animi per se natura, nec autem/cassum anima corpus durare et sensibus uti ») e dall'altra con il ritorno agli esempi della volpe e del leone, di nuovo nella falsariga della meditazione ciceroniana. Ma rispetto al moralista del *De officiis,* il quale invocava una censura di rifiuto (« cum autem duobus modis, id est aut vi aut fraude, fiat iniuria, fraus quasi vulpeculae, vis leonis videtur ; utrumque homine alienissimum, sed fraus odio digna maiore ») il politico del *Principe* rovescia la situazione a favore di una realtà di fatto in cui il giudizio di valore passa tutto al positivo, come diviene positiva, del resto, l'idea del « gran simulatore e dissimulatore » di fronte al precetto originario di « ex omni vita simulatio dissimulatioque tollenda est ». L'operazione commutativa è così decisa e insistente da accreditare l'ipotesi che attraverso questo Cicerone distorto o straniato si voglia colpire quasi all'origine l'etica umanistica delle virtù ideali e delle « cose imaginate », non potendo essere il « vero » di « come si vive » se non il capovolgimento, l'amara caricatura di « come si doverrebbe vivere ».

Accanto alle spinte ideologiche che oppongono le due versioni del rapporto « frode e/o forza », scatta inoltre una diversa ragione stilistica, che giova forse sottoporre a scrutinio se lo stile è sempre un modo di vedere e di costruire le scene di uno spazio mentale, « une manière absolue de voir les choses », come diceva Flaubert, o per stare al nostro Contini, una posizione gnoscologica. Intanto salta all'occhio che l'equivalenza ciceroniana di « vis-fraus = leo-vulpecula », appena accennata con una funzione tra didattica e illustrativa, in un registro dunque minore, si espande quando giunge al Machiavelli in una serie fortemente dinamica di sintesi metonimiche restituite alla loro matrice favolistica e all'evidenza di un mondo animale noto e domestico, quasi a portata di mano. Dietro questo gusto dell'apologo contratto, delle qualità ridotte a immagini o stenogrammi viventi, si avverte subito poi una consuetudine letteraria solidamente maturata alla scuola del Pulci e dei burleschi, dal Burchiello al Bellincioni, sul tipo di stilemi quali « disse la volpe, maliziosa e vecchia », « e cadde come il tordo sbalordito », « e noti ognun la favola d'Isopo / che il lïone ebbe bisogno d'un topo », « quattro cornacchie con tutte lor posse / a quattro nibbi vollon far gran guerra », « i' ti ricordo della rana e il ratto », « meglio è fringuello in man, che in frasca tordo » o infine, sempre nel Bellincioni politico, e abbastanza vicino al testo machiavelliano, « el Moro ha della volpe e del leone/ e non tende alle mosche mai la rete ». Lo scrittore del *Principe* conosce bene, del resto, le regole del genere letterario, non ha dimenticato gli esperimenti narrativi o sentenziosi dei *Decennali,* dove l'evento storico può di continuo trasfigurarsi in una favola drammatica di animali che si scontrano o si insidiano. Qualunque giudizio si voglia poi dare dei suoi esiti poetici, spesso rudi e sommari, va detto anzi che egli rivela una certa felicità inventiva, quasi un'accensione di umori fantastici, proprio nei frammenti del racconto epico-zoologico. E non sarà inutile allora offrirne un campionario, visto che può servire a distinguere meglio entro una tecnica comune una tendenza, un nucleo d'impronta più personale. Si allineano così dinanzi al recensore archeologo sequenze come « volgono e' Galli di Romagna el becco/verso Milan », « Ascanio, suo fratel, di bocca a' cani/sendo scampato », « al Cavallo sfrenato ruppe 'l freno », « dove l'Orso lasciò più d'una zampa, / e al Vitel fu l'altro corno mozzo », « sentì Perugia e Siena ancor la vampa / de l'idra », « Ascanio Sforza, quella volpe astuta, / con parole suavi, ornate e belle », « va tendendo a' vicin laccioli e rete » e su tutte poi spicca la scena emblematica del Valentino in agguato : « e rivolti fra lor questi serpenti / di velen pien cominciar a ghermirsi, / e con gli unghioni a stracciarsi e co' denti...e per pigliar e' suoi nemici al vischio, / fischiò suavemente, e ridurli / ne la sua tana, questo bavalischio », dove non a caso poi le suggestioni del *Morgante* si saldano al ricordo dantesco di Malebolge. Qui la « bestia » incarna davvero l'ossessione fisica della violenza, l'aggressività degli appetiti che covano e avvampano nel corpo impassibile della natura.

Il linguaggio della favola e dell'apologo o del proverbio animalesco non interessa soltanto il Machiavelli delle prove poetiche per così dire giovanili, ma si insinua anche nell'esperienza espressiva degli anni del *Principe*, come mostrano, a parte poi i capitoli dell'*Asino* e il loro complesso naturalismo satirico (« Il mio parlar mai non verrebbe meno, / s'io volessi mostrar come infelici / voi siete più ch'ogni animal terreno./ Noi a natura siam maggiori amici... »), molte lettere tra il 1513 e il 1514, in cui sembra rivivere il parlato di una conversazione libera e geniale di aspro accento comico, con gli scatti, le bizzarrie, i crucci, le mistificazioni di un personaggio che interpreta se stesso, ma ha insieme il dono di una naturalezza asciutta e prodigiosa. Quando il Machiavelli narra le avventure della propria giornata e quelle degli amici di cui si ride sulle « pancacce », la sua vena aneddotica e grottesca di animalista giocoso non manca mai di farsī avanti, in un'atmosfera di mascherata, di veloce intermezzo caricaturale, sia che si debba descrivere un vedovo rimasto « tre o quattro dì come un barbio intronato » sia che si raffiguri sotto « parabola » un cacciatore di giovinetti alle prese con « un tordellino, il quale con la ramata, con il lume e con la campanella fu fermo da lui, e con arte fu condotto da lui nel fondo del burrone sotto la spelonca dove alloggiava il Panzano ». E in un'altra occasione il motteggio giunge oramai a un'inquadratura da favola esopiana, realistica e pungente : « ... Filippo nostro è come uno avvoltoio, che quando non è carogne in paese, vola cento miglia per trovarne una ; e come egli ha piena la gorgà, si sta su un pino e ridesi delle aquile, astori, falconi e simili, che per pascersi di cibi delicati si muoiono la metà dell'anno di fame. » Che poi agisca in tutto questo un'eco, una sollecitazione del genere favolistico appare quanto mai evidente dalla « novella del lione e della golpe », come la definisce subito il Vettori, che il Machiavelli inventa su due piedi e incastona nel preambolo di una lettera politica a illustrazione del proprio stato di imbarazzo momentaneo. È una favoletta da manuale, a tratti fermi e rapidi, dentro un'intavolatura di oggetti e di gesti essenziali che divengono, sul filo tagliente di un perfetto gnomico, nuclei dinamici di un evento assoluto ; « ... nel praticarla mi è intervenuto come alla volpe, quando la veddé il leone, che la prima volta fu per morire di paura, la seconda si fermò a guardarlo drieto ad un cespuglio, la terza gli favellò ». Come non pensare, dopo averla letta, alla « golpe » e al « lione » del *Principe*, posti anch'essi di fronte sia pure con l'aggiunta dei « lacci » e dei « lupi » ?

Più che un'area tematica o una tonalità stilistica, la correlazione che legittima la domanda identifica un metodo di lavoro per il quale la favola funziona come uno strumento conoscitivo, un paradigma di situazioni tipiche, se è vero, come è stato detto da qualcuno, che la favola animale fornisce sempre un repertorio di rapporti possibili di potere e di diritto, un catalogo di caratteri o di ruoli che ognuno di noi può ricoprire all'interno della società umana. Sebbene, infatti, i commentatori non se ne siano accorti, cosa, questa tutt'altro che priva di significato per chi sappia ricollegarla a un effetto della scrittura machiavelliana, la verità è che nelle stringhe parallele « il lione non si defende da'lacci » / « la golpe non si defende da'lupi » si condensano ellitticamente due *fabulae* di stampo esopiano, ricavabili dalla raccolta umanistica dell'Abstemius. La prima è quella *De leone a vulpe edocto ut possit a vinculis exire,* in cui si racconta come la volpe venisse in aiuto del leone che era stato preso in trappola : « Leo comprehensus laqueo, totus viribus vincula dirumpere conabatur, quo autem maiore conatu laqueum trahebat, eo arctius detinebatur. Vulpes illac iter habens, cum hoc esset intuita : — Non viribus — inquit — mi rex, istinc evades, sed ingenio. Relaxandus enim laqueus et dissolvendus, non trahendus. — Quod cum leo fecisset, statim soluto laqueo, quo erat astrictus, liber evasit. Fabula indicat ingenium viribus longe esse praestantius ». La seconda invece, *De leone partem praedae a lupo petente,* presenta insieme dinanzi al leone il lupo e la volpe, l'uno ridotto a mal partito dalla sua stessa ostinazione di violento e l'altra pronta subito a cedere. La corrispondenza in questo caso appare assai generica, al livello di uno spunto da elaborare ; ma al Machiavelli non occorre altro, inventivo com'è, par costruire il suo canovaccio di un conflitto tra la volpe e il lupo, risolto dal leone a favore dell'animale più debole, in simmetria perfetta con la favola dei « lacci » solo che si capovolgano i ruoli dei protagonisti : da un lato si ha la triade « leone — lacci — volpe » e dall'altro quella « volpe — lupi — leone », con una contrapposizione d'ordine morfologico, marcata dall'inatteso moltiplicarsi dei « lupi », tra il singolare del soggetto — oggetto e il plurale dell'ostacolo — oppositore.

Una volta ancora, si conferma che lo stile del Machiavelli punta sulla forza della concisione e delle antitesi riduttive nell'ambito sintattico, affidando agli strati più bassi dei campi semantici, là dove si raccolgono le rifrazioni culturali o le citazioni nascoste, la strategia dell' idea accessoria in modo che questa si accenda e si colorisca solo al termine di un processo di congettura intertestuale, sulla traccia di uno schema epigrammatico che sembra affondare sino a celarsi nella densità uniforme del tessuto linguistico. La carica di tensione che proviene dall'innesto, entro il congegno brevissimo della frase, di una favola trascritta nei punti geometrici della sua dinamica di « forma semplice », a voler adottare la pertinente terminologia dello Jolles, si rivela tanto più acuta quanto più consueto e normale scorre il tono dell'enunciato, alla stessa stregua per cui un'arguzia può arricchirsi di nuove valenze comiche se chi la pronuncia non sorride ma fa conto di nulla, senza un segno d'intesa per il destinatario. D'altronde la favola animale richiede di regola lo sguardo freddo e oggettivo di un osservatore distaccato, attento soltanto al decorso del fenomeno, alla pura sequenza dei gesti e dei ruoli. Se vi resta ancora una qualche allegria, è l'ilarità grigia di un intelletto disincantato che comprende, che ordina in un teatro di immagini l'esperienza di un mondo oscuro, retto quasi sempre dalla gerarchia della forza. Così nel capitolo del *Principe* gli emblemi della volpe e del leone vengono riportati al movimento originario della favola, non sono maschere del linguaggio scisse dal loro contesto vitale, ma funzioni di un rapporto, unità di forza riprese nell'atto di opporsi, nell'istante più drammatico di una storia che può ripetersi all'infinito.

Nessuna astrazione concettuale potrebbe ora sostituirsi all'inferenza machiavelliana, appoggiata al concreto degli oggetti e degli individui (« bisogna adunque essere golpe a conoscere e' lacci, e lione a sbigottire e' lupi ») senza distruggere la componente più singolare di uno stile ideologico che riesce a tradurre il ragionamento in gesto, in percezione quotidiana del senso comune, e assimila l'idea a un individuo, a un corpo che ne costituisce il segno vivente, il centro d'irradiazione in uno spazio ciclico aleatorio di masse in conflitto. Non diversamente da quanto accade in quello che il Lévi-Strauss chiama il pensiero selvaggio, frutto di una logica classificatoria non meno minuziosa che raffinata, il mondo animale assunto nella sua più diretta realtà sensibile fa emergere nozioni e rapporti che poi la riflessione elabora partendo dai dati dell'empiria. I due estremi dell'analisi e della sintesi collimano in un'unica scienza del concreto a struttura binaria, mentre il simbolismo delle equivalenze e delle opposizioni fra uomo e natura dà luogo a un sistema di calcolo, di confronto e di ordinamento da applicare operando all'universo delle cose e delle forme viventi. All'umanizzazione delle leggi naturali, per dirla sempre con Lévi-Strauss, si accompagna in questo modo una naturalizzazione degli atti umani, suscettibile di una trascrizione emblematica che intensifica l'aspetto gestuale e dinamico del comportamento, il flusso di energia di cui è portatore. Il pensiero non si dissocia dalla sensibilità perché diviene percezione di una forza visibile, esperienza di un processo spazializzato in figure distinte e contrapposte.

La tendenza all'attualizzazione e alla drammatizzazione del concetto e dei suoi nessi intellettuali, immanente come sembra all'alternativa variabile « volpe — leone », trova una conferma ulteriore nelle relazioni sintattiche che la codificano e la rifrangono lungo lo spartito combinatorio delle alternanze semantiche. Se dapprincipio infatti, si parla di qualità e di modi di essere nell'ordine tradizionale di « mantenere la fede », « vivere con integrità », « con l'astuzia aggirare », la comparsa in fondo al periodo del sintagma « fondati in sulla lealtà », con l'attrazione del determinante astratto alla competenza concreta del verbo, che nel Machiavelli implica quasi sempre un rapporto oppositivo di sopra e di sotto in un contesto architettonico, segnala già uno spostamento di prospettiva verso il polo dell'evidenza fisica o della concatenazione vitalistica e prepara così la metonimia omogenea del nuovo gruppo verbale « usare la bestia e lo uomo », da cui si genera poi per condensazione realistica il segmento di « pigliare la golpe e il lione ». Sotto il riguardo semantico il gruppo nominale « volpe — leone » è un esempio di concreto in luogo dell'astratto (« astuzia — forza »), ma a più dimensioni, in quanto, oltre a trasferire il termine di qualità a un individuo tipico in cui si manifesta al grado più puro, sottintende anche la determinazione di « persona della golpe e del lione » : lo chiarisce esplicitamente il capitolo XIX (« quanto bene usare la persona della golpe e del lione ») di nuovo in consonanza obliqua con la dottrina ciceroniana delle « duae personae » delle quali ciascuno di noi sarebbe « a natura indutus » e di quelle aggiunte connesse alla società e al ruolo che vi si è scelto, essendo poi inteso che « ipsi gerere quam personam velimus, a nostra voluntate proficiscitur ».

Ma tanto in un caso come nell'altro, si tratti di una « natura » o di un « personaggio », quasi di una maschera da « colorire » e da « imitare », rimane sempre quale struttura profonda dell'enunciato l'oggettivazione di un'attitudine interna che si trasforma in una possibilità da cogliere, in uno strumento da adoprare e mettere alla prova, in momento dinamico di una personalità multipla, unificata da un'intelligenza che coincide col corpo e insieme lo trascende, lo asseconda e lo controlla. L'intensificazione strumentale del rapporto e la sua immagine correlativa di un contatto tra un soggetto e un oggetto giustapposti (non si deve dimenticare, del resto, che il capostipite latino « uti aliquo » significa pure « avere pratica, rapporto con qualcuno ») radicalizzano alla fine la modalità impulsiva dell'azione nel suo passaggio da uno stato ad un altro secondo la dialettica inerente a un equilibrio precario, mai al sicuro dalle frane nel vuoto e dalle « ruine » di una crisi. Come lo « stare in sul lione », il lessema « usare » viene assorbito dal nucleo semico, incoativo e dinamico, di « pigliare », mentre l' « essere » equivale di fatto a un « divenire ». Anche la sintesi in apparenza definitiva di « ferocissimo lione e astutissima golpe », che s'incontra sempre nel capitolo XIX, nasconde un contrasto, una tensione di forze del tutto simile a quella che agita l'universo, del momento che « tutte le azioni nostre imitano la natura » e questa non concede alle « mondane cose » di « fermarsi ».

In ultima istanza, si ritorna più che mai al mito del centauro, al centro dell'analisi sull'immagine doppia del principe, col suo naturalismo fantastico e quasi visionario, associato al gusto erudito dell'esegesi e del linguaggio simbolico. Per quanto proceda per scorci fulminei e bruci i raccordi intermedi, lo scrittore deve scoprire le sue carte più dall'interno rifacendosi dichiaratamente al metodo allegorico dell'insegnamento « coperto » o « figurato », come aveva già fatto al capitolo XIII del *Principe* con una « figura del Testamento Vecchio », che riguarda la storia di David, e come ripeterà più tardi nei *Discorsi* (II, 12) a proposito della « favola poetica » di « Anteo re di Libia » che « assaltato da Ercole Egizio, fu insuperabile mentre che lo aspettò dentro a' confini del suo regno ; ma come ei se ne discostò per astuzia di Ercole, perdé lo stato e la vita ». Senonché al contrario dell'ermeneutica umanistica con il suo approccio platonico — cristiano, quella del Machiavelli conosce soltanto una chiave di decifrazione politica, tanto più sorprendente poi quando si applica al testo biblico, per discorrere, a esempio, di Mosè « mero esecutore delle cose che gli erano ordinate da Dio » : basta accostare infatti questo passo del capitolo VI a quello del centauro nel XVIII perché si riveli un'analogia curiosissima tra la coppia del profeta e del suo « gran precettore » e quella di Achille e Chirone, pure lui « precettore » ma « mezzo bestia e mezzo uomo », e ciò che fa più impressione naturalmente è l'equipollenza politica tra Dio e il centauro, in un alone di mistero che può avere persino qualcosa di beffardo. Anche rispetto a Chirone, del resto, l'univocità riduttiva della lettura machiavelliana risulta così scolpita e prepotente da ricacciare nell'ombra gli « antiqui scrittori » a cui dice di richiamarsi e da rendere quasi superflua ogni inchiesta sulla loro consistenza, se non fosse poi vero che anche l'invenzione più straordinaria ha bisogno d'essere collocata in un contesto affinché se ne possa misurare l'impulso di rottura insieme col contraccolpo che investe *a posteriori* un *corpus* di forme, di simboli culturali, o d' « idées fixes » come direbbe Georges Poulet.

Nell' universo di cultura entro cui s'è formato il Machiavelli, quantunque al di fuori di una vera scuola umanistica, il centauro simboleggia di massima la violenza e la ferocia dell'uomo che nega la legge della ragione tramutandosi in tiranno, in nemico della giustizia. Nelle *Genealogie deorum gentilium* il Boccaccio dichiara che « fuere quidem Centauri homines armigeri, elati animi, et immoderati, ac in omne nephas proni, uti satellites cernimus, et stipendiarios, ac ministros scelerum, ad quorum vires fidemque confestim recurrit tyrannus » e lo stesso riafferma nelle *Esposizioni sopra la Comedia,* mentre più tardi, commentando Dante nella luce alta della sapienza neoplatonica, il Landino conclude che « comme el corpo del centauro ha e' primi membri umani e gli ultimi di fiera, così i tirannici desiderii hanno da principio qualche parte di ragione, ma di poi quanto più tirono avanti in loro progresso tanto più divengono bestiali » : donde si può poi dedurre che « el peccato è il confine del cavallo e de l'uomo ». L'accezione negativa di bestialità malvagia intrinseca al centauro si attenua invece quando entra in scena Chirone, il quale, come maestro mitico di eroi, non può essere soltanto una « fiera ». Di lui il Boccaccio precisa che « nutricò » Achille « non in quella forma che gli altri tutti si sogliono nutricare, ma gli faceva apparecchiare il cibo suo soltanto di medollo d'ossa di bestie prese da lui ; e questo faceva. acciò che egli per continuo esercizio si facesse forte e destro a sostenere le fatiche ». Il Landino a sua volta, ricordato che il centauro « fu detto mezzo cavallo perché fu uomo bellicoso, imperoché el cavallo è animale atto a guerra ; onde Achille uomo bellicoso è detto suo discipulo », propone di farne un'allegoria intermedia di « quello animo el quale benché sia efferato nell'ambizione e nella cupidità del signoreggiare, nientedimeno non è sanza alcuna dottrina e ragione e qualche giustizia ».

Su questa linea, per altro, si dimostra assai più risoluto e positivo il Salutati del *De laboribus Herculis,* il quale vede in Chirone, precettore di Achille e di altri principi, il simbolo della vita attiva propria del politico (« quod magister fuerit Herculis, Achillis et Esculapii ad hoc spectat, quod quanto magis in vita hac quam activam dicimus exercemur, tanto magis addiscimus ut ipsum exercitium, hoc est operativa vita, nobis quodam modo sit magistra »), sebbene poi assegni sempre alla parte animale una funzione servile e ribadisca ancora il primato della ragione, dell'umanità che vince gli appetiti ferini della natura. Ecco le sue parole, per l'appunto : « Chyron igitur habet superiorem partem in effigiem hominis, animalis videlicet rationalis, inferiorem autem in equi formam, in quo, sicut diximus, activa vita figuratur. Nam cum ratio, quam communem habemus cum angelis, imperat appetitui, quem communem habemus cum beluis, vita activa plenaque virtutis resultat in homine, que vere humana est. Nam si controversim appetitus subiuget rationem, vita non hominis erit sed penitus bestialis. Si autem imperio rationis ocioso appetitus cooperetur sine resistentia rationi, supra statum hominis hec vita est et que angelica dici debeat, non humana. Nec in equo fuit incongrue appetitus sive sensualitas figurata. Nullum enim animal obedientius est homini quam equus, cuius est, si freno per hominem regitur, solide pergere, si autem sine freno vel absque homine suis motibus relinquatur, sepissime cadere vixque ad destinatum terminum pervenire. »

Anche nell'esegesi « politica » del Salutati, a ogni modo, il limite invalicabile resta quello di un'etica dell'interiorità e dell'autocensura conforme a uno spiritualismo platonico prima ancora che cristiano, per cui « unicus in nobis est homo, bestiae vero sunt multae », secondo la formulazione del Ficino, e la dignità umana consiste nella rimozione degli « affectus bestiarum ». Viene subito alla mente il Pico del *De hominis dignitate* e la sua tesi dell'uomo « chamaeleon » o microcosmo : « Tritum in scholis verbum est, esse hominem minorem mundum, in quo mixtum ex elementis corpus et caelestis spiritus et plantarum anima vegetalis et brutorum sensus et ratio et angelica mens et Dei similitudo conspicitur. » Ma è una via, si sa, che non conduce al *Principe*. Per avvicinarsi veramente al Machiavelli e alla sua religione mondana della « fortezza del corpo », della prassi « feroce e gagliarda », occorre retrocedere piuttosto, alle spalle del Salutati, verso una cultura che conservi ancora il mito del guerriero o quello del cacciatore che ne è una variante. Detto questo, non fa meraviglia che proprio Senofonte, uno degli autori più presenti nelle pagine del *Principe*, trasmetta un'immagine del centauro non moralistica, quasi sul genere di quella machiavelliana, da una parte con il *De venatione*, quando vi si esalta l'opera virtuosa di Chirone (« veteres quorum memoriam feci ab ineunte aetate venationes apud Chironem meditati, multa et honesta didicerunt, ex quibus magna illis virtus accessit, quae ipsos nunc etiam admirandos facit », come traduce il Filelfo e come legge anche il Machiavelli, il quale a sua volta non a caso parla di « stare sempre in sulle cacce ») e dall'altra con un discorso della *Ciropedia* pronunciato da Crisanta per persuadere i Persiani a combattere anch'essi a cavallo. L'argomento decisivo dell'oratore è infatti l'esempio favoloso dell'ippocentauro, eguagliabile, egli dice, nella sua doppia eccellenza fisica e intellettuale solo da un soldato che si converta in cavaliere. Ma si ascolti intanto, sempre nel latino della versione umanistica, quello che scrive Senofonte : « Quo fit ut maxime ex omnibus animalibus adamem hippocentauros, si fuerint, quippe qui tum hominis uterentur ante rem consultandi prudentia et manuum artificio, tum haberent equi et velocitatem et vires. Quare et quod fugeret capiebant et quod expectarent vertebant in fugam. Itaque etiam ipse haec omnia, si fiam eques, mecum sane confero. Potero equidem omnia providere mente humana, manibus vero me armabo, equo autem vehar adversariumque avertam equi robore ; neque, sicut hippocentauri, vincar natura. » Non v'è dubbio, fra i testi accessibili al Machiavelli non ne esiste un altro che ricordi al pari di questo il centauro del *Principe,* tanto da sembrarne quasi un precedente iconologico : e il nesso si rinforza quando vi si aggiunga, sulla scorta degli studi del Warburg e del Panofsky, l'incidenza di un gusto aperto al primitivo e al « selvatico », d'ispirazione largamente lucreziana, che vanta a Firenze, per tacere d'altri, un pittore della tempra di Piero di Cosimo, tutto intento a esplorare con le sottigliezze nevrotiche del suo naturalismo capriccioso un paesaggio remoto di mostri e di forze primigenie. D'altro canto, nella misura stessa che il Chirone del *Principe* si integra in un *milieu* omogeneo di atteggiamenti e di idee, prende ancora più spicco la capacità misteriosa del Machiavelli di estrarre dall'aneddoto l'essenza vitale di un mito e di « ridurre al segno » una figura d'archetipo, poiché il suo centauro viene ad essere un simbolo del potere, d insospettata pregnanza, in cui si riflette la logica di una antropologia antichissima, di una visione del mondo anteriore e opposta a quella cristiana.

Affascinanti e sapienti nel loro lungo itinerario, le indagini moderne del Dumézil, che oggi non si possono più ignorare, hanno mostrato come si alternino nel sistema indoeuropeo due forme antitetiche di sovranità, rappresentate rispettivamente nel modello della teologia vedica da Mitra e da Varuna, immagine il primo di un potere magico, creativo e violento, mentre il secondo designa un sovrano giusto e pacifico, un savio che è a un tempo un sacerdote. Nell'assimilarsi alla cultura romana, poi, questi miti della regalità vengono desacralizzati e tradotti in eventi di una pseudostoria nazionale, ma l'opposizione tra le due figure tipiche del potere non va perduta, anzi si riproduce con un nuovo campo ideologico, nel rapporto dialettico di Romolo e Numa Pompilio, come polarità tra il carisma della « celeritas » e l'etica della « gravitas », tra il regno del « terribile » e quello del « benevolo ». Se si prescinde per ora da Numa, di cui si dovrà discorrere più avanti, i caratteri di Romolo quali li ritrae fedelmente Tito Livio attingendo alla vecchia epopea delle origini trasfusa nell'annalistica sono quelli di un guerriero, di un eroe giovane aggressivo e spietato, con una pienezza d'energie che anche nell'impeto della distruzione diventa generatrice di vita. A lui si associano quindi l'immagine di una giovinezza esuberante e avventurosa, l'idea di una violenza che purifica, il mito di una creazione inattesa, l'istinto della velocità, dell'improvvisazione, e fra gli esseri più o meno favolosi che gli stanno accanto compare anche il centauro, certamente per l'analogia, come osserva il Dumézil, che lo lega alla « celeritas » del guerriero. Che dire di più ? Elevando il centauro a simbolo del principe e dell'uomo di stato sulla traccia di Senofonte, sembra proprio che il Machiavelli ricuperi intuitivamente questa categoria mitica della sovranità, che poi identifica in primo luogo con Romolo, tanto è vero che per difendere il Valentino dall'accusa di crudeltà nel capitolo XVII del *Principe* (« Era tenuto Cesare Borgia crudele ; nondimanco quella sua crudeltà aveva racconcia, la Romagna unitola, ridottola in pace e in fede ») egli invoca lo stesso principio del « racconciare » per cui si giustifica nei *Discorsi,* a titolo di paradigma, la violenza del « fondatore di Roma » : « Conviene bene che, accusandolo il fatto, lo effetto lo scusi ; e quando sia buono come quello di Romolo, sempre lo scuserà : perché colui che è violento per guastare, non quello che è per racconciare, si debbe riprendere. » La concordanza è quanto mai sintomatica e ha un valore, per giunta, di *pars pro toto*. Se il problema della violenza viene risolto allo stesso modo tanto per il Valentino come per Romolo, a parte l'iperbole dell'accostamento vuol dire, in un senso più generale, che il principe esperto della « guerra e ordini e disciplina di essa » si modella sull'ideologia del potere di cui Romolo raffigura, nella versione romana, l'estremo della forza vitale, il momento dello slancio creatore.

Quanto all'aspetto opposto della « gravitas » rappresentato da Numa Pompilio in funzione di una regalità pacifica e contenuta che deve assicurare principalmente la stabilità e la continuità di governo, essa rimane nel *Principe* in ombra dinanzi all'archetipo trionfante del centauro, quantunque al termine del capitolo XIX, dopo il lungo *excursus* sugli imperatori romani, così difformi per altro dai monarchi del tempo eroico, si affacci la distinzione tra le virtù necessarie per « fondare uno stato » e quelle « convenienti e gloriose a conservare uno stato che sia già stabilito e fermo ». Anche in questo caso tuttavia ciò che interessa è sempre la persona del principe « mezzo bestia e mezzo uomo » nella moltiplicità delle sue azioni secondo che in lui prevalga la volpe o il leone e il suo « animo » risulti « disposto a volgersi secondo ch'e venti e le variazioni della fortuna li comandano ». La dialettica della forza e dell'astuzia, per quanto poi anche la volpe designi in fondo un tipo di forza, resta interna allo stesso individuo e non porta ancora a un'alternativa di figure complementari, per lo meno fino a quando non entra in gioco il concetto di fortuna, nel drammatico capitolo XXV, che, postulando il « riscontro » del « modo del procedere » con la « qualità de' tempi » e l'impossibilità da parte dell'uomo di « volgersi » oltre « quello a che la natura l'inclina », introduce l'opposizione, non più conciliabile entro un unico soggetto, tra il politico « respettivo » e quello « impetuoso » : e si pensa subito di riflesso alla coppia antitetica di « gravis » e di « celer ». Ma poi l'opposizione rientra o meglio si attenua di fronte al corollario finale che « sia meglio essere impetuoso che respettivo », dove si opta di nuovo per il mito di Romolo, come se l'immagine del potere fosse inseparabile da quella della giovinezza, della natura all'apice del suo ciclo creativo. Non per nulla la fortuna è « amica de' giovani » in quanto sono meno « respettivi » e più « feroci » : resterebbe solo da soggiungere, dato che sembra implicito nell'immagine continuata del rapporto erotico, che si tratta di una giovinezza con i caratteri della volpe, capace di convertire l' « audacia » in calcolo e la vitalità in strategia per dominare una « donna » e i suoi « lacci ». È un'altra componente della natura di Romolo e delle sue varianti, Teseo e Ciro.

In realtà, affinché il simbolo del principe vecchio e prudente, così come si definisce nella persona di Numa, acquisti una consistenza tematica pari a quella del suo antagonista, di cui è poi complementare, bisogna attendere i *Discorsi* con la nuova lezione di Livio e magari di Plutarco, non più nella prospettiva dell'azione politica individuale ma in quella dello stato e della sua continuità, ossia della struttura che emerge attraverso l'opera delle generazioni e degli uomini di governo come forma esemplare del « vivere civile ». A colloquio sistematico col testo liviano, dove la storia dei sette re ripropone, combinata con le leggende del nuovo tronco indigeno, la tipologia mitica del potere, comune a tutto il mondo indoeuropeo, il Machiavelli capta la logica profonda dei paradigmi generativi del processo storico proprio perché la sua lettura politica deve risalire dalla « varietà degli accidenti » e degli individui alle funzioni costanti di un insieme, alla maniera di un umanista antropologo che anticipa non solo il Vico della « perpetua mitologia istorica » ma anche, se si è visto bene, il Dumézil. Ed ecco allora il momento di Numa, del re sacerdote succeduto a Romolo per ridurre un « popolo ferocissimo » nelle « obedienze civili con le arti della pace », a verifica del principio che la « religione » sia « cosa al tutto necessaria a volere mantenere una civiltà » se da essa dipendono i « buoni ordini » che possono rendere « durabile » uno stato. Nello scorrere intenso ed essenziale dei *Discorsi* si ricostituisce così la diade simbolica del guerriero e del sapiente. Se Romolo appare l'eroe dell' « azione straordinaria », dell'audacia risoluta e violenta, della ferocia al servizio del « bene comune », Numa è l' « ordinatore di leggi » che governa attraverso la religione, che fonda il proprio potere non sulle « armi » ma sull'arcano di un supposto rapporto con Dio, che oppone al « furore » una « prudenza » di « uomo grave », superiore allo stesso Romolo nella misura in cui mentre « dove è religione facilmente si possono introdurre l'armi », là « dove sono l'armi e non religione, con difficultà si può introdurre quella ».

Non appena però si correla la loro natura all'intero sviluppo dello stato romano e al problema dell'avvicendamento dei « successori » e si osserva di rincalzo che per « fortuna grandissima » di Roma la prima triade di sovrani presenta nell'ordine un monarca « ferocissimo e bellicoso », uno « queto e religioso » e un terzo infine « più amatore della guerra che della pace » — tre figure che per i loro stessi attributi corrispondono più che mai alle grandi categorie del comportamento politico — la preferenza torna a Romolo e a « chi gli somiglia » sulla base del fatto che per essere « armato di prudenza e di armi ». Romolo può fare fronte a tutte le situazioni, quando non siano disperate, e non dipende, al pari di Numa, dalle forze esterne « secondo che i tempi e la fortuna gli girerà sotto ». In un certo senso, è come se rinascesse anche in ordine al « durare » dello stato l'alternativa tra l' « impetuoso » e il « respettivo ». Nonostante il riconoscimento del ruolo insostituibile del principe « religioso », il paradigma di fondo resta ancora quello del politico guerriero, l'unico in grado di operare in un mondo « guasto » e in tempi maligni di decadenza, come insegna appunto Romolo prendendo « una città corrotta, non per guastarla in tutti come Cesare, ma per riordinarla » : è un Romolo interpretato naturalmente in uno spirito anticiceroniano come il « costruttore » o il « medico » che « racconcia » anche nella violenza, come l'uomo di guerra « prudente e virtuoso » che non esita a istituire il Senato conforme più a « un vivere civile e libero che a uno assoluto e tirannico ». Di pari passo con l'approfondirsi della coscienza della corruzione, dell'insidia involutiva che minaccia ogni corpo politico, si consolida anche il mito della giovinezza e della vitalità che può restituire vigore a un organismo senile quando i suoi processi, i suoi « umori », si allentano o si alterano non più a « salute » ma a « danno suo ». Perciò uno dei meriti della repubblica romana, tanto esemplare nello « ordine della istoria », sta nell'aver concesso il consolato ai suoi cittadini « senza rispetto di età e di sangue » e nell'aver saputo valersi dei giovani, anche per gradi che esigono la « prudenza dei vecchi », perché solo in loro si ritrova la « prontezza » il « vigore dell'animo ».

Una nozione di vitalità così radicata nella dialettica della nascita e della morte, quasi nel ciclo profondo della sessualità, attinge lo statuto di un'idea madre al di sotto dell'universo dei concetti, benché derivino poi da essa i meccanismi antitetici dell'intelligenza, e quindi non abbandona mai il Machiavelli, anzi arriva quasi a ossessionarlo, nel flusso alterno delle speranze e delle mortificazioni, delle fantasie, delle rinunzie, degli adattamenti, che fanno di lui, ma senza ipoteche sentimentali, un personaggio drammatico e insieme un attore da teatro comico che separa la saggezza dalla moderazione : un ingegno stravagante e paradossale a dire del Guicciardini, che lo conosceva bene davvero. Proprio scrivendo al Guicciardini, in una lettera del marzo 1526, con la sensazione di vivere in tempi che « richieggono deliberazioni audaci, inusitate e strane » il Machiavelli dà sfogo ancora all' antico gusto della « cosa pazza », del « disegno temerario » sino a parere « ridicolo », e tratteggia, lucido e febbrile, un quadro della guerra a suo avviso imminente, in cima al quale svetta con la sua « bandiera di ventura » Giovanni de' Medici, signore « audace, impetuoso, di gran concetti, pigliatore di gran partiti ». Nell' immagine di questa giovinezza, del tutto simile a quella del principe che dovrebbe battere e piegare la fortuna, sembra d'intravedere di nuovo, forse per l'ultima volta, il simbolo del centauro. E quanto al Chirone che gli fa da complemento, lo si può subito ravvisare, ai margini dell'enunciato, nello stesso Machiavelli : solo che in luogo di Achille il suo interlocutore è un fantasma della mente o del desiderio, un libro con un destinatario mancato, un *double* proiettivo di chi scrive.

È proprio vero, in fondo, che il mito non esclude la maschera borghese. Chirone moderno tra le armi da fuoco, accanto alla forza incorrotta del guerriero il Machiavelli adombra forse nell'ambivalenza fantastica del centauro la propria solitudine di scrittore, il proprio destino di intellettuale e di scienziato.

Ezio Raimondi

ORDONNANCE DU CHAOS

Au premier « jour » de la *Première Semaine,* Du Bartas, comme il se doit, place un tableau du Chaos originel. Le voici, ou du moins ses trente-six premiers vers, qui m'en paraissent l'essentiel et le plus caractéristique[1] :

Ce premier monde était une forme sans forme,
Une pile confuse, un mélange difforme,
D'abîmes un abîme, un corps mal compassé,
Un chaos de chaos, un tas mal entassé
5 *Où tous les éléments se logeaient pêle-mêle,*
Où le liquide avait avec le sec querelle,
Le rond avec l'aigu, le froid avec le chaud,
Le dur avec le mol, le bas avec le haut,
L'amer avec le doux ; bref, durant cette guerre
10 *La terre était au ciel et le ciel en la terre.*
La terre, l'air, le feu se tenaient dans la mer ;
La mer, le feu, la terre étaient logés dans l'air ;
L'air, la mer et le feu dans la terre ; et la terre
Chez l'air, le feu, la mer. Car l'Archer du tonnerre,
15 *Grand Maréchal de camp, n'avait encor donné*
Quartier à chacun d'eux. Le ciel n'était orné
De grand's touffes de feu ; les plaines émaillées
N'épandaient leurs odeurs ; les bandes écaillées
N'entrefendaient les flots ; des oiseaux les soupirs

---

1. Ed. Holmes, t. II, p. 202-203, vers 223 à 258. Nous avons modernisé ici l'orthographe et la ponctuation. Cette page se trouve également dans les anthologies de Jean Rousset, t. II, p. 11-12, et de Marcel Raymond, p. 194-195. Elle s'inspire évidemment des premiers versets de la Genèse, et aussi d'Ovide, *Mét.*, I, 1. Comme notre objet n'est pas ici la spécificité du discours de Du Bartas, nous ne ferons aucun départ entre ce qu'il « emprunte » et ce qu'il « invente ».

20 *N'étaient encor portés sur l'aile des zéphyrs.*
Tout était sans beauté, sans règlement, sans flamme ;
Tout était sans façon, sans mouvement, sans âme.
Le feu n'était point feu, la mer n'était point mer.
La terre n'était terre, et l'air n'était point air.
25 *Ou, si jà se pouvait trouver en un tel monde*
Le corps de l'air, du feu, de la terre et de l'onde,
L'air était sans clarté, la flamme sans ardeur,
Sans fermeté la terre, et l'onde sans froideur.
Bref, forge en ton esprit une terre qui, vaine,
30 *Soit sans herbe, sans bois, sans mont, sans val, sans plaine,*
Un ciel non azuré, non clair, non transparent,
Non marqueté de feu, non voûté, non errant,
Et lors tu concevras quelle était cette terre,
Et quel ce ciel encor, où régnait tant de guerre.
35 *Terre et ciel que je puis chanter d'un style bas*
Non point tels qu'ils étaient, mais tels qu'ils n'étaient pas.

Chacun sait, ou croit savoir, ce qu'est le Chaos : l'indistinction première, la confusion des éléments, le monde non pas tant avant la Création qu'avant l'acte de division qui assigne à chaque matière sa qualité spécifique, à chaque corps sa portion d'étendue. Ce thème de l'*indifférencié* appelle évidemment une rhétorique du désordre et de l'entassement qui est dans la grande tradition du poème « cosmique », de Lucrèce à Hugo. Et certes, les cinq premiers vers répondent ici à cette attente : *forme sans forme, pile confuse, mélange difforme, abîme d'abîmes, chaos de chaos,* nous y sommes. Mais ceci n'est en fait qu'un préambule, ou plus précisément un sommaire, surtout le cinquième vers, qui expose le thème dont toute la suite sera le développement en variations. A partir de là, la confusion va s'énoncer et s'illustrer en quelque sorte *a contrario,* selon un système de différences et de contrastes qui lui est par définition étranger. Si le chaos est bien l'universel « mélange » dont le poète veut manifestement nous donner l'idée, le royaume de l'absolue entropie, rien ne lui est plus contraire que la notion même de « querelle » ou de « guerre » entre quoi que ce soit et quoi que ce soit d'autre, lesquels, n'étant pas encore distincts, ne sont tout simplement pas encore : ni liquide ni sec, ni rond ni aigu, ni dur ni mou, ni bas ni haut, ni amer ni doux. « Querelle » et « guerre » sont ici pour *indistinction,* et cette étrange équivalence expose un détour de langage hautement significatif. Mais il n'est pas encore temps d'*effectuer* (comme dit Sartre [2]) cette

2. *Saint Genet,* p. 286.

signification : il faut d'abord considérer d'un peu plus près le détail des oppositions signifiantes.

Le premier système, qui mérite à peine ce titre puisqu'il n'est pas clos et que la liste en pourrait facilement être étendue, est celui des *qualités* sensibles ou spatiales : liquide/sec, froid/chaud, dur/mou, amer/doux — rond/aigu, bas/haut. Par son ouverture même et son indétermination, il est encore contingent et comme *ad libitum,* proche en cela de l'amorphisme qu'il cherche à désigner. Il propose divers partages dont chacun se veut universel (tout ce qui n'est pas liquide est sec, tout ce qui n'est pas froid est chaud, etc.), mais qui sont entre eux dans une relation libre et non définie : on peut être à la fois sec et chaud, froid et dur, mou et amer, etc. Il n'a lui aussi qu'une fonction introductive, et ne jouera plus aucun rôle dans la suite du texte.

Les deux systèmes réellement productifs, et qui commandent l'organisation du discours à partir du vers 10, sont probablement les deux structures les plus familières à la cosmologie naïve, au moins dans notre civilisation : ce sont l'opposition binaire ciel/terre, qui est spatiale et donc en un sens formelle, et l'opposition quaternaire — et substantielle s'il en fut — des « éléments » : terre, eau, air, feu. La première détermine le vers 10, et plus loin les vers 29 à 36 ; la seconde occupe d'un seul tenant les vers 11 à 28, à l'exception d'un distique de transition, ou de suspension, on dirait volontiers une mesure pour rien, ou pour reprendre souffle, 21-22. La structure la plus complexe est donc encadrée par deux variantes de la plus simple : principe de « composition » dont on trouverait assez facilement des équivalents en musique. Mais d'autre part, chacune de ces deux structures est exploitée de deux façons différentes : d'abord sur un mode purement spatial, puis selon une modalité plus substantielle, disons qualitative : vers 10, terre-ciel selon leur confusion spatiale ; vers 11 à 20, éléments selon leur confusion spatiale ; vers 23 à 28 (après le distique suspensif), éléments encore, mais selon leur confusion substantielle ; vers 29 à 36, terre-ciel de nouveau, mais selon leur confusion substantielle. Comme on le voit, il nous manque un terme symétrique d'*éléments* pour désigner le couple terre-ciel : convenons de les appeler, selon une métaphore point trop étrangère à l'esprit du temps, des *domaines.* Nous pouvons dès lors analyser la structure générale de ces vingt-sept derniers vers comme résultant d'une double partition : domaines/éléments, spatial/substantiel, laquelle détermine une séquence, ou une *disposition* (au sens rhétorique) dont le tableau suivant peut rendre compte :

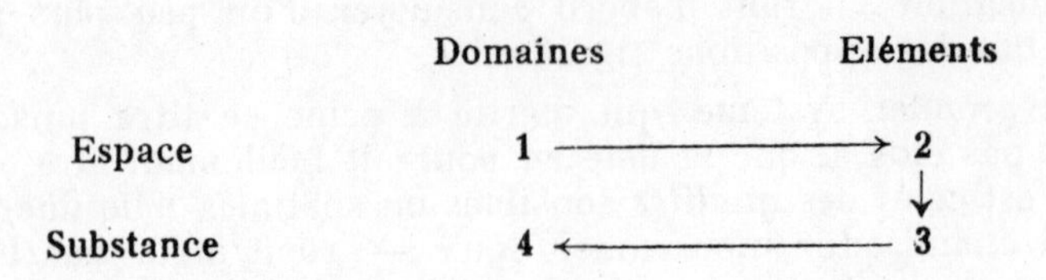

Par « rendre compte », j'entends manifester à la fois la structure « de surface », qui est la séquence elle-même, et la structure immanente ou « profonde », c'est-à-dire ici la croisée des deux systèmes d'oppositions. Ces termes de surface et de profondeur ne doivent évidemment induire aucune connotation de valeur ; en revanche, il est indispensable de percevoir (ce que la critique traditionnelle et la rhétorique classique ne percevaient pas, ou du moins manquaient à faire apparaître) que le *parcours* de la disposition renvoie à un *système* sous-jacent qui est structure au sens fort, c'est-à-dire jeu d'oppositions. Le tableau proposé expose bien, j'espère, le parti adopté (consciemment ou non) par notre poème, qui est celui d'une disposition *liée,* où le passage d'un terme à l'autre est toujours assuré en continuité par un élément de définition commun : on passe des domaines aux éléments en restant sur le plan spatial, puis du plan spatial au plan substantiel en restant dans la colonne des éléments, puis des éléments aux domaines en restant sur le plan substantiel. Pour bien concevoir qu'il s'agit là d'un parti esthétique déterminé, il suffit de songer qu'une disposition plus « logique » (c'est-à-dire plus taxinomique) aurait donné par exemple : 1) Domaines, a) du point de vue spatial, b) du point de vue substantiel ; 2) Eléments, a) du point de vue spatial, b) du point de vue substantiel, soit le tableau :

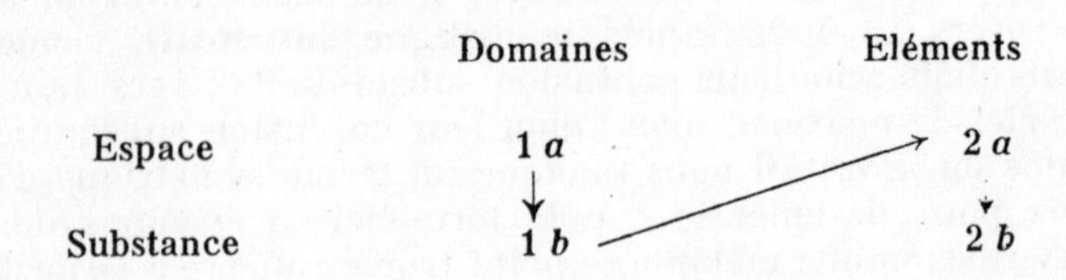

ou encore : 1) Du point de vue spatial, a) domaines, b) élément ; 2) Du point de vue substantiel, a) domaines, b) éléments, soit le tableau :

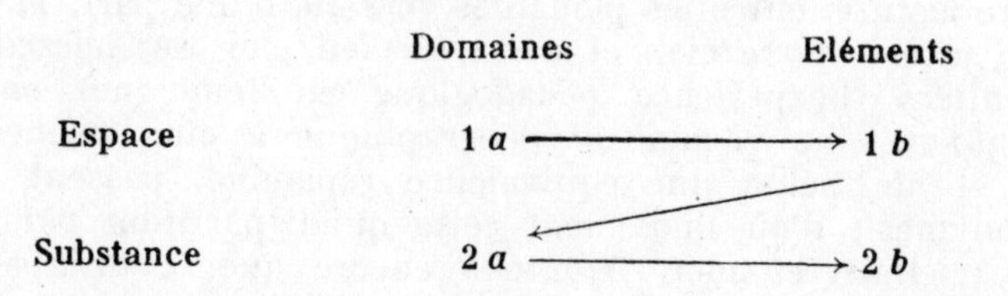

avec à chaque fois une rupture de continuité symbolisée ici par le passage de la flèche au point de croisée. Fin de la parenthèse méthodologique, dont on voudra bien retenir, peut-être, qu'il y a « structure » et « structure », et que le relevé des séquences ne trouve son sens et sa fonction qu'une fois la séquence manifeste rapportée au système implicite.

Mais il ne suffit évidemment pas d'établir ce système : il faut aussitôt noter la présence d'un certain nombre d'éléments irrationnels et générateurs de désordre, qui donnent au texte son *jeu* (d'aucuns diraient : sa chance) au-delà des quadrillages taxinomiques. Tout d'abord, rappelons-le, les deux classes *domaines* et *éléments* ne sont pas aussi symétriques que notre tableau pourrait le faire croire, puisque l'une est à deux et l'autre à quatre termes. Ensuite, elles ne sont pas aussi distinctes qu'elles pourraient l'être, sans doute, dans une autre langue (ou un autre lexique), puisque — comme on l'a sans doute déjà remarqué — elles ont un terme lexématique commun, qui est *terre*. Certes, la terre comme élément (comme *autre* de l'eau, de l'air et du feu) est distincte en principe de la terre comme domaine (comme *autre* du ciel), mais nul ne peut empêcher la confusion des signifiants d'entraîner, au vrai lieu du poème, qui est l'esprit du lecteur, une confusion des signifiés — d'autant qu'il n'y a pas ici des « choses » à l'expérience de quoi nous renverrait le poème, mais un jeu de vocables au référent hypothétique, ou plus précisément (nous y reviendrons) négatif. D'autant encore — et c'est le troisième irrationnel dans le système — que Du Bartas, pour désigner l'élément aquatique, n'emploie jamais le terme traditionnel et attendu (que j'utilise moi-même sans égard pour son lexique), c'est-à-dire *eau* ; mais parfois *onde*, et le plus souvent *mer*. Et il va de soi que le second, qui spatialise l'élément, contribue encore à faciliter le passage d'un système à l'autre, déjà ouvert par le cas du lexème commun *terre* (que ne différencie même pas, du moins dans le texte établi par Holmes, un jeu graphique pourtant disponible, et même traditionnel, qui serait le recours à la majuscule pour l'un de ses emplois). L'effet de cette clause est évidemment une confusion, au moins à première lecture, entre les plans des vers 10, d'une part, 11 à 14 de l'autre : terre/ciel et terre/air/feu/mer se télescopent volontiers (l'expérience pédagogique en témoigne) en un pseudo-système vaguement géographique à cinq termes où ciel et air, selon une équivalence répandue, passent pour synonymes ; d'où finalement cette quadripartition bâtarde : terre/ciel-air/feu/mer. Ajoutons encore que le groupe des vers 16 à 20, qui redouble et confirme le jeu de quatre coins des vers 11 à 14, commence par le mot *ciel* et ne comporte qu'une seule mention explicite d'élément (*feu*, au vers 17), ce qui donne momentanément l'illusion d'un retour au système des domaines. Il s'agit bien en fait de la (non) localisation des éléments, chacun selon son futur « quartier », mais il se trouve que celui du feu est ici le ciel, en tant que domaine des astres (ou des éclairs ?), ce qui ménage une nouvelle communication entre les deux systèmes, le ciel étant le lieu dévolu, explicitement, au feu, et implicitement (ou obscurément) à l'air — et la terre étant l'espace réservé à l'eau (une fois celle-ci identifiée à la « mer »), et naturellement à la terre-élément elle-même.

Reste que, pour l'essentiel, le poème repose sur un double système qu'il exploite avec une rigueur imperturbable, dont l'illustration la plus claire est aux vers 11 à 14 : bel exemple de rhétorique combinatoire, qui épuise en un tourniquet quasi beckettien, les virtualités du traditionnel « tout est dans tout et réciproquement ». Du moins en apparence — je veux dire encore à première lecture : car si l'on y prend garde, la quatrième formule n'est pas du tout la réplique attendue des trois autres. Ayant rencontré d'abord 1) *a, b et c chez d,* puis 2) *d, c et a chez b,* puis 3) *b, d et c chez a,* nous attendons « logiquement » * 4) *a, b et d chez c.* A cette formule, le texte substitue ici un 4) *a dans b, c et d* qui renverse le système de présentation, répète en partie 1 et 2 et laisse la combinatoire incomplète, puisqu'il nous manque d'apprendre si *b* et *d* étaient dans *c*. Dans cette chute *par'hyponoian,* on peut lire un trait d'humour (protestant ?), mais aussi une invite discrète à envisager le système de permutations sous ces deux variantes possibles : (*w, x, y*) *chez z,* etc. et *z chez* (*w, x, y*), etc. — et par conséquent la suggestion presque imperceptible d'une troisième, qui est évidemment *w et x chez y et x,* etc.[3].

Ne nous étendons pas sur le groupe des vers 16 à 20, qui traite l'ubiquité originelle des éléments de façon plus méta-

3. Il faut évidemment exclure les variantes incomplètes du type *w* et *x* chez *y,* qui laisse *z* seul chez lui, contrairement au principe général.

phorique, ou plutôt métonymique : le ciel n'a point d'astres parce que le feu n'a point reçu son quartier ; pour une raison parallèle, les plaines ne portent point de fleurs, les flots de poissons et les airs point d'oiseaux. Les vers 23 et 24 amorcent clairement le passage du spatial au substantiel, ou qualitatif : comme les éléments n'ont pas encore d'étendue déterminée, ils n'ont pas encore de qualité assignée, savoir pour l'air la clarté, pour le feu la chaleur, pour la terre la fermeté, pour l'eau la fraîcheur ; aussi ne sont-ils pas encore eux-mêmes. Leur « corps » serait-il déjà, qu'il lui manquerait une essence, ou métaphoriquement une « âme ». Même traitement enfin pour les deux domaines, aux vers 29 à 36, encore dépourvus de leurs attributs typiques : végétation, accidents de terrain pour la terre ; azur, clarté, transparence, astres, sphéricité, mouvement pour le ciel — qui est évidemment ici le firmament ptoléméen.

Le poète reconnaît *in fine* que son tableau du chaos est essentiellement négatif. Du moins le reconnaît-il pour ses huit derniers vers, mais le propos s'applique en fait aussi bien aux quinze qui précèdent, évocation eux aussi de ce que *n'était pas* le Monde avant la Création. Mais poussons un peu plus loin : cette négativité, cette description, comme j'ai dit, *a contrario,* caractérise l'ensemble du morceau, lequel évoque le Chaos en des termes différentiels et contrastifs qui sont le propre d'un monde déjà partagé, divisé, classé : le monde d'*après* la Création, si l'on veut, mais je dirais surtout le monde conçu selon l'imagination taxinomique d'une époque et d'une culture pour qui décrire (et connaître), c'est énumérer, distribuer, ranger. Ici encore, nous devons nous détourner de l'idée orsienne du Baroque comme sensibilité (ou esthétique) vitaliste et mobiliste, éprise de trouble et de désordre. Pour *ce* Baroque, le Chaos serait un topos privilégié, prétexte aux plus vertigineuses variations sur le mode de l'informel. Nous avons vu qu'il n'en est rien ici, et que le poème ne pouvait apparemment traiter ce thème que d'une manière presque constamment paradoxale, recourant aux classifications les plus tranchées pour évoquer ce qui est l'antithèse de toute classification. Il est certes loisible, eu égard aux dates (et quand bien même...), d'exclure du Baroque un poème écrit en 1578, c'est-à-dire encore du vivant de Ronsard, et qui se rattache bien plus à la tradition de l'encyclopédisme renaissant qu'à aucun des genres pratiqués au siècle suivant. Mais on a vu ailleurs [4] que la poétique (française) la plus

4. *Figures*, p. 9 à 38.

typiquement baroque, celle d'un Sponde ou d'un Saint Amant par exemple, présentait les mêmes caractères. Au reste, la rhétorique baroque ne fait ici — et c'est par là qu'elle est *exemplaire* — que mettre à nu en le poussant à l'extrême un trait commun à tout langage articulé, qui est de ne pouvoir, précisément, s'articuler que sur un jeu de contrastes et de différences. Le Chaos, originel ou non, défini comme confusion ou indifférenciation absolue, est proprement ce qui défie les capacités d' « expression » du langage humain, et aussi bien de l'écriture : indescriptible, et à la limite indicible. Cette impossibilité de langage, comme toutes les autres, peut sans doute être *tournée* de diverses manières, dont la plus évidente, que nous appellerons de confiance la romantique, ou l'hugolienne [5], consiste à donner par entassements et coulées verbales un équivalent massif, et comme à distance, du désordre supposé primitif ou nébuleuse originelle. Le parti que je qualifie de baroque (ou, si l'on préfère, de *classique*), en tout cas le parti adopté ici par Du Bartas (après Ovide), est tout autre, sinon inverse : il consiste à prendre la difficulté de front, et à décrire le Chaos, négativement, par toutes les distinctions qu'il transgresse, ou plutôt qu'il ignore : *non point tel qu'il était, mais tel qu'il n'était pas*. Cette procédure peut sembler « artificielle » et insupportablement rhétorique à quiconque détient de l'amorphe une expérience intime et directe, comme Roquentin. Je la dirai plus volontiers économique, et donc élégante, puisqu'elle procède d'une simple inversion des signes : du désordre comme *anti-langage*. Borges évoque quelque part les secrètes aventures de l'ordre, et Audiberti la secrète noirceur du lait : lisons ici la secrète ordonnance du Chaos, qui se révèle en se *déniant*.

Gérard GENETTE.

---

5. Voir la *Bouche d'Ombre, le Satyre,* ou *la Fin de Satan, passim.*

RAISON, EXISTENCE, ETRE SELON LES NOTIONS DE PASCAL

« Une sphère dont le centre est partout, la circonférence nulle part », telle est l'image que la tradition applique à Dieu et que Pascal applique à « la réalité des choses », voire à la totalité de l'être, naturel et surnaturel [1]. Petit point perdu dans cet être infini qui l'accable par son mystère, sa grandeur et sa complexité, l'homme a beau aspirer à une connaissance qui soit totale et claire. La raison, qui y prétend, ne peut être adéquate au réel de par sa nature et sa fonction mêmes. Esprit géométrique, elle avance vers ses conclusions moyennant des termes clairement définis et des propositions évidentes rangées dans un ordre qui permet le passage du simple au complexe. Mais, si elle ne peut se tromper pourvu que ses définitions soient exactes et qu'elle observe l'ordre de la déduction, ce qu'elle manie sont des concepts et des abstractions, des « principes gros » ou « palpables [2] », et sa démarche est telle qu'elle finit par substituer à la complexité des choses une simplicité abstraite, à l'hétérogénéité l'homogénéité et aux procès organiques un progrès successif et linéaire. D'autres facultés donc doivent entrer en jeu pour nous mettre en contact avec la substance du réel — monde de faits et d'existences avec leur tissu de relations subtiles et obscures — et pour fonder les croyances par lesquelles nous définissons notre rapport au réel et sur la foi desquelles nous agissons en tant que sujets existants au sein de cet être multiple et divers.

Tels sont le cœur et l'esprit de finesse, distincts sans doute dans leur objet, mais pareils dans leur mode d'opération et

1. *Pensées et Opuscules,* éd. Brunschvicg, Hachette, p. 72. Pour une exposition magistrale de la dialectique du centre et de la circonférence chez Pascal, voir Georges Poulet, *Les Métamorphoses du cercle,* Plon, 1961, chap. III.

2. P. 1.

en ayant leur source dans la « nature ». Dans toutes les activités humaines, en effet, « la nature soutient la raison impuissante[3] ». Même en mathématiques, lieu privilégié de l'esprit géométrique, le géomètre doit renoncer à son idéal de « tout définir » et de « tout prouver » et, consentant à « se tenir dans le milieu », reconnaître que les premiers principes, nombre, espace, temps, mouvement, sont indémontrables, « sentis » plutôt que connus[4]. Quant aux règles de méthode de la science expérimentale, elles ne vaudraient rien sans l'appel à l'imagination créatrice avec son mélange d'intuition, de finesse et de choix. Dans les trois moments de sa démarche il y a discernement, choix et même « pari », soit pour distinguer les faits significatifs, soit pour construire l'hypothèse explicative, soit pour combiner l'expérience décisive. « Mais si notre vue s'arrête là, que l'imagination passe outre[5] », cette phrase de Pascal s'appliquerait bien à sa méthodologie de savant, car, comme ses écrits relatifs au vide l'indiquent, il a bien vu que toute découverte scientifique implique un saut dans l'inconnu et un véritable engagement de la part du savant[6]. C'est pourtant bien dans le domaine des relations personnelles que le rôle du cœur et de l'esprit de finesse se manifeste le plus clairement. Les jugements que nous formons à l'égard des personnes ne se présentent sûrement pas comme les conclusions d'une démonstration. « On ne prouve pas qu'on doit être aimé, en exposant d'ordre les causes de l'amour : cela serait ridicule[7]. » Plutôt s'agit-il d'une certaine sensibilité, mélange de finesse et d'instinct, prompte à saisir les éléments multiples d'esprit, de caractère et de comportement de la personne, lesquels semblent se fondre dans une perception globale pour produire une persuasion intérieure et motiver un jugement de valeur.

Ce qu'il y a de significatif dans le type de certitude offerte dans tous ces cas, c'est son caractère global et instantané. Organe de synthèse, le cœur saisit des totalités concrètes dans un mouvement compréhensif qui « tout d'un coup voit la chose d'un seul regard[8] », bien différent de la démarche successive du raisonnement. Les divers éléments dont le jugement se forme — expériences répétées du temps et de l'espace,

---

3. P. 434.
4. *De l'Esprit géométrique, loc. cit.*, p. 167-168. Cf. p. 281.
5. P. 72.
6. Voir Georges Le Roy, *Pascal savant et croyant*, P.U.F., 1957, p. 30-33 ; M. Sadoun-Goupil, « L'œuvre de Pascal et la physique moderne » dans *L'Œuvre scientifique de Pascal*, P.U.F., 1964.
7. P. 283.
8. P. 1.

faits explicites et implicites compris dans l'hypothèse, signes et indices discernés chez les personnes — sont ramassés et comme fondus ensemble dans une conviction globale et immédiate qui est à la fois connaissance et sentiment, bref, une « certitude du cœur » ou croyance.

On peut distinguer trois facteurs qui collaborent dans la croyance. En premier lieu il y a le facteur intellectuel, car Pascal donne au cœur une fonction cognitive : non pas la raison mais le « jugement », qui est le pouvoir qu'a l'esprit de mettre en balance les faits et les arguments qui lui sont présentés [9]. Ensuite il y a la volonté. Car, même s'il y a toujours des « raisons » qui motivent la croyance (« le cœur a ses raisons... [10] »), ces raisons sont des faits ou des conclusions tirées des faits et ne sont pas évidentes en soi. Qu'une série de faits ou d'arguments incline l'esprit à les accepter de préférence à la série de faits ou d'arguments contraires par leur degré supérieur de probabilité — et ils le font dans la mesure où ils sont plus nombreux, plus pertinents et plus éclairants — ils n'en restent pas moins des probabilités qui, pour être converties en certitudes, demandent un mouvement actif de la volonté. La volonté est donc ce qui rend possible l'appropriation subjective de la vérité, essentielle à tout jugement de valeur, ce par quoi on opte pour une série de raisons, annulant par un refus exprès les raisons opposées. Non pas que les vérités soient de pures créations de la volonté. « La volonté est un des principaux organes de la créance », mais « non qu'elle forme la créance ». « L'esprit croit naturellement, et la volonté aime naturellement [11] ». La volonté « répond » à l'appel d'une vérité « vue » par l'esprit, y mettant le sceau de la certitude. Reste enfin un troisième élément constitutif de la croyance, à savoir la coutume. « La coutume fait nos preuves les plus fortes et les plus crues ; elle incline l'automate, qui entraîne l'esprit sans qu'il y pense [12] ». Les croyances en effet constituent une sorte de mécanisme mental qui règle la conduite automatiquement. En plus, engagées dans le mécanisme corporel lui-même, elles se manifestent sous la forme d'un comportement spécifique.

Ainsi les croyances, par la simple répétition des expériences ou par l'accumulation de preuves convergentes présentées à l'esprit et appropriées par la volonté, deviennent des habitudes invincibles de l'esprit et du corps — certitudes qui

9. P. 4.
10. P. 277.
11. P. 99, P. 81.
12. P. 252. Cf. P. 91.

sont à la fois pensée, sentiment, volonté et action, ce que Lucien Goldmann, les assimilant aux postulats kantiens, appelle des « certitudes théorico-pratiques [13] », modes de connaissance du monde et instruments d'action dans le monde. Choix et coutume, peut-on noter d'ailleurs, jouent un rôle là où l'on s'y attend le moins ; quand, par exemple, grâce à l attention obstinée et voulue donnée par le géomètre à ses démonstrations, « les propositions géométriques deviennent sentiments [14] ». Même dans l'expérience du temps et de l'espace, qui à première vue ne paraît leur réserver aucune place, ils ont néanmoins leur part. Car, si d'une part le temps et l'espace s'imposent à la conscience par leur répétition dans l'expérience, ils ne le font pas sans susciter un mouvement de la volonté, du fait même que « l'homme a rapport à tout ce qu'il connaît [15] » et qu'un sujet est toujours là pour y répondre. Appropriation subjective immédiate, peut-on dire ou, selon le mot d E. Baudin, « préadaptation » naturelle [16], pareille à cette intentionalité sous-jacente de la conscience dont les phénoménologues ont fait la description, qui fait qu'un sujet est impliqué dans toute cognition et dans toute expérience, même si, pour celui qui cherche à le saisir, ce sujet fuit et échappe.

Il y a chez Pascal une logique de la croyance, complexe et pourtant cohérente. Elle se présente sous deux aspects, selon que l'on considère la manière dont les preuves qui fondent la croyance s'établissent dans l'esprit en face des preuves ennemies, ou selon que l'on considère la manière dont elles s'organisent en système et s'incorporent dans une structure de pensée.

Toute croyance est l'issue d'une querelle où deux séries de raisons s'opposent et s'affrontent devant l'esprit qui, par un « renversement continuel du pour au contre [17] », les met en balance, chacune sollicitant l'adhésion du jugement. A tout moment celle qui prend le dessus rencontre une résistance de la part des raisons et des preuves contraires, résistance qui pour être vaincue réclame des choix répétés de la volonté. La croyance ne s'établit ainsi qu'au terme d'une dialectique d'affirmations et de négations successives. Vue sous cet angle,

---

13. *Le Dieu caché. Etude sur la vision tragique dans les Pensées de Pascal et dans le théâtre de Racine*, Gallimard, 1955, p. 76.
14. P. 95.
15. P. 72.
16. *La Philosophie de Pascal*, Neuchâtel, éd. de la Baconnière, 1946, t. I, p. 206.
17. P. 328.

comme une logique de la dispute intérieure, la logique pascalienne prend donc la forme d'une dialectique.

Si maintenant on considère la logique pascalienne sous son second aspect, c'est-à-dire comme un art de persuader, les choses se présentent autrement, car ici il s'agit de persuader autrui (ou soi-même) et à cet effet d'organiser les preuves en système. Les trois organes de la croyance, jugement, volonté, coutume, sont mis en œuvre. « Il faut commencer par montrer que la religion n'est point contraire à la raison ; ... la rendre ensuite aimable, faire souhaiter aux bons qu'elle fût vraie ; et puis montrer qu'elle est vraie. » « Il faut ouvrir son esprit aux preuves, s'y confirmer par la coutume... [18] » Recours à l'esprit d'abord, puisque Pascal prétend offrir « des preuves convaincantes [19] » du christianisme. Pourtant, leur degré de clarté ne dépasse pas le niveau de la probabilité. « Les prophéties, les miracles mêmes et les preuves de notre religion ne sont pas de telle nature qu'on puisse dire qu'ils sont absolument convaincants... Mais l'évidence est telle, qu'elle surpasse, ou égale pour le moins, l'évidence du contraire; de sorte que ce n'est pas la raison qui puisse déterminer à ne la pas suivre... [20] » En religion comme en tout ce qui touche à l'existence, on n'a que des probabilités raisonnables qui pour devenir certitudes doivent être appropriées par la volonté. Une logique est donc requise capable de fixer l'attention sur les preuves affirmatives à l'exclusion des preuves contraires afin de faciliter cette appropriation. Tel est cet « ordre du cœur » dont parle Pascal [21], démarche logique, mais différente de celle dont il a été parlé plus haut. Car, alors que dans celle-là il y a conflit et négativité, puisque deux séries de raisons s'opposent et que la volonté est appelée à nier à coups répétés une des séries pour en affirmer l'autre, dans celle-ci il s'agit de tenir toutes les raisons contraires à distance et de fixer l'esprit exclusivement sur les raisons proposées. D'où la définition de l'ordre du cœur : « Cet ordre consiste principalement à la digression sur chaque point qu'on rapporte à la fin, pour la montrer toujours [22]. » Les divers arguments se combinent et s'accumulent de sorte que tous, enveloppés pour ainsi dire les uns dans les autres, convergent vers une même fin, portant l'esprit et

18. P. 187, P. 245.
19. P. 430.
20. P. 564. Cf. P. 823.
21. P. 283.
22. *Ibid.*

la volonté « naturellement et sans art[23] » vers une certitude intérieure par leur poids réuni.

L'ordre du cœur serait donc prospectif par contraste avec l'ordre rétrospectif de la raison, où les conséquences dépendent des principes. Il en différerait également en offrant la continuité d'un système organique par contraste avec la continuité d'un système déductif. L'ordre de la dialectique, prospectif comme l'ordre du cœur, serait à distinguer pourtant à la fois de celui-ci et de l'ordre de la raison, sa démarche étant par « sauts », par affirmations et négations alternées.

C'est bien cet ordre du cœur toutefois qui a la priorité dans la pensée de Pascal logicien, car il répond à ce qu'il y a de plus personnel chez lui, à cet appétit de l'être sous ses deux formes, soif de la certitude et nostalgie de la présence. C'est en suivant l'ordre du cœur que les preuves — faits, indices, raisons — s'incorporent dans une structure. Elles s'entassent, empiètent les unes sur les autres, par occasion s'emboîtent les unes dans les autres, toutes porteuses d'un même sens constamment varié, pour constituer un système structuré tributaire d'une même sémantique ; tout comme les structures d'un texte, en déterminant les fonctions spécifiques des signifiants et les limites de leur jeu, ordonnent en système la diversité des lectures, conformément d'ailleurs à ce mot de Pascal lui-même, « morale et langage sont des sciences particulières, mais universelles[24] ».

Le caractère distinctif d'un système pareil est qu'il reste ouvert. Si un même sens le règle, aucune limite n'est posée aux variations sur le thème dominant. Ce qui domine chez Pascal apologiste est la tendance à varier les points de vue, à tasser, à remplir, dans un effort pour combler ce vide de la connaissance qui vient du fait que les hommes sont « incapables de savoir certainement et d'ignorer absolument[25] ». Cette tendance pascalienne au remplissage a été admirablement mise en relief par Georges Poulet, lorsqu'il note que « dans l'épistémologie pascalienne il ne peut y avoir de place pour une connaissance à distance, pour une connaissance qui atteindrait son objet sans s'étirer jusqu'à lui[26] ». Dans l'ordre du cœur, peut-on remarquer encore, l'art de convaincre et l'art d'agréer coïncident, comme Pascal l'a bien reconnu : « L'art de persuader consiste autant en celui d'agréer qu'en

23. P. 1.
24. P. 912.
25. P. 72.
26. *Op. cit.*, p. 64.

celui de convaincre[27]. » S'il y a des rapports de convenance et d'analogie entre les preuves, en effet, il y en a également entre les preuves et le sujet, du fait que « l'homme a rapport à tout ce qu'il connaît ». Et le même principe d'enveloppement structural se trouve appliqué dans l'un comme dans l'autre cas, comme il ressort d'une analyse du concept de modèle stylistique chez Pascal, telle celle qui a été faite par Louis Marin dans une étude où il définit l'art d'agréer comme une « sorte de logique imaginaire » dont les structures ou modèles jouent le rôle de « moyens opératoires » ou « possibilités de transformation[28] ».

Dans cette logique de la croyance il reste pourtant un dernier élément ou, si l'on préfère, une troisième « logique » à ajouter aux précédentes : après la logique de la dispute intérieure et la logique de la persuasion, une logique du comportement, ces trois « logiques » correspondant d'ailleurs aux « trois ordres de choses : la chair, l'esprit, la volonté[29] ». De cette logique du comportement l'argument du pari fournit les éléments essentiels. Cet argument ne vise pas, bien entendu, à démontrer l'existence de Dieu, chose reconnue impossible dès le début. Plutôt faut-il supposer que sous le poids des preuves la volonté du lecteur ait été amenée au bord de la décision, mais qu'elle rencontre une dernière résistance. Reste donc à attaquer la volonté directement par un appel à l'intérêt. L'argument du pari est, comme le dit Henri Gouhier, une « mise en situation[30] ». Il met le lecteur en face de sa situation existentielle, en montrant que la question de l'existence de Dieu importe pour l'individu, puisque son destin sur cette terre et dans une vie future dépendra de sa réponse, qu' « il s'agit de nous-mêmes, et de notre tout ». Force lui est de choisir : « Cela n'est pas volontaire, vous êtes embarqué[31]. » Etant donné cette obligation de choisir, il s'agit, en appliquant la « règle des partis », de faire un choix raisonnable à la lumière d'un calcul des gains et des pertes respectifs qui résulteraient d'une décision pour ou contre l'existence de Dieu.

S'il n'était question que de l'existence de Dieu, l'argument du pari aurait peu de force. Mais, comme il ressort clairement d'une lecture du texte, ce ne sont pas deux propositions, mais deux biens et, au fond, deux manières de vivre

---

27. *De l'Esprit géométrique, loc. cit.*, p. 187.
28. « Réflexions sur la notion de modèle chez Pascal » dans la *Revue de métaphysique et de morale*, 1967, I, p. 96-97.
29. P. 460.
30. *Blaise Pascal. Commentaires*, Vrin, 1966, p. 170.
31. P. 194, P. 233.

et deux conduites entre lesquels nous sommes invités à choisir. Opter pour l'existence du Dieu chrétien, c'est s'engager à mener une vie chrétienne. Toute croyance en fait implique une manière d'exister et, partant, demande à être transformée en action. Et ici l'apprenti croyant rencontre une double résistance. D'une part, la raison hésite au dernier moment à engager le moi sur la foi de preuves qui, quel que soit leur degré de probabilité, restent incertaines, Mais, répond Pascal, dans toutes les croyances qui règlent la conduite nous parions pour l'incertain, sinon « il ne faudrait rien faire du tout, car rien n'est certain[32] ». D'autre part, les croyances antérieures, devenues des habitudes de l'esprit et du corps, opposent une résistance tenace. Face à ces obstacles Pascal propose une double technique d'assimilation qui viendra en aide à l'esprit et à la volonté hésitant à choisir et qui en même temps permettra à la croyance nouvelle de s'installer à la place de la croyance ancienne : d'un côté « s'abêtir » ou dompter la raison qui doute en « ouvrant son esprit aux preuves[33] », afin que, par l'attention soutenue portée sur elles, elles s'incorporent dans le mécanisme psychique ; de l'autre côté, puisque « nous sommes automate autant qu'esprit[34] », adopter la conduite appropriée (prendre de l'eau bénite, etc.) afin d'engager la croyance nouvelle dans un mécanisme corporel. Alors la croyance enfin née se manifestera comme une manière d'exister nouvelle, un seul sens sous la forme d'idée, de sentiment et d'action.

Les notions phénoménologiques d'être-au-monde et de projet viennent tout naturellement à l'esprit ici. Pascal conçoit le moi en effet comme un centre d'activité engagé dans le monde et son existence comme un projet pour la compréhension et pour le maniement du monde. Les croyances ne sont autre chose que des incarnations de tels projets, action donc autant qu'idée. Assimilées par l'esprit et incorporées dans des schèmes dynamiques moyennant l'action de la volonté, elles se manifestent sous la forme de mécanismes psychiques et physiques toujours prompts à entrer en action. Elles engagent l'homme tout entier comme une seule structure de l'esprit et du corps. Plutôt donc que de parler des croyances d'un sujet il faudrait parler d'un sujet croyant, car ses croyances sont des manières d'être et d'agir, et les propositions qu'il formule relatives à ses croyances décrivent des actions ou bien des intentions d'agir de telle ou telle façon. Pour vraiment

32. P. 234.
33. P. 233, P. 245.
34. P. 252.

« comprendre » une croyance étrangère il ne suffit pas de se familiariser avec un certain domaine d'idées, il faut encore adopter la conduite appropriée, puisque c'est un projet nouveau dont on cherche à s'emparer. Posséder la vérité d'une religion, c'est en faire l'expérience : « penser à un Dieu possible, c'est faire l'expérience de posséder Dieu », comme Austin Farrar l'a bien dit[35].

Pourtant, s'il y a une pensée existentielle chez Pascal, elle est, comme sa logique même, tributaire d'une réflexion sur l'être, de ce que Jean Guitton appelle un « réalisme ontique[36] ». Pluraliste en ceci, mais sans nier l'unité de l'être, il conçoit la réalité comme une structure d'ordres distincts. Tout comme en mathématiques « on n'augmente pas une grandeur continue lorsqu'on lui ajoute, en tel nombre que l'on voudra, des grandeurs d'un ordre d'infinitude supérieur », de même « la distance infinie des corps aux esprits figure la distance infiniment plus infinie des esprits à la charité car elle est surnaturelle[37] ». L'être constitue donc une hiérarchie d'ordres discontinus, puisque chaque ordre, quoique susceptible d'une extension indéfinie à l'intérieur du plan qui est le sien, est fermé sur lui-même, étant séparé de l'ordre supérieur ou de l'ordre inférieur par une distance infinie, de sorte qu'aucun passage continu n'est possible d'un ordre à un autre. En outre, à cette structure du réel correspond une structure de l'esprit qui fait que les sens et les valeurs de cet ordre ne peuvent être saisis que par un esprit ajusté à cet ordre. A chacun répondent une intention et un projet spécifiques et, puisque les ordres de valeur sont discontinus, le passage de l'un à l'autre demande une véritable « conversion » du moi. « La grandeur des gens d'esprit est invisible aux rois, aux riches, aux capitaines, à tous ces grands de chair. La grandeur de la sagesse, qui n'est nulle sinon de Dieu, est invisible aux charnels et aux gens d'esprit. Ce sont trois ordres différant de genre[38] ». En un mot, pour comprendre, encore plus pour posséder, la croyance appartenant à un certain ordre, il faut

35. *Saving Belief*, London, Hodder and Stoughton, 1964, p. 18. Cf. Ludwig Wittgenstein : « How much I'm doing is persuading people to change their style of thinking » ; « an unshakeable belief... will show, not by reasoning or by appeal to ordinary grounds for belief, but rather by regulating for in all his life. » (*Lectures and Conversations on Aesthetics, Psychology and Religious Belief*, Oxford, Blackwell, 1966, p. 28, 54.)

36. *Pascal et Leibniz*, Aubier, 1951, p. 167.

37. *Œuvres*, éd. Grands Ecrivains de la France, t. III, 1908, p. 367.

38. P. 793.

adopter par une décision expresse le projet et la conduite correspondants.

Avant tout, il s'agit d'assumer un langage. Pascal conçoit les liens entre la croyance, le langage et l'action d'une façon presque contemporaine. Dans un passage de *De l'Esprit géométrique,* qui est peut-être basé sur celui des *Confessions* de saint Augustin auquel Wittgenstein fait allusion dans ses *Philosophical Investigations* [39], et encore dans le fragment 392, il soutient que l'on apprend à associer tel mot à telle idée en les entendant associer constamment par autrui ; bref, que l'on apprend le sens des mots en observant la façon dont ils s'emploient. « Ainsi ce n'est pas la nature de ces choses que je dis qui est connue de tous : ce n'est simplement que le rapport entre le nom et la chose ». « Je vois bien qu'on applique ces mots dans les mêmes occasions... et de cette conformité d'application on tire une puissante conjecture d'une conformité d'idées [40] ». Sans doute, comme le dit Wittgenstein, cette explication ne vaut que pour un seul des « jeux de langage », à savoir l'attribution des noms [41]. Mais l'essentiel de la thèse pascalienne consiste dans la proposition que le sens des mots se découvre dans leur emploi, que le signifié se découvre dans le signifiant même, avec ce corollaire qu'on ne sort jamais du langage, puisqu'on ne sort d'un langage que pour tomber dans un autre. Et, s'il en est ainsi, pour apprendre le sens d'une croyance il est d'abord nécessaire de s'approprier le projet linguistique et l'univers du discours qui lui sont propres, puisque c'est dans un emploi linguistique spécifique que ce sens se découvre.

Ce que Pascal propose enfin c'est une technique, sinon pour l'acquisition, du moins pour la compréhension d'une croyance étrangère, qui consisterait dans l'adoption du projet entier — idées, langage, conduite — du croyant. Art plutôt que technique, puisque tout ici est finesse, sensibilité, disponibilité. Qu'une telle appropriation ne soit pas impossible, l'exemple du critique littéraire nous le prouve, lui qui s'empare d'un univers d'idées et de mots pour réaliser cette « coïncidence de deux consciences » dont parle Georges Poulet [42].

Sans doute y a-t-il paradoxe partout dans l'univers pascalien : du nombre, union d'infini et de rien, de l'homme, grand et petit, de Dieu même, caché et révélé. Mais il serait faux

---

39. Oxford, Blackwell, 1953, I, 1. Pour le renvoi à saint Augustin voir *Confessions,* I, 8.
40. *De l'Esprit géométrique, loc. cit.,* p. 170. P. 392.
41. *Op. cit.,* I, 3.
42. *La Conscience critique,* Corti, 1971, p. 9.

d'attribuer à Pascal une vue chère à certains existentialismes selon laquelle l'univers serait absurde et inintelligible. La phrase célèbre « tout ce qui est incompréhensible ne laisse pas d'être [43] », comme la suite l'indique (« Le nombre infini. Un espace infini, égal au fini »), ne fait que souligner les bornes de l'esprit géométrique, et les choses incompréhensibles dont il est question (nombre infini, etc.) sont précisément ce par quoi le monde devient intelligible pour nous. Le réel constitue une structure bien ordonnée et, s'il y a incompréhensibilité à la racine des choses, elle aussi devient intelligible dès qu'elle retrouve sa place comme le fondement de la structure entière. Il y a donc une « rationalité » du monde, non certes celle de l'esprit géométrique, puisque dans cette hiérarchie d'ordres discontinus aucun ordre ne se déduit d'un autre. Et s'il est vain de s'attendre à ce que la raison pure perçoive cette intelligibilité des choses, accoutumée comme elle l'est à tout mettre sur un même plan, le cœur et la finesse, aptes à saisir l'unité et la différence, en sont capables.

En outre, rien n'est plus éloigné d'un volontarisme ou doctrine du choix inconditionné du type sartrien. Chez Pascal l'être a la priorité sur la pensée. Si les croyances incorporent des sens et des valeurs, devenant ainsi des modes d'existence et des manières d'être du moi, ces sens et ces valeurs appartiennent à l'être même, où ils ont leur source et leur fondement. Présentés à l'esprit comme autant d'appels de l'être auxquels la volonté est invitée à répondre, ils sont « choisis » par le moi qui, en les incorporant dans son projet sous la double forme de pensée et d'action, les fait passer à l'existence. La croyance est à la fois « révélation » et « choix » ; pour citer Henri Gouhier, « elle qualifie à la fois une propriété de ce qui est choisi et une qualité de celui qui choisit [44] ». Le rôle du moi donc est de servir de véhicule pour la révélation de sens et de valeurs qui le transcendent et qui appartiennent à l'être ; à un être origine de tout sens et de toute valeur, mais origine absolue qui transcende tous les sens et toutes les valeurs, foyer où « les extrémités se touchent et se réunissent à force de s'être éloignées [45] » et qui ne peut être que le Dieu caché lui-même.

Pour Pascal la pensée et le discours sont orientés vers une transcendance absolue, qui les dépasse infiniment — ce « mystère » de Gabriel Marcel, ce « silence » de Heidegger, cet « indicible » de Wittgenstein. A la fin il faut reconnaître

---

43. P. 430.
44. *Op. cit.*, p. 279.
45. P. 72.

que, supérieur à toute logique, il y a le mystère qui le fonde. Les croyances accumulent leurs preuves et leurs indices, font naître des certitudes pratiques et instituent des conduites et amènent l'homme toujours plus près de ce mystère, l'être reste pourtant une présence recherchée mais non possédée. Car les croyances mêmes ne suffisent pas pour donner cette assurance décisive dont Pascal a soif ni, certes, pour sauver. « Mais est-il *probable* que la *probabilité* assure ? Différence entre repos et sûreté de conscience. Rien ne donne l'assurance que la vérité [46]. » Seule une expérience peut le faire, unique puisqu'elle a le caractère d'un événement surnaturel, à savoir le don de la grâce par lequel le Dieu caché en la personne du Christ entre dans l'âme non seulement pour la remplir mais pour l'éclairer. Dans cet événement l'absence se fait présence, le silence se parle, l'indicible se dit, et l'être vient donner à l'homme la clef de son mystère. « Non seulement nous ne connaissons Dieu que par Jésus-Christ, mais nous ne nous connaissons nous-mêmes que par Jésus-Christ. Nous ne connaissons la vie, la mort que par Jésus-Christ. Hors de Jésus-Christ nous ne savons ce que c'est ni que notre vie, ni que notre mort, ni que Dieu, ni que nous-mêmes [47]. » C'est donc la foi en dernière analyse qui fonde la croyance et la logique des preuves, laquelle est toute suspendue à une révélation surnaturelle : « il faut ouvrir son esprit aux preuves, s'y confirmer par la coutume, mais s'offrir par les humiliations aux inspirations, qui seules peuvent faire le vrai et salutaire effet : *Ne evacuetur crux Christi* [48] ». En même temps elle fonde l'herméneutique, car seul Jésus-Christ nous « ouvre l'esprit pour entendre les Ecritures [49] », et pour comprendre le sens caché des chiffres.

La foi chrétienne a été le moyen pour Pascal, répondant à la double exigence, à la fois existentielle et ontologique, d'un cœur qui « aime l'être universel naturellement [50] », de réaliser la soudure de l'existence et de l'être et de fonder une logique de la croyance et une herméneutique, ancrées solidement dans une « existence-interprétée », mais dans une existence-interprétée qui ouvre sur un « être-interprété [51] », où les

46. P. 908.
47. P. 548. Voir aussi Jean Daniélou, « Pascal et la Vérité » dans *Textes du Tricentenaire,* Fayard, 1963.
48. P. 245.
49. P. 679.
50. P. 277.
51. Nous empruntons ces termes à Paul Ricœur : voir *Le Conflit des interprétations. Essais d'herméneutique,* éd. du Seuil, 1969, p. 15, 27.

notions de choix et de projet d'une part et celles d'ordre et de modèle de l'autre se combinent dans une structure complexe de pensée moulée sur le réel.

En dehors de tout contexte spécifiquement religieux cependant, l'exemple de Pascal nous éclaire sur la nature même de la croyance. Il semble que n'importe quel système de croyances implique un passage semblable de l'existence à l'être, enfin une ontologie, même inavouée. Il s'insère et trouve son fondement dans une vision du monde ou prise sur les choses, un certain rapport à l'être, qui se reflète dans ce que les philosophes anglo-saxons appellent un « tableau » ou cadre conceptuel ou pré-conceptuel. S'il en est ainsi, la croyance, loin de constituer une sorte de création *ex nihilo,* cache dès l'origine une intention voilée qui dirige et règle sa logique, et le paradoxe pascalien du « Tu ne me chercherais pas si tu ne me possédais [52] » se trouve être le paradoxe même de la croyance en tant que telle.

Ian W. ALEXANDER

52. P. 555.

CORNEILLE ET RACINE
TRADUCTEURS DU *BREVIARIUM ROMANUM*

Depuis le XVIIe siècle, le parallèle de Corneille et de Racine n'a pas cessé d'intriguer la critique littéraire française. Malgré son caractère de topos il a très souvent eu pour effet d'approfondir notre compréhension de l'un et de l'autre des auteurs mis en parallèle, et il n'est pas rare que cette comparaison toute conventionnelle se soit révélée féconde, voire innovatrice, du point de vue méthodique — et tout récemment en particulier [1]. Il est pourtant un domaine qui est resté presque toujours en dehors du champ d'investigation des critiques : ce sont les traductions du *Bréviaire romain*, les seuls textes proprement parallèles de Corneille et de Racine [2].

Dans l'histoire des traductions françaises d'hymnes latines [3] il faut assigner une place à part à ce qu'on appelle les *Heures de Port-Royal* [4]. Il s'agit d'un livre d'heures janséniste paru en 1650 où Lemaistre de Saci présenta ses traductions d'hymnes tirées du *Bréviaire*. La réaction du côté des jésuites ne se fit pas attendre, bien entendu. La même année encore paraît un pamphlet du Père Labbe appelant les traducteurs de Port-Royal « les plus ignorants ou les plus malicieux de tous les interprètes » et qualifiant les vers de Lemais-

1. Je pense surtout aux études parallèles de Georges Poulet in *Etudes sur le temps humain,* Plon, 1950 et de Jean Starobinski in *L'Œil vivant,* Gallimard, 1961.

2. Mises à part les remarques des éditeurs de Corneille et de Racine, Marty-Lavaux, Mesnard et Picard, nous ne connaissons que : H. Hatzfeld, « Corneille, Racine y otros autores franceses como traductores barrocos del latin » in H.H., *Estudios sobre el barroco,* Madrid, 1966.

3. Pour les dates de cette histoire nous renvoyons aux éditions de Corneille et de Racine parues dans la collection des G.E.L.F.

4. Voici le titre exact : *L'Office de l'Eglise et de la Vierge en latin et en français...,* chez la veuve Jean Camusat et Pierre le Petit.

tre de Saci de « rimaillerie[5] ». En la personne de l'Abbé le Roy de Saint-Aubin, de Saci trouva pourtant un défenseur habile et il arrive même à Sainte-Beuve de louer ses hymnes. Il y a même plus : l'hymne pour les vêpres du samedi, attribuée dès le XVIIe siècle à Racine et appréciée encore par La Harpe et par Geoffroy pour ses beautés poétiques[6], cette hymne appartient en réalité à de Saci. Elle avait paru dans les *Heures de Port-Royal,* alors que Racine ne comptait que onze ans. Mais la réaction des jésuites contre les hymnes d'Isaac Lemaistre et leur réception de la part de la critique littéraire nous importent moins en ce moment que l'influence qu'elles ont pu exercer sur le jeune Racine. Nous devons penser que très peu de temps sépare la publication des *Heures* de certains essais de traduction entrepris par Racine sur leur modèle. C'est du moins ce qu'il faut supposer, si l'on ajoute foi à Louis Racine qui dit dans ses *Mémoires* que la première version des hymnes remonte aux années de jeunesse de son père et que ces textes n'avaient été repris et remaniés que beaucoup plus tard en vue de la publication. Dans l'entre temps, en 1670, parut une autre traduction des hymnes du *Bréviaire* due, celle-ci, à Pierre Corneille[7]. Il va de soi qu'elle était munie de toutes les approbations nécessaires de la part des autorités ecclésiastiques et que les jésuites ne pouvaient qu'applaudir aux exercices poétiques de leur ancien élève. Chez Corneille on ne trouva « rien qui ne soit conforme au texte, qui ne soit digne de la grandeur du sujet, et capable d'augmenter la dévotion des fidelles[8] ». Il en alla tout autrement de la traduction de Racine. Ses hymnes parurent en 1688 dans ce qu'on a coutume d'appeler le *Bréviaire de Le Tourneux.* Le privilège pour cet ouvrage date de 1675, mais Racine peut avoir travaillé sur ses textes jusqu'en 1687. Dans ce *Bréviaire* Le Tourneux réunit des traductions de Racine, de D'Aubigny et de Lemaistre de Saci. Il s'agit donc, là encore, d'un ouvrage d'inspiration janséniste. Et la « réaction » fut prompte cette fois aussi : c'est presque simultanément que parut la *Sentence rendue en l'officialité de Paris portant condamnation du* Bréviaire romain *en langue française*[9]. Cette condamnation, qui d'ailleurs devait être rendue publique dans toutes les églises, lue de toutes les chaires, n'est pas motivée, comme le veut Louis Racine, par

5. Racine, *Œuvres,* G.E.L.F., t. IV, p. 99.
6. *Ibid.*
7. Corneille, *Œuvres,* G.E.L.F., t. IX.
8. *Ibid.*, p. 58.
9. Chez François Muguet, Paris, 1688.

l'affirmation que toute traduction soit condamnable ; on y parle expressément et seulement de traductions sans approbation. Ce n'est qu'un reproche de principe ; il y en a d'autres et de plus graves. En voici quelques-uns : « Enfin, le quatrième et dernier moyen[10] est que cette traduction non seulement n'est pas fidèle, mais qu'elle contient des erreurs et des hérésies particulièrement celles qui ont été condamnées de nos jours et dans le dernier siècle ; qu'elle est extraite de plusieurs livres composés par des personnes suspectes, dont les ouvrages ont été condamnés, ou n'ont pas été approuvés par l'Eglise[11] ; que dans l'hymne de Tierce le traducteur a rendu ces paroles : *Dignare promptus ingeri, Règne au fond de nos cœurs par la force invincible de tes charmes si doux* ce qui n'est pas conforme au texte, et qui n'étant pas bien expliqué, peut avoir un mauvais sens ; qu'à l'hymne de la férie troisième[12] il tourne ces paroles : *Aufer tenebras mentium, Répands sur nous l'attrait de ta grâce invincible* dans le même esprit et contre le sens...[13] ». Et un peu plus loin on lit : « Dans tous les endroits l'auteur marque une affectation continuelle à faire entrer partout la seule grâce efficace par des traductions fausses ou forcées. » Ce n'est pas mon intention d'entrer ici dans le détail de cette controverse. Je retiendrai simplement que le grand Arnauld se sentit le devoir de prendre lui-même la défense de Racine, c'est-à-dire du *Bréviaire de Le Tourneux.* Je dirai encore qu'il tenta d'ébranler le dernier point de l'accusation en affirmant — à tort d'ailleurs — que le mot de « grâce » ne se trouve pas plus de deux fois chez Racine[14].

Ces quelques indications auront suffi pour montrer que même les données purement extérieures de notre problème peuvent nous conduire au cœur même des tensions et des débats qui agitèrent la vie spirituelle du XVIIe siècle français.

Lisons cependant les textes en question :

> Somno refectis artubus,
> Spreto cubili surgimus :
> Nobis, pater, canentibus
> Adesse te deposcimus.

---

10. Les « moyens », c'est-à-dire les points de l'accusation.
11. P.e. les *Heures de Port-Royal.*
12. Cette hymne est de Racine.
13. Racine, *op. cit.,* p. 103.
14. Nous avons aujourd'hui plus de facilité d'être exacts grâce à la très utile *Correspondance du théâtre et des poésies de Jean Racine* par B.C. Freeman et A. Bateson, Cornell University Press, 1968.

Te lingua primum concinat,
Te mentis ardor ambiat,
Ut actuum sequentium
Tu, sancte sis exordium.

Cedant tenebrae lumini
Et nox diurno sideri,
Ut culpa quam nox intulit
Lucis labascat munere.

Precamur iidem supplices,
Noxas ut omnes amputes,
Et ore te canentium
Lauderis in perpetuum.

Praesta, Pater piissime,
Patrique compar unice,
Cum Spiritu Paraclito
Regnans per omne saeculum[15].

Seigneur, par le sommeil nos forces réparées
Du lit dédaignent les douceurs,
Entends, des voûtes azurées,
Et le concert des voix, et le zèle des cœurs.

Que ton nom le premier sorte de notre bouche,
Que notre ardeur n'aille qu'à toi,
Qu'aucun autre objet ne la touche.
Sois son premier souci, sois son dernier emploi.

Qu'aux naissantes clartés l'ombre s'évanouisse ;
Que la nuit se cache à son tour ;
Que les désordres qu'elle glisse
Se dissipent comme elle aux approches du jour.

Epure nos esprits, efface tous nos crimes ;
Que dégagés de tous forfaits
Nous chantions tes bontés sublimes,
Ici durant la vie, au ciel à tout jamais.

Daignez, Père éternel, nous faire cette grâce ;
Et vous, Homme-Dieu Jésus-Christ,
Qui régnez dans l'immense espace
Où comme vous et lui règne le Saint-Esprit[16].

Tandis que le sommeil, réparant la nature,
Tient enchaînés le travail et le bruit,
Nous rompons ses liens, ô clarté toujours pure,
Pour te louer dans la profonde nuit.

---

15. *Breviarium romanum,* Lutetia Parisiorum, 1674, p. 42.
16. Corneille, *op. cit.,* p. 461-463.

Que dès notre réveil notre voix te bénisse ;
Qu'à te chercher notre cœur empressé
T'offre ses premiers vœux ; et que par toi finisse
Le jour par toi saintement commencé.

L'astre dont la présence écarte la nuit sombre
Viendra bientôt recommencer son tour :
O vous, noirs ennemis qui vous glissez dans l'ombre,
Disparoissez à l'approche du jour.

Nous t'implorons, Seigneur ; tes bontés sont nos armes :
De tout péché rends-nous purs à tes yeux ;
Fais que t'ayant chanté dans ce séjour de larmes,
Nous te chantions dans le repos des cieux.

Exauce, Père saint, notre ardente prière,
Verbe, son fils, Esprit, leur nœud divin,
Dieu qui, tout éclatant de ta propre lumière,
Règnes au ciel sans principe et sans fin [17].

Pour ce qui est du dimètre iambique et de la strophe en quatrains, Corneille comme Racine ne suivent l'original que sur le second point. Tout comme les poètes hymniques de la Renaissance ils adoptent tantôt l'octosyllabe, tantôt le décasyllabe et tantôt l'alexandrin en les combinant souvent entre eux à l'intérieur d'une seule et même strophe. Cette différence, bien visible et toute formelle, va de pair avec une différence ou un déplacement au niveau des contenus : on constate un accroissement quantitatif aux deux niveaux. Un premier exemple nous est offert par le premier vers, même par le premier mot de Corneille. Alors que le poète latin renvoie l'invocation à Dieu au vers 3, l'insérant ainsi dans la cadence des chanteurs et de l'hymne — *nobis, Pater, canentibus* — Corneille la place, extatiquement, au début. L'alexandrin devenu mobile au XVIIe siècle lui permet de détacher l'invocation par une césure très nette pour laisser ensuite se terminer le vers sans autre interruption notable. Invocation et césure : deux éléments qui esquissent, sémantiquement et rythmiquement un espace. Celui-ci acquiert plus de netteté dès le 3e vers grâce à l'impératif et à l'image cosmique qui s'y trouvent placés. Contrairement à l'atmosphère d'intimité qui se dégage du texte latin, le texte ou les mots de Corneille s'entourent d'emblée d'un éclat qui rayonne dans l'espace. *Seigneur, entends* et *voûtes azurées* convergent tous pour créer un espace divin, tandis que dans le vers 4 se

17. Racine, *op. cit.*, p. 107-109.

dessine un lieu humain. Tout se passe comme si le lieu de la prière humaine était une scène où Corneille aurait placé les chanteurs, bien en évidence. Leurs voix s'unissent en un concert porté par le zèle des cœurs. Corneille dit bien *zèle* ce qui au XVIIe siècle signifiait couramment « ardeur religieuse ». Ce que l'être cornélien éprouve au fond de son cœur doit éclater en plein jour. Il ne prie pas, comme le veut Jésus, dans la réclusion de sa chambre [18], mais sur une scène, bien visible non seulement pour Dieu, mais encore pour les hommes. Son témoignage doit toucher son prochain. Il en va ainsi dans *Polyeucte*, où le zèle du héros déclenche toute une série de conversions successives. Il y a chez Corneille une sorte de contagion due aux actes, aux actes portés par le zèle. C'est pourquoi nous devons rendre au mot *concert* sa signification étymologique de « concours », de « compétition ». Si l'alexandrin revient au vers 4 à la régularité, c'est-à-dire à la césure au milieu, il faut y voir plus qu'une simple variation métrique. Par delà toute correspondance quantitative, ces deux hémistiches révèlent la coïncide cornélienne entre l'être et le paraître. C'est le privilège des personnages cornéliens de pouvoir, par leurs actes, abolir ou surmonter l'opposition entre l'essence et la semblance.

Si nous passons à la considération de la deuxième strophe, il est une constatation qui s'impose dès l'abord ; celle que les différences de structure entre le latin et le français sont très étroitement liées aux différences rhétoriques entre nos deux textes. Le poète latin fonde une séquence anaphorique sur le *Te* des vers 5 et 6 et, avec une légère variation, le *Tu* du vers 8. Il souligne en outre la structure parallèle des vers par la rime *concinat/ambiat* et les subjonctifs des vers subséquents. Corneille reprend la figure rhétorique de l'anaphore, mais, au lieu de la fonder sur le *te*, il met à profit le *que* de l'optatif venu se placer au commencement des vers en vertu du passage de la séquence régressive latine à la séquence progressive française. C'est ce qui rend possible le prolongement de l'anaphore jusqu'à la 3e strophe. De cette manière les deux strophes apparaissent comme portées par un seul et même mouvement, soulignant et illustrant en quelque sorte, par leur structure rhétorique, la certitude de l'être cornélien que la prière sera suivie nécessairement par son exaucement, tout comme le sont les ténèbres par la lumière.

Avec la quatrième strophe il apparaît de plus en plus nettement que l'alexandrin irrégulier de l'exorde fait exception.

---

18. Cf. Sermon de la Montagne, *Math.*, VI, 6.

Presque toujours Corneille cherche la pose vigoureuse de deux hémistiches parallèles : *Et le concert des voix, et le zèle des cœurs* (v. 4) ; *Sois son premier souci, sois son dernier emploi* (v. 8) ou encore, au début de la 4e strophe : *Epure nos esprits, efface tous nos crimes* (v. 13). Si cette prière se fait si insistante, c'est que pour Corneille et son temps le mal ne saurait plus être conçu en des termes généraux (*nox* et *noxa*) ; il est lié désormais à l'essence même de l'individualité humaine. Mais simultanément et avec autant d'intensité s'affirme chez Corneille la certitude que, grâce au soutien divin, l'homme chantera la louange de Dieu non seulement sur terre, mais encore au ciel. Par la prière, l'homme semble pouvoir contribuer à sa propre rédemption.

Nous ne saurions décider, si Corneille et Racine ont été tous deux victimes d'un malentendu, en traduisant le *ore* du vers 15 par le *hors* de leurs versions françaises. Quoiqu'il en soit, ce qui me paraît hautement significatif, c'est que tous deux, en vrais baroques qu'ils étaient, s'attachent à opposer l'ici-bas terrestre à l'au-delà éternel. C'est ainsi que la tension, ou la distance entre scène céleste et scène terrestre apparue au début de l'hymne, se trouve surmontée non seulement par la grâce divine (nommée au vers 17), mais encore par un acte humain. Si dans la tragédie cornélienne l'être et le paraître viennent coïncider grâce à l'attitude héroïque, ici, dans les *Hymnes*, on passe d'un niveau à l'autre, de la terre au ciel, grâce à la prière.

Toutefois sur ce point l'homme a besoin, comme le montre également *Polyeucte*, de l'aide divine. Lorsque Corneille traduit le latin *praesta* (= prête-moi ton secours) par *daignez nous faire cette grâce* il semblerait qu'on puisse lui faire le même reproche qu'à Racine, c'est-à-dire, avec les paroles d'Arnaud, de « fourrer partout la grâce ». Il est manifeste cependant que le jeu réciproque entre force divine et forces humaines a trouvé plus de faveur auprès de la censure que la *grâce invincible*, la grâce « efficace » de Racine. Mais dans notre hymne l'importance de la notion de grâce procède moins de son actualité effective que de sa position privilégiée à la rime de la strophe finale. C'est un phénomène frappant que précisément dans cette dernière strophe, où le poète latin laisse tomber toute préoccupation de rime ou d'assonance, les mots placés à la rime par Corneille sont chargé de signification. Ce sont de véritables mots clefs : *grâce, Jésus-Christ, espace* et *Saint-Esprit* qui en vertu d'une inversion des deux derniers vers se trouve placé à la fin, pour fermer le cercle de cette hymne qui s'était ouvert par le mot *Seigneur*. Mais il n'y a pas seulement inversion, il y a un véritable changement de sens. Là où l'original disait *regnans per omne saeculum*, Corneille traduit par *qui regnez dans l'immense espace*. Corneille choisit *espace* à la place de *saeculum* — une indication de lieu se substitue à une indication de temps. *Immense espace* reprend ainsi les *voûtes azurées* du début, mais le lieu théâtral sur la scène duquel les chanteurs se disposaient aux yeux d'un Dieu spectateur, ce lieu limité se transforme maintenant en l'espace infini de la Trinité.

Du début à la fin l'hymne de Corneille se maintient ainsi dans un espace atemporel, dans une sorte de présent éternel. Pas tout à fait du début, pour être exact. Ce présent ne se réalise qu'après un refus radical du passé. Le texte latin avec ses participes passés et son verbe au présent esquisse déjà le refus du passé et l'accueil du présent tels qu'on les observe chez Corneille. Son *dédain des douceurs du lit* n'est rien d'autre qu'un *dédain du passé*. L'être cornélien se sent la force d'affronter l'instant.

A ce point nous pouvons nous tourner vers la deuxième traduction :

Dans le monde de Racine le sommeil et la nuit n'appartiennent nullement au passé. La nature est encore plongée dans le sommeil et l'homme n'est que sur le point de s'en dégager. L'éveil proprement dit n'est pas antérieur au poème, comme c'est le cas chez Corneille ; il s'y trouve formulé et il y figure comme véritable point de départ [19]. Chez Corneille les hommes entrent en scène dans la lumière de leur propre conscience, chez Racine ils doivent d'abord surgir à eux-mêmes. Ils se meuvent dans une obscurité profonde et la lumière divine n'apparaît pas comme une réalité actuelle, mais comme un espoir. Au vers 10 le jour est très nettement assigné à un temps futur. L'hymne de Racine se développe précisément à partir de cette tension — qui est une tension temporelle — entre l'obscurité et la lumière, la nuit et le jour.

Ce qui à la première strophe était encore dissimulé dans une périphrase (*rompre les liens du sommeil*), se trouve désigné expressément dans la deuxième par le concept du *réveil* dont l'importance thématique chez Racine n'a plus besoin d'être démontrée. Dans ce qui suit, le thème du réveil anime non seulement la relation dynamique entre nuit et jour, mais encore, par exemple dans le *chercher* du vers 6 qui manquait aussi bien chez Corneille que chez le poète latin, la relation dynamique entre l'homme et Dieu.

---

19. Cf. au début de *Britannicus* la même expression pour une situation analogue : *Quoi, tandis que Néron s'abandonne au sommeil...*

La troisième strophe peut nous offrir l'occasion de dire deux mots sur le rapport qui existe entre les deux traductions. Tout nous incite à croire que Racine doit avoir connu le texte de Corneille et qu'il l'a même suivi à quelques endroits, et notamment dans cette strophe. *Glisser, l'approche du jour, ombre* et surtout la rime *tour/jour* renvoient à Corneille. Précisons toutefois que *tour* chez Corneille fait partie de l'expression *à son tour,* alors que le mot figure chez Racine comme nom indépendant mettant l'accent sur le déroulement du temps. Et c'est précisément dans cette strophe qui, à première vue, semble être proche de Corneille, que se dessine avec le plus de netteté un style et une thématique qui renvoient en premier lieu à Racine lui-même, au Racine de la *Thébaïde*, d'*Iphigénie* ou de *Phèdre*. Mais c'est surtout dans les *Hymnes* que l'on trouve d'autres passages marqués du sceau de ce style et de cette thématique.

Nous ne saurions passer sous silence dans ce contexte quelques-uns des vers de l'hymne pour le vendredi à laudes qui sont parmi les plus beaux que Racine ait jamais écrits. Cet exemple illustrera en même temps jusqu'à quel point la poésie hymnique consiste en une variation toujours reprise d'un même matériau lexical :

> L'astre avant-coureur de l'aurore
> Du soleil qui s'approche annonce le retour ;
> Sous le pâle horizon l'ombre se décolore,
> Lève-toi dans nos cœurs, chaste et bienheureux jour [20].

J'ouvre ici une parenthèse pour ajouter le modèle latin et la version cornélienne de ces vers. Voici l'original :

> Ortus refulget Lucifer,
> Sparsamque lucem nuntiat ;
> Cadit caligo noctium :
> Lux sancta nos illuminet [21].

Corneille traduit avec autant de liberté que Racine :

> Du jour la naissante splendeur,
> Répand sur la nature une admirable teinte ;
> La nuit tombe : répands sur notre vive ardeur
> Les rais de ta lumière sainte [22].

---

20. Racine, *op. cit.*, p. 124.
21. *Ibid.*
22. Corneille, *op. cit.*, p. 482.

Là où Racine décrit la semi-luminosité de l'aube, Corneille s'attache à montrer l'apparition resplendissante de la lumière. Il n'est pas moins frappant qu'ici encore l'être cornélien semble posséder de quoi répondre à la lumière divine : sa *vive ardeur* n'attend que l'étincelle initiale pour s'embraser. Elle est la contribution humaine à l'œuvre du salut. Rien de semblable chez Racine. Pour lui, l'âme humaine est plongée dans une nuit absolue qui ne saurait être éclairée que par le jour divin. Que l'*astre* renvoie à l'étoile du matin ou bien au soleil, Racine entend toujours le surgissement de la lumière dans le cœur des hommes : *Lève-toi dans nos cœurs, chaste et bienheureux jour.*

Dans notre hymne, celle pour le lundi à matines, cela se précise par l'adjectif *sombre* qui vient qualifier la nuit. Contrairement à la première strophe où la *profonde nuit* désignait l'obscurité cosmique, bienfaisante et régénératrice de la nature, la *nuit sombre* du vers 9 nous plonge dans une obscurité intérieure aux êtres, dans la nuit humaine avec toutes ses horreurs. Cette nuit même qu'Athalie évoque rétrospectivement à un endroit tout à fait central de la dernière tragédie de Racine : *C'était pendant l'horreur d'une profonde nuit.* La signification des adjectifs que Racine ajoute au texte hymnique dépasse de loin celle de simples « ad-jecta ». Dans *profonde nuit, nuit sombre* ou dans *noir ennemis* il y a comme un déplacement du sens qui s'opère, et tout se passe comme si l'adjectif supportait presque à lui seul toute la charge intentionnelle à communiquer[23].

L'imploration de la 4e strophe, libre de toute assurance « cornélienne », est adressée à Dieu en pleine conscience de la faiblesse humaine. Tout ce que peut faire l'homme, c'est espérer en les bontés divines. Nous disons bien « les bontés », car pour Racine il n'est pas une bonté de Dieu dans le sens calvinien du terme, une bonté qui sauverait l'homme tout d'un coup et une fois pour toutes. A chaque instant de l'existence humaine le soutien divin est d'une nécessité absolue. Au moment où ce soutien fait défaut, l'homme est abandonné en proie au péché. Ceci ne veut pas dire que le pluriel racinien de *bontés* figure, en tant que pluriel, comme signe distinctif par

23. Pour les implications sémantiques et phonétiques de ce déplacement cf. G. Genette, « Le jour, la nuit », in *C.A.I.E.F.* XX (1968) repris in G.G., *Figures* II, Seuil, 1969 ; pour les implications thématiques de ce que l'on pourrait appeler la phonétique racinienne du clair-obscur, cf. notre étude « Zur Racineschen Thematik und Stilistik der tragischen Zeit », *Mln* 85 (1970), p. 824-837.

rapport à Corneille. On retrouve ce pluriel dans les deux textes et dans la même strophe. Mais ici encore les différences entre les deux poètes sont considérables. Chez Corneille les bontés divines apparaissent comme un élément placé à l'intérieur de l'espace théâtral où a lieu la prière. Elles sont l'objet de la louange. Chez Racine rien d'objectif ; les bontés y sont conçues uniquement par rapport au sujet. Elles sont l'origine de nos actions, de nos bonnes actions, et ce n'est que par là qu'elles pourront devenir également leur but. Même la prière dépend ainsi d'un acte de grâce de la part de Dieu.

Ce n'est pas le lieu ici de donner un commentaire du vers 14, c'est-à-dire de la thématique racinienne de la pureté et, pour parler avec J. Starobinski, de la poétique racinienne du regard. Revenons plutôt à la thématique du temps et de l'espace. Il est remarquable qu'à l'endroit même où Corneille se sentit le devoir d'adjoindre la catégorie du temps à celle de l'espace (*Ici durant la vie, au ciel à tout jamais*), que dans les vers 15 et 16 donc Racine s'en tient à la catégorie de l'espace (*séjour de larmes* et *repos des cieux*). L'éternité qui trouvait son expression dans le latin *in perpetuum* est ainsi comme mise à l'abri de la temporalité, insérée qu'elle se trouve dans une nouvelle dimension, celle de l'espace.

Cela ne veut pas dire que Racine renonce tout à fait à rendre l'idée d'éternité, par des notions temporelles. Il le fait à la fin de l'hymne, reprenant ainsi pour terminer, comme l'avait fait Corneille, le thème de l'exorde (Corneille l'espace, Racine le temps). Et encore une fois cette reprise implique une transformation sinon l'abolition du thème initial. Le temps répétitif, qui dans la tragédie racinienne est le signe infaillible de notre perdition et qui dans les *Hymnes* figure peut-être l'espoir dans le salut, se trouve donc dépassé en fin de compte grâce à la vision d'un royaume divin *sans principe et sans fin.*

D'un côté les *Hymnes* illustrent ainsi — par le fait qu'elles sont liées à des instants différents de la journée — l'alternance incessante du jour et de la nuit ; elles illustrent ensuite — par le fait que la même hymne se trouve reprise à plusieurs endroits du *Bréviaire* — la succession ininterrompue des saisons ; mais de l'autre côté leur fonction consiste précisément à faire apparaître, par delà toute alternance, toute succession et toute répétition, la permanence lumineuse de Dieu. Thèmes et structure des hymnes de Racine sont donc essentiellement les mêmes que ceux de ses tragédies : répétition et permanence. *Feu toujours ardant* des Vestales qui reluit par delà l'alternance de la flamme en clair-obscur qu'est la passion ; *pureté* qui transcende la succession monstrueuse qu'est l'hérédité ; *temple* et promesse d'une *Eglise* qui nous protègent et nous délivreront finalement de la répétition néfaste qu'est le péché originel [24] *.

Luzius KELLER

24. Cf. notre étude citée dans la note 23.

* Une permière version de ce texte a été lue en 1969 devant la Faculté des lettres de l'Université de Zurich. Elle a été légèrement modifiée et traduite ensuite de l'allemand par M. Sven Siegrist et l'auteur.

LE MONOLOGUE ROMANESQUE A LA RECHERCHE DE LUI-MEME (1670-1675)

> « Que dirait-on d'un homme qui voyant tous les jours son image dans un miroir, et s'y regardant sans cesse, ne s'y reconnaîtrait jamais... ? »
>
> NICOLE, *De la connaissance de soi-même.*

> « The world which I regard is my selfe. »
>
> BROWN, *Religio Medici.*

Se regarder pour se découvrir, raconter sa propre vie, faire de son existence un récit en lui donnant, par ce récit même, un sens, tels devraient être, semble-t-il, le besoin premier et l'occupation naturelle de tout narrateur, qu'il soit auteur ou personnage fictif, qu'il se dise au jour le jour ou rétrospectivement. En fait, rien n'est moins naturel : il y fallut un long apprentissage, qu'on voit se poursuivre, en tâtonnant, durant le XVIIe siècle, malgré la présence de modèles bien connus, saint Augustin, Montaigne, les romans picaresques ; quant au journal intime, il n'est pas encore inventé, tout au moins comme genre littéraire. L'exploration de soi par soi par le moyen du roman veut des instruments qui ne se forgent pas sans difficultés.

Pour cette exploration, pas d'instrument plus approprié que le *Je* et les formes qu'il commande. La première personne du verbe est celle qui, assumant sans intermédiaires le discours d'un sujet parlant, doit lui permettre de se chercher en se constituant. Or la forme autobiographique n'a pas la vie facile au XVIIe siècle, en France. Dans le système longtemps dominant, celui du roman héroïque, le récit central reste fidèle à la forme externe ; il en va le plus souvent de même pour les récits latéraux et rétrospectifs qui rendent compte des événements vécus par les protagonistes au fur et à mesure que ceux-ci apparaissent : on s'attend à un foisonnement autobiographique, il n'en est rien : la plupart des romanciers s'ingénient à éluder le *je* que le mode d'emboîtement qu'ils pratiquent semble pourtant leur prescrire (La Calprenède, Mlle de Scudéry, entre autres). Quant à la « nouvelle » qui succède à ce premier type, elle s'écrit en *il* et elle restreint ou élimine la part des épisodes secondaires. Il est vrai que la *Princesse de Clèves* innove en multipliant les soliloques introspectifs de l'héroïne, mais ceux-ci restent toujours strictement contrôlés par un auteur agissant du dehors. Si cet auteur avait donné, avec la confession du jaloux Alphonse dans *Zayde,* un bel exemple de sondage du narrateur par lui-même, il ne s'agissait que d'un récit second et d'un narrateur momentané.

Malgré ces refus et ces détours, la première personne en tant que principe organisateur d'un ouvrage romanesque n'est pas absente dans les dernières décennies du XVIIe siècle, encore qu'elle y mène une existence un peu marginale. On va le montrer par quelques exemples empruntés aux pseudo-mémoires et aux recueils épistolaires ; ce sont les deux modes narratifs destinés à dominer le XVIIIe siècle On s'attachera non pas à en faire l'histoire [1], mais à esquisser un tableau de ces formes autobiographiques dans un ordre logique qui ne suivra pas la chronologie : on progressera du monologue vers le dialogue et, simultanément, du récit rétrospectif vers l'inclusion du présent à l'intérieur du récit. Les quelques romans allégués ne le seront qu'à titre de spécimens ; ils tournent autour des années 70-75. Ils seront interrogés sur une question centrale : les pouvoirs d'introspection propres à la première personne.

1. — *Le monologue entravé.*

La forme narrative la plus proche du monologue est à ce moment l'histoire d'une vie racontée par celui qui l'a vécue : un sujet revient, pour lui-même ou pour autrui, sur son passé et le relate en commençant par ses débuts ; l'enfance est exclue, elle est le temps dont on n'a pas de souvenir : « Etant âgé de quatorze ans, et ayant perdu mon père et ma mère, je sentis une inclination extraordinaire pour la guerre... », ce sont les premiers mots des *Mémoires du sieur de Pontis*

1. Cette histoire a été faite excellemment par H. Coulet dans *Le roman jusqu'à la Révolution,* Paris, A. Colin, 1967.

(1676)[2]. La vie personnelle de ce soldat se règlera dès lors sur le rythme de l'histoire collective, en l'espèce nationale et militaire, à laquelle elle est constamment associée ; mais la narration s'attache à cette vie particulière : « Je n'ai pas dessein de décrire ce qui se passa durant ce siège si fameux dont les événements publics sont rapportés dans l'Histoire, mais seulement de remarquer quelques circonstances qui *me regardent en particulier,* et de faire quelque attention sur la conduite que Dieu *a tenue à mon égard...* » (I, p. 322). On vient de reconnaître les signes du monologue narratif, non seulement la première personne, mais le présent, ainsi que le passé composé qui relie le passé à la condition actuelle du narrateur, au moment où il recompose, avec les fragments dispersés d'une vie, une unité à laquelle il confère après coup un sens ; ce sens qu'elle ne pouvait avoir au temps où elle se vivait, il s'annonce strictement privé, puisqu'il concerne les rapports du narrateur avec son Dieu, dans le cas de Pontis, ou avec son destin dans le cas un peu différent de Sadeur : « plus on considèrera toutes les circonstances de mon voyage et de mes périls, plus on verra clairement qu'il y a un certain ordre de choses dans le sort des hommes et un enchaînement d'effets, dont rien ne peut empêcher la suite, et qui nous conduisent par mille routes imperceptibles à la fin pour laquelle nous sommes destinés. » (p. 83). Même dans les pseudo-mémoires que Courtilz de Sandras prodiguera sur le modèle de Pontis, jetant ses protagonistes en pleine mêlée politique, les événements publics s'ordonneront finalement sur un destin particulier.

Cependant, bien que la formule autobiographique dût s'y prêter, ces récits ne conduisent pas à la confession intime ni à la découverte du moi par lui-même. Ici encore, les virtualités du *Je* restent inexploitées ; l'accent porte sur les relations du narrateur avec l'événement, avec les grands acteurs historiques bien plus que sur la rencontre de ce narrateur avec lui-même, avec sa propre pensée. Il arrive que Pontis pressente ce qui pourrait être l'un des grands thèmes suggérés par la

---

2. *Les aventures de Jacques Sadeur* par Foigny (1676) commencent bien par l'enfance, et même par la naissance en mer du narrateur, mais celui-ci déclare s'appuyer sur un document retrouvé.

Je traite ici les *Mémoires* de Pontis comme s'ils étaient un roman ; les contemporains ont souvent lu comme un roman ce texte à la genèse complexe que du Fossé recueille de la bouche de Pontis et récrit ; il en est donc l'auteur. Voir l'intéressant article de R. Démoris, « Les *Mémoires* de Pontis, Port-Royal et le roman », *Dix-septième siècle,* Paris, 1968 (n° 79), p. 67-94.

forme qu'il pratique : l'opposition de l'apparent et du secret, de ce que voient ses témoins et de ce qu'il leur cache, de ce qu'il appelle le *dehors* et le *dedans* : « Je recevais ces compliments (de Richelieu) avec des paroles humbles et reconnaissantes au dehors ; mais au-dedans j'étais insensible à des louanges affectées d'un homme dont je connaissais les prétentions. » (I, p. 263). Celui qui dit *je* est seul à savoir que ce qu'il pense n'est pas ce qu'il montre ; ce pourrait être l'une des fonctions du monologue autobiographique de dramatiser cette contradiction d'un envers et d'un endroit. Pontis ne pousse pas dans cette direction féconde, il s'en tient sur ce point aussi à quelques velléités sporadiques.

Il en est de même, chez un auteur voisin, pour un effet inhérent à toute narration en première personne : la restriction de champ. Une page de Courtilz de Sandras, dans les *Mémoires de M.L.C.D.R.* (1687), est remarquable à la fois par son attention à la vision réduite du narrateur et par son extrême rareté ; il faut pour la provoquer un événement considérable, la mort de Turenne : « *Un autre à ma place* entreprendrait ici à représenter la consternation où fut toute l'armée à un incident si funeste ; mais en vérité il faudrait que j'en parlasse à tout hasard, et celle où je fus moi-même fut si grande que *je n'eus pas le temps de remarquer ce que les autres faisaient* » (p. 303). Voilà distinguées deux démarches, celle de l'historien, témoin objectif, et celle du participant contraint à se taire parce que l'émotion l'a rendu aveugle, d'où une ellipse du récit ; on ne raconte que ce qu'on a vu. Un exemple aussi net de réduction à l'optique du narrateur est exceptionnel ; ce seront Chasles et Prévost qui tiendront compte des modalités du point de vue intégré dans une narration monologuée.

Un passé ne se vit qu'à partir d'un présent, qui est l'origine de toute mémoire en activité. On attendrait d'une autobiographie rétrospective qu'elle se ressente de cette liaison du passé avec le présent, qu'elle fasse une place à la situation actuelle du narrateur, au moment et au lieu où il se souvient, ainsi que le feront Fromentin, Proust ou Claude Simon. Nous savons que Pontis est à Port-Royal quand il se remémore ce que fut son existence ; « le lieu où je suis présentement », dit-il incidemment et sans plus. Ce lieu demeure indistinct et voilé, comme s'il n'avait pas de conséquence ; le récit ne se suspend pas à la situation actuelle du récitant. Seule la dernière page s'y reporte et s'écrit au présent : « Dieu permit enfin qu'après divers retardements, j'eus le bonheur de renoncer tout à fait au monde, et de me retirer en une sainte solitude, où en repassant toutes les traverses et tous les périls de ma vie, je le bénis et lui rends grâces tous les jours de la miséricorde si rare et si grande qu'il m'a faite, de me conserver ce reste de vie pour expier et pleurer mes fautes passées. *C'est en ce lieu où je goûte à tous les moments* le plaisir qu'il y a de vivre dans le saint repos... ». Le récit qui s'achève ainsi ne s'était pas laissé infléchir ni interrompre par la condition présente d'un narrateur pourtant marqué par la « sainte solitude » où il s'est retiré pour pleurer ses fautes. Le passé qui se raconte ici demeure détaché de l'instance narrative. Il faut donc se tourner ailleurs.

2. — *Le monologue pour autrui.*

La situation actuelle du rédacteur est plus sensible dans un roman de Mme de Villedieu : *Mémoires de la vie de Henriette-Sylvie de Molière* (1671). Comme Pontis, comme Rochefort, comme plus tard l'*Homme de qualité* de l'abbé Prévost, cette narratrice est censée écrire ses Mémoires dans un couvent où elle s'est retirée.

Notons d'abord la signification de ce lieu ; il est symboliquement appelé par le mode autobiographique : pour parler de soi, le monastère, site de la retraite et du recueillement, offre le cadre adéquat ; éloigné du monde, il convient à une narration rétrospective qui contemple de loin une existence active mais révolue ; il est le lieu où l'on écrit un passé désormais détaché du moment présent ; il est donc logique qu'il ne soit pas le lieu dont on parle. Si le couvent de Mlle de Molière n'est pas davantage inclus dans le récit que le Port-Royal de Pontis, sa présence se fait sentir indirectement par contraste avec les frénésies amoureuses qui agitent cette existence remémorée ; jusque dans la sainte retraite s'insinuent les souvenirs passionnés. Par ce détour, le présent est introduit dans la narration rétrospective, la mémoire actuellement rédactrice est reliée au passé qu'elle raconte, sans quoi elle ne serait pas incitée à le raconter : « C'est ici, Madame, que je me dispenserais volontiers de la loi que je me suis faite de dire beaucoup de choses en peu de mots, pour étendre le récit de cet amour *qui est encore cher à mon souvenir*. Mais je crains de donner à Votre Altesse comme une chose agréable ce qui peut-être ne le sera que pour *moi, qui y suis encore intéressée* » (p. 30).

Equivoque retraite, où la vie et ses passions sont mises à distance, mais non pas rejetées dans l'oubli. Equivoque monologue aussi, le texte cité le montre tout aussi bien ; si le présent se glisse par intermittence dans l'évocation de ce passé tumultueux, c'est qu'avec le récit rétrospectif se combine ici, selon un système que Marivaux fera sien dans la *Vie de Marianne,* une forme impliquant une relation actuelle avec une lectrice : la lettre. Ces mémoires sont présentés comme un plaidoyer adressé à une princesse fréquemment invoquée ; elle est supposée répondre à ce qu'elle lit par des lettres non reproduites : « j'obéirai volontiers au commandement que (Votre Altesse) me fait de la divertir, par un récit fidèle de mes aventures innocentes » (p. 5), « N'admirez-vous pas, Madame, de quoi l'amour est capable ? » (p. 232).

Où l'échange s'établit le plus visiblement, c'est en fin de chapitre, qui se tourne en épître ; c'est là aussi que la mémorialiste muée en épistolière quitte le passé raconté pour sa condition actuelle de rédactrice : « Mais, Madame, il faut vous donner un peu de relâche, vous devez être lasse d'une si longue lecture ; je le suis aussi d'avoir tant écrit. Je demande à votre Altesse la liberté de penser un peu à ce qui me reste à dire... » (p. 235). Ainsi, en même temps que le présent de la narration interrompt la narration du passé, une ébauche de dialogue s'introduit dans le monologue. Mais c'est aussi ce qui interdit de se livrer à une véritable introspection ; celle-ci voudrait sans doute une parole solitaire.

3. — *Le monologue solitaire : Les Lettres portugaises.*

Que l'on développe la part de l'interlocuteur muet, que l'on accorde la parole à ce destinataire inactif, et l'on obtient un véritable instrument d'échange, le monologue devient le dialogue : c'est le roman par lettres, qui se constitue, comme on sait, à cette époque [3] : *Lettres de et à Babet* [4], *Lettres portugaises* et leurs suites apocryphes, adaptations des lettres d'Héloïse et Abélard, etc.

Le récit épistolaire se différencie des mémoires fictifs sur trois points :

a) en substituant au monologue le duo et par la suite la polyphonie des voix distinctes, il permet de juxtaposer ou d'entrecroiser les points de vue, de présenter une même action sous divers angles ; l'univers romanesque devient un miroitement ; autant de correspondants, autant de foyers réfléchissants ; le *je* n'est plus fixé sur le même et unique support central, le *vous* n'est plus relégué en position marginale, ils peuvent permuter et se faire tour à tour émetteur et récepteur.

---

3. V. B. Bray, *L'art de la lettre amoureuse : des manuels aux romans (1550-1700),* La Haye, Paris, 1967.
4. V. l'article d'A. Pizzorusso, « Boursault et le roman par lettres », dans *R.H.L.F.*, 1969, n° 3-4, *Littérature sous Louis XIV.*

b) En confiant la narration non plus à un seul mais à plusieurs agents, on modifie la forme du récit en le contraignant à la discontinuité ; les divers narrateurs se répartissent le discours, le fragmentent, n'en connaissent que quelques segments alors que tous les autres leur échappent ; l'auteur étant censé absent, personne n'est là pour assurer les raccords et rétablir la continuité ; composé d'autant de particules narratives qu'il y a de lettres, le roman s'offre comme une mosaïque.

c) Le grand bénéficiaire du système épistolaire, c'est le présent du verbe et ses dérivés ; chacun des correspondants fait part de son état actuel ou d'un passé proche, toujours placé dans la dépendance immédiate de cet aujourd'hui qui commande chaque lettre ; à cet égard il s'oppose nettement au roman-mémoires. S'il arrive que l'un des narrateurs ait à faire son autobiographie, c'est en infraction à la loi qui le régit ; ainsi procèdera Mme de Merteuil dans la lettre 81 des *Liaisons,* lorsqu'elle confie à Valmont ce que fut son éducation ; c'est pour lui donner une leçon qu'appelle la fatuité qu'il a manifestée dans une lettre récente ; en ce cas, le récit d'un passé est la riposte à une situation présente.

Cette actualité exigée par la formule épistolaire sera exploitée par les romanciers du XVIIIe siècle pour faire dire à leurs personnages ce qui les émeut au moment même où ils l'éprouvent ; en accord avec la sensibilité de leur temps, le roman par lettres leur permettra de saisir la sensation à son éveil, de suivre les vibrations du sentiment dans ses fluctuations journalières.

Le XVIIe siècle se borne à essayer ce nouvel instrument si propre à l'exploration sur le vif d'une sensibilité sans en dégager les virtualités introspectives, à une exception près, exception surprenante et paradoxale : les *Lettres portugaises* présentent d'emblée, du roman épistolaire, un exemplaire à la fois aberrant et d'une parfaite réussite. Une forme conçue pour le dialogue produit le plus pur des monologues ; on n'y entend qu'une seule voix : ces cinq lettres faites pour un amant passionnément désiré n'atteignent personne et demeurent sans réponse ; la rédactrice abandonnée n'écrit finalement que pour elle-même ; qu'importe que la lettre soit envoyée ou non, « j'écris plus pour moi que pour vous, je ne cherche qu'à me soulager » (p. 58) [5]. Suspendue à ce destinataire muet, elle renonce à se faire entendre et poursuit un

---

5) Je cite d'après l'édition Fr. Deloffre et J. Rougeot, Paris, Garnier, 1962.

soliloque dans le vide, démontrant qu'on ne parle bien de ses états intimes que si l'on parle pour soi seul.

Toutefois, ce discours solitaire est un pseudo-monologue, car il conserve les signes du dialogue : interrogation (fréquence des « pourquoi... ? »), exigences, prières, reproches, toutes les formes de l'appel, et bien entendu les pronoms de la proximité : tout se passe entre *je* et *vous*, un *je* obsédant, un *vous* partout présent dans cette plainte pour un absent, alors que manque, à un degré rarement atteint, le *il,* ce dont on parle ; les parents, l'officier qui va emporter la quatrième lettre, dona Brites confidente épisodique n'ont droit qu'à quelques lignes sans signification ; l'*autre* est exclu de ce circuit clos formé par une passion qui ne connaît qu'elle-même.

Quant à la prédominance du présent, elle est manifeste ; non seulement la rédactrice ne cesse de signifier à son infidèle « l'état où je suis », « l'état où vous m'avez réduite », « ce que je souffre présentement », mais elle nous fait assister à la rédaction de ce que nous lisons, la lettre se montre en train de s'écrire : « je connais, dans le moment que je vous écris... » (p. 50), ma lettre « est trop extravagante, il faut la finir. Hélas ! il n'est pas en mon pouvoir de m'y résoudre, il me semble que je vous parle, quand je vous écris... » (p. 57-58), et l'épître se prolonge, ponctuée d'une série d'*adieu* qui la recommence chaque fois qu'elle se clôt, parce que la parole amoureuse s'engendre elle-même : « Adieu, ma passion augmente à chaque moment » (p. 50). « Adieu, je ne puis quitter ce papier » (p. 42). Ecrire dans ces conditions n'est pas une opération bénigne, elle se déclare aussi dangereuse que la passion qu'elle fomente : « Votre pauvre Marianne n'en peut plus, elle s'évanouit en finissant cette lettre » (p. 46). On aura noté les démonstratifs *ce papier, cette lettre,* indicateurs de discours personnel désignant l'objet dans sa relation actuelle avec celui qui parle ; cette lettre ne peut s'écrire qu'en fonction d'un présent. Conduites avec une telle rigueur, les *Lettres portugaises* sont un exemple rare dans le roman, avant le XXe siècle, d'action tout entière contemporaine de l'acte qui la dit. De nos jours, ce sont d'autres formes littéraires qui réalisent cette simultanéité : le monologue intérieur ou le journal intime.

Le passé n'est pourtant pas absent des *Lettres* ; il s'y glisse par la voie du souvenir ; l'amante abandonnée se reporte aux temps heureux : « il y aura un an dans peu de jours... » (p. 58) ; elle les rappelle à la mémoire du partenaire oublieux, mais c'est ici encore la situation actuelle qui motive le retour au passé ; celui-ci s'évoque par contraste avec le malheur présent : « mes douleurs ne peuvent concevoir aucun soulagement, et le souvenir de mes plaisirs me comble de désespoir » (p. 44), ce qui fut éprouvé comme délices ne sert maintenant « qu'à tyranniser mon cœur » (p. 40).

Au reste, ce passé n'est nulle part raconté, seul son reflet se disperse ici et là dans un texte aussi peu narratif que possible. Une seule infraction, encore n'est-elle qu'apparente parce que motivée elle aussi par un fait actuel suscitant un souvenir, c'est l'épisode du balcon où, « ces jours passés », pour la « divertir », sa confidente conduit la narratrice : « je fus aussitôt frappée d'un souvenir cruel qui me fit pleurer tout le reste du jour » (p. 55). Ce lieu mémoratif est introduit par l'habile auteur des *Lettres* pour faire une place, si réduite soit-elle, à une situation dont il lui a semblé que son monologue épistolaire ne pouvait se dispenser, car il s'agit d'une situation fondamentale de toute narration romanesque, la première rencontre des héros et la naissance de l'amour : le détour de la réminiscence l'autorise à la mettre sans invraisemblance sous la plume de son épistolière : « Je vous ai vu souvent passer en ce lieu avec un air qui me charmait, et j'étais sur ce balcon le jour fatal que je commençai à sentir les premiers effets de ma passion malheureuse. » L'optique de la narratrice est scrupuleusement respectée, avec ce qu'elle comporte d'incertitude et peut-être d'illusion sur les intentions du cavalier déjà secrètement aimé : « il *me sembla* que vous vouliez me plaire, quoique vous ne me connussiez pas ; *je me persuadai* que vous m'aviez remarquée entre toutes celles qui étaient avec moi, *je m'imaginai* que, lorsque vous vous arrêtiez, vous étiez bien aise que je vous visse mieux... ; enfin je m'intéressais secrètement à toutes vos actions, je sentais bien que vous ne m'étiez point indifférent, et je prenais pour moi tout ce que vous faisiez » (p. 55). La dame au balcon, le héros passant dans la rue, un échange de signes ambigus, c'est la scène classique de la rencontre initiale dans la tradition romanesque espagnole, mais renouvelée ici par les modalités déformantes du point de vue intégré et de la réminiscence affective. Cet unique et bref récit rétrospectif ainsi inséré dans la trame du monologue ne trouble pas mais confirme la prédominance du présent vécu, dont tout part, où tout revient.

Présent central de l'abandon, dans lequel s'est établi un amour privé de son passé, sans espoir d'avenir, et qui n'est plus qu'un amour mental se nourrissant inépuisablement de lui-même, à l'image de ce monologue sans écho qui ne renvoie plus qu'à soi.

Jean ROUSSET.

CRITIQUE ET PRINCIPE D'AUTORITÉ

(MADAME DE STAËL ET ROUSSEAU)

I

Pour les prédicateurs du XVIIe siècle, rien n'était plus suspect que le mouvement par lequel un spectateur s'identifiait aux personnages de la tragédie, et un lecteur se laissait entraîner à partager les sentiments des héros de roman. Dès qu'elle exerçait sa séduction jusqu'à livrer les âmes à la tyrannie de la passion, la littérature cessait d'être un divertissement sans conséquence. En invitant les individus à se confondre avec des créatures imaginaires, à éprouver leurs désirs et leurs tourments, elle n'était pas coupable seulement de favoriser le péché de concupiscence ou le péché d'orgueil, elle devenait la concurrente de la religion ; elle proposait une contrefaçon mondaine de l'acte de dévotion, et substituait au seul objet légitime (Dieu, le Christ en croix) des appâts spécieux. Le spectateur, le lecteur, transportés hors d'eux-mêmes, se *perdaient* dans la passion des héros fictifs, tandis qu'en participant à la Passion du Christ ils se seraient remis en mains sûres. Il fallait les détourner de poursuivre le simulacre d'un bonheur que seul le Ciel pouvait assurer. En critiquant la comédie et les romans, Bossuet, Nicole, Bourdaloue dénonçaient une forme d'idolâtrie, une infidélité à la seule *autorité* qu'il convenait de reconnaître. Le danger de la littérature, à leurs yeux, loin de tenir à sa seule frivolité, résidait encore bien davantage dans l'intensité de sa fascination, dans l'arrachement à soi et aux devoirs quotidiens qui allait jusqu'à parodier le dégoût du monde éprouvé par les âmes mystiques[1].

La littérature donne l'essor à la tentation d'une mauvaise identification, contre laquelle les prédicateurs dirigent leur censure. Ce jugement est un acte *critique* (au sens de la réprobation, de la condamnation). Or ce qui rend possible et nécessaire cette critique, c'est *l'autorité* absolue attribuée à une autre forme d'identification, la seule désirable. Le jugement moral s'appuie ainsi sur un critère parfaitement défini : tout ce qui ne lui correspond pas est rejeté. Et, face à une accusation de cet ordre, toute défense, toute apologie, a pour tâche primordiale de démontrer la compatibilité de l'œuvre de pure fiction avec la norme indiscutée, avec le dogme reçu.

II

Mais la norme peut changer. Elle peut se déplacer. Le XVIIIe siècle passe pour l'époque où s'accomplit la réhabilitation de la passion. Il ne suffit pas d'y voir la levée d'un discrédit. Il faut, de surcroît, discerner ce fait capital : la passion, le sentiment, sitôt réhabilités, réclament pour eux, et bientôt pour eux seuls, *l'autorité* que les prédicateurs ne voulaient reconnaître que dans la parole révélée et dans la Croix. Ce transfert d'autorité est d'une importance considérable, puisque la nouvelle autorité tend à s'imposer comme la source et le terme de référence de tous les jugements moraux, de toutes les accusations critiques.

Réhabiliter la passion, c'est réhabiliter l'identification passionnelle suscitée par les divers arts. Que le spectateur ou le lecteur se sentent attirés dans l'espace de l'œuvre, qu'ils en vivent les situations bouleversantes, que l'illusion leur fasse éprouver tous les émois des personnages, c'est là tout ensemble la preuve de l'excellence de l'œuvre et le signe de la sensibilité du lecteur. Il en résulte une certitude, quelque peu confuse, où entrent en composition les considérations esthétiques et les motivations morales. Cette certitude n'en fait pas moins autorité, et c'est d'elle que peut désormais se pré-

1. Nicole écrit, pour blâmer les partisans de la comédie : « On ne considère pas que la vie chrétienne doit être non seulement une imitation, mais une continuation de la vie de Jésus-Christ, puisque c'est son esprit qui doit agir en eux, et imprimer dans leurs œuvres les mêmes sentiments qu'il a imprimés dans celui de Jésus-Christ. Si on regardait la vie chrétienne par ces vues, on connaîtrait aussitôt combien la comédie y est opposée. » (*Œuvres Philosophiques et Morales de Nicole*, Paris, 1845, p. 451.)

valoir le lecteur conquis, pour juger la réalité environnante, pour condamner le train du monde, les préjugés, l'injustice... Il dispose, en son for intérieur, d'un *critère* universel.

On se contentera ici d'un seul exemple : l'*Eloge de Richardson* de Diderot. Aucun scrupule religieux (on s'en doute) n'interdit à Diderot de s'identifier aux personnages romanesques, de s'introduire, en témoin ému, en « héros secret », dans l'univers infiniment varié du romancier. Univers qui ressemble si bien à la réalité que Diderot en retour se croit fondé à demander au monde réel d'être fidèle aux grandes vérités de sentiment révélées par la fiction. Faire l'éloge de Richardson, ce sera donc moins parler de ses qualités littéraires, de son art de composer, que de l'effet moral éprouvé par le lecteur, de la disposition d'âme avec laquelle celui-ci se tourne désormais vers la société et vers ses semblables. Et cette disposition, chaleureuse, enthousiaste, attendrie, trouvera dans chacune des déconvenues que lui réserve le monde (et elles ne manqueront pas) le prétexte d'une critique acerbe, d'une condamnation portée au nom de la loi du cœur. L'examen admiratif de l'œuvre de Richardson conduit Diderot, — par delà la théorie littéraire du « réalisme » sentimental — à la possibilité d'une *critique* dirigée non vers la littérature, mais contre les abus et les insuffisances du monde réel.

III

N'en va-t-il pas de même pour Rousseau ? N'avoue-t-il pas, dans les *Confessions*, l'ardeur avec laquelle, dans les années de jeunesse, il se transportait dans les personnages de l'histoire ou de la fiction ? « Je devenais le personnage dont je lisais la vie [2]. » Et s'il reste, chez Rousseau, quelque chose du sentiment de culpabilité que la prédication chrétienne s'efforce d'inspirer à celui qui se détourne de « la seule chose nécessaire », le mouvement de disculpation est prompt. Rousseau requiert pour les objets de ses identifications l'autorité morale la plus haute. D'une part, il choisit des modèles vertueux, et c'est particulièrement le cas des grandes figures de l'histoire romaine. D'autre part, l'élan d'identification est porteur d'une sorte de grâce : non seulement il est innocent, mais son innocence se communique à ses objets, quels qu'ils soient. Il les transfigure et les investit d'une valeur sacrée. La plénitude, parce qu'elle est « sans mélange », peut s'affir-

---

2. *Confessions*, livre I. *Œuvres complètes*, Paris, Pléiade, t. I, p. 9.

mer *pure*. Et cette expérience ne tarde pas à devenir le terme de comparaison en regard duquel les imperfections, les petitesses, les servitudes de l'époque encourront condamnation. Qu'on y prenne garde : la critique dirigée contre la société prend toujours appui sur l'image d'une plénitude que Rousseau lui oppose, et cette plénitude est presque toujours ressentie au terme d'un processus d'identification. S'il faut en croire les *Confessions,* l'illumination de la route de Vincennes a déposé sa trace immédiate dans la prosopopée de Fabricius. Il s'agit là, certes, d'un procédé de rhétorique, mais revécu passionnément : Rousseau *s'est fait* Fabricius, s'est identifié au héros de Plutarque pour apostropher un monde corrompu, infidèle à l'idéal antique de la vertu et de la frugalité.

On le voit ainsi à l'évidence : Rousseau ne se contente pas de désarmer l'accusation religieuse qui vise toutes les identifications « profanes » ; il sacralise, il sanctifie si bien les êtres fictifs avec lesquels il tend à se confondre, qu'il reçoit d'eux le pouvoir d'accuser et de juger à la place des défenseurs de la morale religieuse. L'autorité qu'il invoque — explicitement ou implicitement — est le principe expansif qui assure l'unité des consciences, la transparence des cœurs : tout ce qui s'y soustrait, dans la vie des hommes et des nations, mérite réprobation.

La nouvelle autorité, chez Rousseau, se lie au *moi* beaucoup plus profondément que chez ses contemporains : c'est dire qu'elle s'oppose au monde de façon plus radicale, en se donnant pour source une liberté plus purement subjective. Pour un Diderot, le cœur, la sensibilité sont les « organes » d'une relation jamais rompue avec la réalité environnante : le bien et le mal qui se présentent à nous, constamment affrontés, requièrent une perpétuelle vigilance, une inlassable discrimination, et sollicitent notre riposte active. Notre subjectivité, si peu distincte de l'énergie matérielle du monde, y a constamment accès. Rousseau, lui, franchit un pas décisif, en lançant sur le monde environnant un anathème presque sans recours, qui le dispense d'y rester compromis. Il renonce à agir, il n'a plus à s'employer au dehors, où ne l'attendent qu'outrages et blessures. Nous assistons dès lors à un recul véhément de la subjectivité, en direction de la place forte où elle se veut hors d'atteinte : c'est une inexpugnable position de repli. Elle n'en sort que pour observer les plantes innocentes. Et elle n'aura commerce qu'avec des êtres chimériques — « des gens de l'autre monde [3] » — suscités par son désir et

3. Seconde préface de *La Nouvelle Héloïse, O.C.,* II, p. 16.

seuls dignes de son amour. La défiance, la rupture sont si complètes, que Rousseau produit lui-même les objets de ses identifications, au lieu de les poursuivre au-dehors, dans les livres des autres. Il en appelle à la mémoire et à l'imagination, pour créer un espace fictif où s'élancer, pour inventer des distances aptes à servir de scène pour l'amour, l'assouvissement, l'éloignement, le retour... Ainsi la conscience en vient à ne plus hanter que les images et les paroles où s'exprime le *manque* qui la tourmente. Nouveau mode de création : c'est la réflexion infinie et malheureuse qui est à l'œuvre, pour se donner un univers substitutif, pour tenter de réinventer l'immédiateté perdue et pour *se représenter elle-même* dans les images dont elle dispose souverainement.

IV

Ce nouveau mode de création appelle un nouveau type de critique. Eclairée par ses deux préfaces et par le commentaire autobiographique ultérieur, *La Nouvelle Héloïse* n'est pas seulement justifiée par ses intentions morales et par l'utilité sociale que son auteur lui assigne (en quoi elle ne diffère guère de tant d'autres livres qui veulent tout ensemble intéresser et édifier) ; il nous est encore demandé de comprendre l'ouvrage à partir de son origine et de sa source. Et Rousseau marque bien, dans ses divers textes justificatifs, les lignes de repli qui lui permettent de se mettre hors des atteintes d'une critique soucieuse de qualité littéraire ou de vérisimilitude. Qu'on n'aille pas reprocher à ces lettres l'emphase, les gaucheries, le ton prédicateur, les provincialismes : *il ne s'agit pas de gens du monde,* mais de jeunes gens passionnés, que l'influence de la capitale n'a pas rendus beaux parleurs. La critique grammairienne, les objections du bon goût tomberaient ici à faux : Rousseau, dans ses préfaces, a soin de les prévenir et, par là, de les désarmer. Et dans les notes où il assume le rôle de *l'éditeur* des lettres, il veut être le premier à dénoncer un terme impropre, un développement maladroit ou déraisonnable. Il neutralise l'agression critique en la prenant d'emblée à son compte. Qu'on n'aille pas non plus reprocher à ces personnages de n'être pas dans la nature, de ne ressembler à personne, d'être de véritables « monstres ». Après avoir fait tout ce qu'il pouvait, en une sorte de combat d'arrière-garde, pour faire admettre qu'il est possible de vivre, de sentir et d'aimer, loin de Paris, au pied des Alpes, à la manière de ses héros, Rousseau convient qu'*il ne s'agit pas là d'imitation,* mais d'expression. Ses personnages sont les créatures de son désir : ils n'ont point de modèle dans le monde extérieur. On ne peut donc leur reprocher leur invraisemblance, pas plus qu'on ne peut reprocher au roman de ne montrer que des êtres bons. L'*autre monde,* auquel ils appartiennent, est le cœur de Jean-Jacques, qui apporte à leur existence une garantie suffisante. Tout jugement qui ne remonterait pas — en-deça des personnages — au sentiment profond de Jean-Jacques, manquerait son objet. Or le *sentiment* s'affirme comme une puissance irréductible qui, tout en prenant le monde à témoin, ne veut pas être justiciable du « jugement des hommes ». Il en appelle donc à un acte d'amour, à une fusion passionnelle, analogue à celle qui voue Jean-Jacques à ses créatures chimériques. Le lecteur (ou plutôt la lectrice) que Rousseau appelle de ses vœux saura s'identifier — dans l'attendrissement — avec les voix du roman, mais il saura presque aussitôt ne considérer celles-ci que comme un relais en direction de la source dont ils tiennent leur vie, leur chaleur, leur puissance séductrice, leur amour de la vertu. Le lecteur se sentira donc capté dans le champ de gravitation d'un désir créateur. Il y reconnaîtra l'autorité absolue, qui rendra possible, ultérieurement, *l'action* du livre. Si la lecture de *La Nouvelle Héloïse* doit changer les dispositions intérieures de ses lecteurs, leur conduite extérieure, bref, si elle doit avoir, au dehors, une fonction critique, c'est par le détour de la fascination qui les aura attirés, à travers l'espace intérieur du livre, jusqu'au niveau du sentiment qui l'a produit. On le voit, « l'utilité » du livre, la possibilité du changement moral, celle même d'une critique *négatrice* dirigée contre la société présente (celle des faux chrétiens et celle des mauvais philosophes), trouvent leur fondement dans l'adhésion entièrement *positive* donnée à l'autorité du sentiment. Pour avoir suscité l'image chimérique — mais estimée plus vraie que toute contrainte réelle — d'un univers réconcilié, Rousseau offre sa personne (son âme) à l'adhésion fervente du lecteur, adhésion dont l'envers sera le refus non moins global des injustices du monde. Peut-être ne faut-il pas s'étonner qu'en même temps que Rousseau donne le signal d'une critique sociale qui dépasse le cadre traditionnel de la satire et de ses lieux communs, il donne également (quoique de façon plus secrète) le signal d'une approche de la littérature où la critique traditionnelle, jugement porté sur les beautés et les fautes, est dépassée par l'élan d'une sympathie qui, ne s'arrêtant plus aux personnages du théâtre ou du roman, cherche à rejoindre la subjectivité du créateur. Ces deux nouvelles acceptions de la « critique » naissent conjointement ; c'est selon la norme stipulée par la « loi du cœur » que sont définis comme « injustes », ou « inacceptables », ou « scandaleux », les aspects refusés de la réalité environnante. Il n'y aurait pas, ici, de « critique radicale » du monde réel, s'il n'y avait d'autre part un absolu moral, héritier de l'absolu divin, appelant à la soumission ou à l'identification. Réciproquement, l'on peut conjecturer que l'intérêt pour la subjectivité d'un écrivain n'aurait peut-être pas eu lieu de prendre une telle importance, si les données du monde objectif ne paraissaient affectées d'une moindre valeur, marquées par la tare de l'inauthenticité. Culte de l'intériorité et révolte contre les scandales du monde vont ici de pair.

V

Les *Lettres sur les Ecrits et le Caractère de Jean-Jacques Rousseau*, que Mme de Staël publie en 1788 (six ans après la publication des *Confessions*), appartiennent, de leur aveu même, à la tradition académique et rhétorique de l'Eloge. Thomas, familier du salon Necker, avait brillé dans la théorie et la pratique de cet exercice du « genre démonstratif ». Germaine Necker, pour son premier écrit, pouvait saisir là un prétexte d'émulation, à charge de trouver, pour sa louange, un sujet original et nouveau : « Il n'existe pas encore d'éloge de Rousseau. J'ai senti le besoin de voir mon admiration exprimée[4] ». Ce genre littéraire, auquel la jeune critique rattache son ouvrage, n'a guère attiré l'attention des historiens. Et c'est peut-être à tort qu'ils l'ont négligé. Chez Fontenelle, chez d'Alembert et chez quelques autres, indépendamment du cérémonial oratoire, indépendamment de la circonstance funèbre, l'éloge prend la forme d'un véritable essai, et s'ordonne selon la subdivision que reprendront les historiens de la littérature : la vie, l'œuvre, l'influence. Au XVIIIe siècle, la littérature des éloges préfigure (souvent de loin, il est vrai), la critique plus récente qui vise à saisir l'essence d'une œuvre ou d'une pensée : elle s'en approche en tout cas davantage que ne le fait, à la même époque, la « critique » des érudits (soucieux de lire des documents, d'établir des dates, etc.) ou celle des journalistes, éparpillant leurs traits dans les escarmouches et les embuscades.

Mais l'éloge, tel que le conçoit Mme de Staël, n'a plus rien d'un exercice. Rien ne le rattache au cérémonial d'un concours ou d'une assemblée. Ce sont des « lettres », mais des lettres

4. *Œuvres complètes de Madame la baronne de Staël-Holstein*, Paris, Didot, 1836, t. I, p. 1.

sans destinataire. Certes, l'apostrophe, l'exclamation, les procédés habituels de la rhétorique sensible de l'époque n'en sont pas absents. Ce n'est toutefois pas sans raison que Georges Poulet, dans une étude qu'il place en tête de la *Conscience Critique,* cite le début des *Lettres sur Rousseau* pour y signaler l'acte inaugural de la critique moderne. Rousseau, nous venons de le voir appelait un commentaire critique de type nouveau, et tout se passe comme si la jeune lectrice enthousiaste apportait à l'auteur admiré la réponse attendue, hors des traditions littéraires antécédentes. A nouvelle littérature, nouvelle critique.

Que l'admiration passionnée soit le fait *premier* (au point de constituer le *cogito* initial que discerne Georges Poulet), voilà qui d'emblée inverse les moments traditionnels de l'examen et du jugement : habituellement, le jugement, la décision faisaient suite à l'exposé scrupuleux des attendus, une fois soigneusement pesés les qualités et les défauts. Ici, le transport admiratif est premier : Rousseau a emporté du premier coup l'adhésion du sentiment. L'activité critique consistera à « exprimer », à expliciter réflexivement ce qui a été vécu au plus haut degré d'intensité : « J'ai senti le besoin de voir mon admiration exprimée [...]. J'ai goûté quelque plaisir en me retraçant à moi-même le souvenir et l'impression de mon enthousiasme [...]. Comment renvoyer à l'époque d'un avenir incertain l'expression d'un sentiment qui nous presse [5] ? » Le discours critique s'élabore non dans l'enthousiasme originel, trop brûlant pour trouver la parole adéquate, mais dans le souvenir : il importe néanmoins que le souvenir soit récent, que son analyse soit différée le moins possible, que le recul réflexif ne soit pas accru démesurément par la distance temporelle et qu'il apparaisse comme une conquête difficile et comme un joug imposé à l'impétuosité du sentiment. L'énoncé critique impliquera donc un décalage obtenu à force de volonté. Rien n'est plus révélateur que le préambule de la lettre consacrée à *la Nouvelle Héloïse* :

> C'est avec plaisir que je me livre à retracer l'effet que cet ouvrage produit sur moi ; je tâcherai surtout de me défendre d'un enthousiasme qu'on pourrait attribuer à la disposition de mon âme plus qu'au talent de l'auteur. L'admiration véritable inspire le désir de faire partager ce qu'on éprouve ; on se modère pour persuader, on ralentit ses pas afin d'être suivi. Je me transporterai donc à quelque distance des

5. *Œuvres complètes de Madame la baronne de Staël-Holstein,* Paris, Didot, 1836, t. I, p. 1.

> impressions que j'ai reçues, et j'écrirai sur *Héloïse*, comme je ferais, je crois, si le temps avait vieilli mon cœur [6].

Pour que naisse le discours critique, il faut que, par une sorte d'artifice, la conscience du lecteur s'arrache à la communion immédiate — éblouissante et muette — dont l'excès immodéré n'est pas compatible avec la communication persuasive. Il faut entrer dans l'attitude de la « passion réfléchissante ». Certes c'est de la communion première qu'il faut rendre compte, et c'est *l'impression* initiale qu'il faut tenter de reconstituer par le moyen des preuves énoncées discursivement. Mais, entre le moment bouleversant de la lecture, et le moment second de l'écriture qui s'efforce d'en transmettre la substance, une distance est imposée à la fois par la loi du temps et par les nécessités de l'énoncé intelligible. « Finalement connaître », écrit Georges Poulet, « dépend aussi bien d'une désunion que d'une union [7] »

Ecoutons encore Mme de Staël nous parler de sa lecture de *la Nouvelle Héloïse* :

> Ah ! qu'on voit avec peine la fin d'une lecture qui nous intéressait comme un événement de notre vie, et qui, sans troubler notre cœur, mettait en mouvement tous nos sentiments et toutes nos pensées [8].

L'expérience de la lecture a revêtu la valeur d'une expérience vécue : que le roman ait attiré en lui sa jeune lectrice, ou qu'elle se soit approprié les personnages et les situations, le monde de la fiction et celui de la vie ne sont plus radicalement séparés. A cette identification, toutefois, une limite est imposée : si les sentiments et les pensées sont mis « en mouvement », le « cœur », lui, n'est pas troublé. La sympathie de la lectrice ne semble pas aller plus loin que le point reconnu par Aristote ou par Burke : le péril des héros littéraires nous bouleverse, mais il nous délecte aussi, par la conscience que nous gardons de notre sécurité. Nous sommes hors du danger. Mais, nous l'avons vu, Rousseau insiste moins sur la vraisemblance de ses personnages que sur leur fonction expressive ; si leur destinée émeut et intéresse, il ne faut cependant pas s'y arrêter : leurs sentiments renvoient tous au cœur de Jean-Jacques. S'identifier avec Julie ou Saint-Preux, c'est

---

6. *Op. cit.*, p. 5. Sur la réflexion surajoutée à la passion, voir l'excellent article de Paul de Man, « Madame de Staël et J.-J. Rousseau », *Preuves*, 190, décembre 1966, p. 35-40.
7. Georges Poulet, *La Conscience critique*, Paris, 1971, p. 18-19.
8. *Œuvres complètes*, éd. cit., p. 10.

encore rester à mi-chemin. Il faut rejoindre la source, — la rêverie créatrice. C'est ce que demande Rousseau ; et l'attitude à la fois participante et dégagée qu'observe Mme de Staël, le cœur serein qu'elle conserve, sont le signe qu'elle ne se laisse pas prendre tout entière par le simulacre déployé dans l'objet littéraire : elle obéit à l'injonction même de Rousseau, elle voue toute sa passion à la subjectivité sous-jacente au roman. Georges Poulet a très nettement indiqué ce mouvement : « L'admiration n'a de cesse qu'elle n'ait atteint une identification, non pas certes avec l'objet admirable, mais avec le génie même qui, par un acte interne, *sui generis,* fait exister cet objet [9]. » La participation la plus profonde n'interviendra pas au niveau du monde romanesque, qui n'est après tout qu'un monde figuré, mais au niveau de ce que Mme de Staël appelle les « vérités de sentiment », et où la conscience du lecteur se sent brûler du même feu que la conscience de l'auteur admiré : « Les vérités de sentiment, ces vérités que l'âme doit saisir, malheur au talent qui n'enflamme pas pour elles à l'instant qu'il les présente [10]. » La métaphore de la flamme, le recours (sans doute un peu théâtral) à la formule d'imprécation signalent, à n'en pas douter, la présence du *sacré.* Georges Poulet a remarquablement montré comment, dans l'expression de la nostalgie et du bonheur de la réminiscence, la voix de Mme de Staël se confond avec celle de Rousseau, la prolonge de manière indépendante, dans une soumission fascinée. Une autre « vérité de sentiment » — celle-ci orientée non vers le passé mais vers le futur — suscite la même coïncidence : cette vérité, profondément liée à la conscience de soi, est celle de la liberté. Dans la quatrième des *Lettres sur Rousseau,* on voit la participation admirative aboutir au point où la présence du sacré commande l'abdication du raisonnement, au profit d'un acte intuitif, de nature religieuse :

> Je l'aime aussi, de toute la force et de toute la vivacité de mes premiers sentiments, cette liberté qui ne met entre les hommes d'autre distinction que celles marquées par la nature ; et m'exaltant avec l'auteur des *Lettres de la Montagne,* je la voudrais telle qu'on la conçoit sur le sommet des Alpes, ou dans leurs vallées inaccessibles. Maintenant un sentiment plus fort, sans être contraire, suspend toutes mes

9. Georges Poulet, « La Pensée critique de Mme de Staël ». *Preuves,* 190, décembre 1966, p. 28. (Le texte de cet article est plus développé que la chapitre correspondant de *la Conscience critique.*)
10. *Œuvres complètes,* t. I, p. 16.

idées : je crois au lieu de penser ; j'adopte au lieu de réfléchir[11].

C'est là le langage de la foi, et presque celui de la mystique. Mais l'acte de foi, en l'occurrence, fait suite à l'examen critique : il est la conséquence du jugement attentif, il en constitue l'état final, l'achèvement. Notre texte le déclare explicitement :

> Mais cependant je n'ai sacrifié mon jugement qu'après en avoir fait un noble usage : j'ai vu que le génie le plus étonnant était uni au cœur le plus pur et à l'âme la plus forte ; j'ai vu que les passions ni le caractère n'égareraient jamais les facultés les plus sublimes dont un homme ait été doué ; et, après avoir osé faire cet examen, je me suis livré à la foi, pour m'épargner la peine d'un raisonnement qui la justifierait toujours.

On remarquera, tout d'abord, que l'argumentation de Mme de Staël suit de près celle que Rousseau développe à diverses reprises[12], pour justifier l'abandon de la philosophie et la docilité à la dictée du sentiment immédiat. Il faut faire ici la part d'un indéniable mimétisme. Mais il y a bien davantage : dans ce mouvement au terme duquel le critique se « livre à la foi », nous apercevons un cercle qui se referme. Le discours critique, nous l'avons remarqué, avait pris son essor dans le souvenir d'un temps premier d'adhésion enthousiaste. Et tout se passe maintenant — une fois accomplis les actes du « jugement », du « raisonnement », de l' « examen » — comme s'il devenait possible de retrouver l'intuition première, l'état d'enthousiasme et sa plénitude indivise. La vérité que, grâce à son détachement, le regard critique a su *voir*, conduit à une certitude sans distance qui peut dorénavant se dispenser de preuves rationnelles : la raison vigilante a pleinement accompli sa tâche médiatrice, elle peut s'effacer, abdiquer, se résorber, et céder la place à une intuition finale. Intuition qui, parce qu'elle renonce à l'extériorité de la vue, peut prendre aussi le nom de « sentiment aveugle ». Ainsi la critique se transmue en aveuglement, mais cet aveuglement consenti se veut possesseur d'un sens inaltérable. Mme de Staël recourt à l'oxymore et n'hésite pas à suggérer une singulière coïncidence des opposés : ainsi le sentiment libertaire qu'elle partage avec Rousseau devient sous sa plume : « Ce sentiment aveugle dont j'ai fait ma lumière. »

---

11. *Op. cit.*, p. 16.
12. Notamment dans la *Profession de Foi*, et dans la troisième *Rêverie*.

VI

Atteindre la « vérité de sentiment », c'est rejoindre Rousseau dans le foyer le plus ardent de sa subjectivité. C'est aussi, en découvrant ce même foyer en soi-même coïncider avec l'auteur admiré. Ainsi le trajet critique parvient à un terme qui apparaît tout ensemble comme la source de l'œuvre explorée, et comme l'être le plus intime du critique, révélé à lui-même par l'attention qu'il a vouée à un autre. Le sentiment s'étant approprié le caractère d'universalité qui était, jusque-là, le privilège de la seule raison, toute « vérité de sentiment » peut devenir un point de rencontre, un lieu de coïncidence.

Ce point, ce lieu, une fois atteints, pourraient être un terme définitif de l'activité critique, si le but de celle-ci était le repos dans la connaissance contemplative ou dans l'intimité purement goûtée. Mais en va-t-il bien ainsi pour Mme de Staël ? La « vérité de sentiment », c'est l'autorité la plus haute. Or l'autorité n'est pas faite seulement pour être contemplée. Elle tend à s'imposer, à se propager, à régner. Rejoindre l'autorité, c'est rejoindre une valeur qui veut s'étendre universellement, c'est saisir une norme qui oblige à lui rapporter tous les faits contingents, afin d'évaluer leur conformité ou leur écart. L'autorité, en l'occurrence, c'est le sentiment de la liberté, et la liberté exige de se communiquer.

Ayant confronté l'autorité intérieure et la réalité présente du monde, Rousseau s'était replié sur lui-même : le monde lui était apparu rebelle à la norme, donc inhabitable. Le lecteur qui partage la même « vérité de sentiment » peut certes répéter le refus de Rousseau : ce serait alors le mimer parfaitement, trop servilement sans doute. Il peut néanmoins réitérer, dans un autre présent, la confrontation du monde et de la norme « sentimentale ». Il peut vouloir, d'une certaine façon, venger celui qui en fut le prophète persécuté, appeler de ses vœux une transformation de la réalité extérieure qui la soumette à l'autorité jusqu'alors confinée dans le tréfonds des « belles âmes ». C'est là tout ensemble se faire l'apôtre du maître, et prendre le risque d'être infidèle à la solitude où il s'était réfugié. En quoi cette lecture montre bien qu'elle reconnaît pour autorité prédominante le sentiment de la *liberté,* et non pas la *solitude* de la subjectivité séparée. Or la liberté, ayant conquis l'enthousiasme d'un premier lecteur, veut administrer la preuve d'une puissance expansive qui n'aura d'autre limite que l'hostilité et l'opacité du monde : elle est, en puissance, un pouvoir libérateur universel, et le lecteur qui en a fait l'expérience ne se considère lui-même que comme le premier relais, dans un essor qui doit devenir général. Il sait que l'éloquence de la liberté peut « enflammer » les âmes, et il ne demande qu'à propager l'incendie.

Sitôt donc en possession de la « vérité de sentiment » communiquée par les écrits de Jean-Jacques, Mme de Staël s'emploie à la communiquer autour d'elle, à la diffuser dans un milieu propice : en 1788, la convocation des états généraux ouvre la perspective d'une « régénération » de la société française. C'est la pensée de Rousseau qui engage à interpréter le moment présent comme celui d'un nouvelle naissance, et Mme de Staël apostrophe les Français : « Vous, grande nation, bientôt rassemblée pour consulter sur vos droits [13] »...

Nous voyons mieux maintenant le parcours de la pensée critique de Mme de Staël. S'étant transportée « à distance des impressions [qu'elle] a reçues », elle a examiné et jugé les écrits de Rousseau. Dans une phrase récapitulative (que nous avons déjà citée) le premier temps est occupé par l'acte transitif de *voir,* dirigé vers Rousseau : « J'ai *vu* que les passions ni le caractère n'égareraient jamais les facultés les plus sublimes dont un homme ait été doué. » Le second temps est celui d'un mouvement réfléchi où, tirant les conséquences de l'acte critique, la lectrice se retrouve face à elle-même, prenant pour elle-même une *décision* capitale : « Et, après avoir osé faire cet examen, *je me suis livrée à la foi,* pour m'épargner la peine d'un raisonnement qui la justifierait toujours. » Or ce moment bref où Mme de Staël ne paraît plus attentive qu'à sa propre vie intérieure constitue le point d'appui « dialectique » d'un appel à l'universalité des consciences. Car l'apostrophe aux Français suit immédiatement : « Vous, grande nation »... Telle est la nouveauté de cette pensée critique : au lieu de soumettre la littérature à un critère, religieux ou esthétique, qui lui serait extérieur, c'est au niveau de l'origine même de l'œuvre littéraire qu'elle découvre une autorité (la « liberté ») qui sera le critère appliqué à la réalité historique du monde.

Les Français seront-ils capables du « sentiment aveugle » dont Mme de Staël a fait sa « lumière » ? Elle affirme ne pas aller jusqu'à le leur demander : elle marque ainsi une marge persistante entre l'exigence idéale et la réalité des faits. Cependant, elle ne croit pas impossible que la raison assure un « accord unanime » entre les hommes. Cet accord, cette

13. *Ibid.*

unanimité espérés — même s'ils ne devaient pas être fondés sur une pleine communion dans la « vérité de sentiment » — ouvrent la perspective d'un changement radical, d'une véritable révolution. Asymptotiquement, une conciliation s'annonce entre le monde « extérieur », voué jusqu'ici à la critique réprobatrice, et la conviction « intérieure », où Rousseau cherchait un asile protecteur. Mme de Staël, sur le ton de la prière (d'une prière adressée aux hommes, car c'est d'eux que tout dépend), s'aventure à prédire un moment où le sentiment « intérieur » se reconnaîtra lui-même dans la réalité du monde, — un moment où l'action et la vie sociale, gagnés par la liberté, ne seraient plus une trahison envers la certitude subjective. Mme de Staël rêve de rendre Rousseau à la vie, pour lui offrir enfin ce qui lui a manqué : un monde humain qu'il pût accepter. Ayant évoqué la possibilité d'un avenir unanime, Mme de Staël, dans la phrase suivante, se retourne vers le passé, pour apostropher, cette fois, Rousseau, et former le vœu impossible d'une *présence*, où l'écrivain rendu à la vie verrait accomplie au grand jour de l'histoire collective la transparence des cœurs dont il avait fait sa passion solitaire. Rousseau revenu au monde, parmi des hommes qui mettent « en commun ce qu'ils ont de céleste [14] » : c'est l'image d'un être-source mis en présence de son désir accompli à l'échelle universelle. L' « enthousiasme » de Mme de Staël invente un futur qui parachève tout ce que la destinée avait laissé imparfait, — un futur où ce que l'éloquence de Rousseau comportait d'universalité virtuelle se réalise glorieusement ; l'écoute admirative du critique s'élargit jusqu'aux dimensions d'un auditoire immense :

> Et toi, Rousseau, grand homme si malheureux qu'on ose à peine te regretter sur cette terre [...] que n'es-tu le témoin du spectacle imposant que va donner la France [...] ! C'est là peut-être que les hommes te paraîtraient plus dignes d'estime ! [...] Ah ! Rousseau, quel bonheur pour toi, si ton éloquence se faisait entendre dans cette auguste assemblée ! Quelle inspiration pour le talent que l'espoir d'être utile ! Quelle émotion différente, quand la pensée, cessant de tomber sur elle-même, peut voir au-devant d'elle un but qu'elle peut atteindre, une action qu'elle produira ! [...] Renais donc, ô Rousseau, renais donc de ta cendre, et que tes vœux efficaces encouragent dans sa carrière celui qui part de l'extrémité des maux, en ayant pour but la perfection des biens [15].

---

14. *Op. cit.*, p. 17.
15. *Ibid.*

L'appel nécromancien (avec sa gesticulation démonstrative) fait de Rousseau le maître disparu de l'instant historique imminent ; l'événement en cours est interprété comme l'aboutissant de l'éloquence expansive de Rousseau. Mme de Staël voit se transformer en action transitive, en tension orientée vers un « but », le désir de liberté qui, du vivant de Rousseau, était contraint de se nourrir de sa propre substance, de « tomber » sur lui-même.

Mais Rousseau n'est plus là pour désigner concrètement le but et pour guider l'action. Son image évoquée ne dresse une quasi présence que pour faire ressentir plus cruellement un manque. La « vérité de sentiment » a beau être universalisable, elle n'a toute sa force persuasive que lorsqu'elle est communiquée par une personne admirée — dans la situation oratoire où la foule assemblée reçoit l'exhortation et l'injonction décisives. Tout se passe comme si la présence d'une autorité incarnée était requise pour que l'action collective reçoive son orientation et son sens, — en fonction d'un savoir, d'une certitude, et aussi en fonction d'un but énoncés par un être singulier. Mme de Staël ne récuse pas formellement le concept de « volonté générale » proposé par Rousseau ; mais elle semble plus attachée encore à l'image du *législateur* qu'elle a pu trouver également chez Rousseau. Le législateur, parce qu'il est une personne vivante, peut être objet d'amour, et Mme de Staël a besoin de mêler l'attrait amoureux et l'élan de l'action. Or si Rousseau, mort depuis dix ans, manque à son désir, s'il ne peut être le témoin et le guide de l'événement que sous l'aspect d'une grande ombre, Mme de Staël se hâte de lui trouver un héritier et un substitut : son propre père, Necker. De fait, à un niveau symbolique assez fondamental, et sans même qu'il soit nécessaire d'en appeler à l'inconscient, le père représente l'*origine*, l'antériorité « sacrée ». Or au même moment, dans le rôle historique qui lui est confié, Necker tient entre ses mains les clés de l'*avenir*. De l'origine à l'avenir, un *sens* est en mouvement. La projection vers le futur de la « vérité de sentiment », ressentie d'abord en étroite communion avec Rousseau, s'opère ainsi à travers une série de déplacements, de reports, de transferts, pour s'achever dans une appropriation filiale à la fois touchante et abusive. Beaucoup de choses importantes se révèlent ainsi à nous ; dans sa ferveur et même dans sa naïveté, cette page de Mme de Staël est un exemple parfaitement illustratif de l'état d'esprit pré-révolutionnaire. Car il apparaît assez clairement que la communion éprouvée par la grâce d'une lecture exaltante prend valeur de *prototype* d'une fusion universelle ; l'expérience subjective de la liberté partagée demande à se renouveler à l'échelle de l'histoire collective : la voix du cœur aspire à s'amplifier jusqu'à devenir la clameur d'un serment général. Mais, pour ne pas perdre la présence *personnifiée* de l'autorité, il est fait appel à un homme providentiel (en l'occurrence la « figure paternelle ») qui remplit la fonction du « maître » disparu. « De l'extrémité des maux » à « la perfection des biens », il entraîne la nation à la conquête du bonheur, il donne son sens à l'histoire, parce qu'il ne peut vouloir que le Vrai et le Bien. On voit déjà se dessiner en lui la figure du « chef » auquel le groupe révolutionnaire confère la responsabilité de défendre les nouveaux droits et d'organiser la nouvelle réalité sociale. Et déjà, sous la plume filiale de Mme de Staël pointe le langage du « culte de la personnalité ». Necker, c'est « celui que la France a nommé son ange tutélaire, et qui n'a vu dans ses transports pour lui que ses devoirs envers elle[16] »... Viendra Napoléon, mieux fait pour soutenir ce rôle et recevoir cet encens : mais, on le sait, il préférera avoir Mme de Staël pour ennemie : elle en devenait, pour lui, moins encombrante.

VII

Telle est la forme expansive que prend, chez Mme de Staël, une critique attentive à ce que recèle de plus précieux la subjectivité de l'auteur admiré. Il n'y a rien de paradoxal dans ce « propagandisme », si l'essence de la subjectivité se laisse saisir comme une valeur universalisable : conscience morale, bonté naturelle, ou liberté. Le propre de l'autorité est de vouloir s'étendre, de requérir l'application la plus large. C'était le cas pour l'autorité théologique. Maintenant, il y a toujours une révélation, mais le lieu où elle se produit est différent : c'est le « cœur » de l'homme, la subjectivité du génie. Et tandis que la révélation théologique avait pour interprète et pour organe d'exécution toute l'institution sacerdotale, la révélation de la « vérité de sentiment » oblige le critique et, à la limite, chaque lecteur, à assumer le rôle sacerdotal. D'où le *ton* messianique adopté par Mme de Staël, comme pour répondre à ce que le discours de Rousseau comporte de valeurs religieuses réimplantées dans l'expérience et la revendication personnelles.

Mais, nous l'avons déjà entrevu, rien n'est moins sûr et moins stable que la coïncidence entre la subjectivité et les

16. *Ibid.*

valeurs universelles. A la limite, le repli de la conscience sur elle-même marquera une volonté d'écart, de différence, d'irréductibilité. La liberté ainsi exercée consistera, avant tout, à se soustraire à la souillure du contact extérieur : au lieu d'être un principe de solidarisation collective, elle s'affirmera comme le pouvoir infini de refuser le dehors, d'écarter toute détermination imposée par les autres et par les circonstances. Tenant pour impossibles toute rencontre et tout partage, elle travaille à se rendre impossédable, à mettre sa particularité hors d'atteinte. La conscience ne renonce pas pour autant à revendiquer pour elle l'autorité : mais c'est désormais une autorité murée, qui désespère de s'étendre au monde et qui, en dépit de l'évidence limpide qu'elle est pour elle-même, ne compte plus sur la reconnaissance qui lui viendrait des autres consciences.

C'est un défi de cet ordre que semblent lancer au lecteur certaines pages « délirantes » des *Confessions,* des *Dialogues,* des *Rêveries.* Que devient, dès ce moment, le commentaire critique ? Il peut, prudemment, abdiquer, et s'arrêter devant ce qui se dérobe : il ne prétendra pas saisir l'insaisissable, il ne fera que le désigner de loin. Mais toute invitation à abdiquer provoque un sursaut agressif : il est plus commode d'opposer une fin de non-recevoir à la folie de Rousseau, et, sinon de la condamner sans recours, d'en prendre pitié en regard des circonstances atténuantes, qui certes ne font pas défaut. Et si la critique ne se résigne ni à l'abdication ni à l'opposition ? Elle tentera de réconcilier avec l'universel ce qui s'expose sous les dehors de la particularité obstinée. Elle cherchera non seulement à reconnaître l'écart, l'étrangeté, la folie, mais à les réduire — au terme d'un effort patient d'explication et de compréhension.

La sympathie n'est plus alors une fusion immédiatement réalisée, qui peut instantanément se renverser en expansion chaleureuse. Il faut partir du scandale, du sentiment de malaise et de provocation : on ne se dispensera pas, dès lors, du hasardeux travail de l'interprétation, quand bien même l'outil interprétatif se limiterait primitivement aux notions de la psychologie la plus courante.

C'est ainsi qu'une littérature régie par le repli de la conscience sur des positions retranchées suscite la naissance d'une nouvelle herméneutique, d'une nouvelle exégèse, orientées vers la réalité psychique dérobée. L'attitude exégétique est requise ici comme elle le fut lorsque le sens littéral des poèmes homériques ou celui de la Bible ne parurent plus recevables, soit en raison de leur défaut d'intelligibilité, soit en raison du scandale moral qu'ils provoquaient, soit parce qu'ils paraissaient prometteurs d'un sens second, plus riche que la première apparence. L'on se persuade alors que le sens le plus fort, celui dans lequel une vérité précieuse nous est annoncée, ne réside pas dans la signification qui se laisse lire à première vue : le sens fort est un sens caché, ou du moins un sens protégé par celui qui s'offre à la lecture immédiate. Face aux Ecritures, l'exégète cherche à discerner d'autres niveaux du texte. Face à une subjectivité qui s'est substituée elle-même à la Révélation écrite, l'exégèse cherchera de même à rejoindre des secrets plus « profonds » — si, au niveau manifeste, le message est devenu énigmatique ou scandaleux. C'est le seul moyen de préserver l'autorité que l'on a conférée à la subjectivité : il faut discerner, *derrière* la folie apparente, une plus profonde raison, car on ne peut rester soumis à une puissance d'égarement.

L'exégèse psychologique appliquée à Rousseau par Mme de Staël reste de nature assez rudimentaire. Elle décevra, elle fera sourire. Mais elle n'en porte pas moins quelques-uns des traits distinctifs de la démarche exégétique, et, malgré sa naïveté ou plutôt à cause de sa naïveté, elle en devient remarquablement instructive.

Pour Mme de Staël, le délire de Rousseau atteint son point culminant dans la mort volontaire : Mme de Staël accepte la thèse du suicide. La différence subjective, le défi à la rationalité commune, l'étrangeté trouvent là leur expression extrême. Cet acte a beau paraître incompréhensible : l'œuvre d'interprétation consiste à lui trouver un motif recevable, une cause psychologique que chaque lecteur généreux pourra revivre en son for intérieur. L'inexplicable d'une conscience qui se détourne pour fuir la vie, Mme de Staël n'a de cesse qu'elle ne le rende explicable, qu'elle ne le réduise au « sens » commun — à un sentiment auquel chacun désormais peut avoir accès. Dans la page où Mme de Staël conjecture que Rousseau, trahi par Thérèse, n'a pu supporter la solitude complète, nous voyons un certain type de raisonnement critique, sous une forme fruste mais remarquablement révélatrice, se définir comme un effort en vue de ramener l'étrangeté radicale à nos motivations psychiques les plus vraisemblables. Mais l'interprète, dans cet enchaînement de conjectures, s'expose à découvert. Ayant accepté, sans « esprit critique », l'hypothèse du suicide, elle lui invente une cause admissible. En imaginant de la sorte un drame de la jalousie amoureuse, elle fournit de sa propre substance : elle place à l'avance Rousseau dans le rôle d'une *Zulma*... L'interprète, romançant la mort de l'auteur admiré, paraît mue par une sorte d'horreur du vide : l'existence de Rousseau doit être, jusqu'au dernier instant, saturée de signification sentimentale ; le déchirement de la mort doit être un dernier geste pathétique :

> Il était effrayé d'être seul, de n'avoir pas un cœur près du sien, de retomber sans cesse sur lui-même, de n'inspirer ni de ressentir aucun intérêt, d'être indifférent à sa gloire, lassé de son génie, tourmenté par le besoin d'aimer, et le malheur de ne pas l'être [...]. Etre deux dans le monde calme tant de frayeurs ! [...] Rousseau s'est peut-être permis le suicide sans remords, parce qu'il se trouvait trop seul dans l'immensité de l'univers. On fait si peu de vide à ses propres yeux, quand on n'occupe pas de place dans un cœur qui nous survit, qu'il est possible de ne compter pour rien la vie [17].

Il ne suffit pas de dire que Mme de Staël se *projette* elle-même en Rousseau et lui attribue sa propre phobie de la solitude. Remarquons, plus précisément, qu'elle tente de résoudre le mystère d'une subjectivité (d'abord incompréhensible) en définissant ce qui lui a manqué, l'objet qui lui a été soustrait. Or cet objet, Mme de Staël l'invente à l'image de son propre besoin d'aimer, à la mesure de ce qu'elle ne cesse tout ensemble de réclamer et de vouloir donner : la présence consolante, la transfiguration du monde par le fait d'*être deux*. L'interprétation apparaît ici, dans sa substance même, comme le désir du lecteur, offert pour combler le manque dont souffre, dans le tréfonds de sa parole et de sa destinée, celui qui attend d'être « rejoint ».

Toute interprétation renvoie à l'interprète, en même temps qu'elle s'attache à l'objet interprété. Ici, nous avons l'impression de voir largement prédominer la désignation de soi, l'auto-référence où le *moi* du critique se met en lumière : Mme de Staël se définit comme celle qui eût protégé Rousseau du désespoir, qui lui eût rendu le goût de vivre. Elle est finalement celle qui, incapable de le ramener à la vie, éprouve du moins son absence avec une telle intensité qu'elle en fait une quasi présence fantomatique : « On dérobe à la mort tout ce que la mémoire peut lui arracher, mais l'impression de la perte d'un tel homme n'est que plus terrible ; on le voit presque, on l'appelle, et les abîmes répondent [18]. » La tâche exégétique est de retenir, au plus près de nous, celui dont le mouvement était de s'éloigner, de nous quitter. L'image vaine qui hante une mémoire endeuillée représente

17. *Op. cit.*, p. 23.
18. *Op. cit.*, p. 24.

le plus haut degré de proximité possible, une fois la séparation physique intervenue.

Aux écrits autobiographiques de Rousseau — littérature qui se développe comme l'interprétation perpétuellement inachevée d'un drame énigmatique — répond l'essor d'une critique désireuse d'apporter le complément d'interprétation nécessaire à la plénitude de la présence. L'effusion sentimentale de la jeune Mme de Staël a beau nous paraître naïve : son aspiration à « être deux dans le monde » définit un ideal de complémentarité qu'elle tend à vouloir vivre jusque dans la relation qui l'attache à l'auteur admiré. Peut-être restitue-t-elle ainsi à Rousseau l'effusion dont elle a trouvé le langage et la fascination dans *La Nouvelle Héloïse*. Peut-être même ces six lettres « critiques » sont-elles, à l'ensemble des écrits de Rousseau, ce que tant de lettres de Julie sont aux missives de Saint-Preux : des actes d'amour, doublés d'observations précises, de développements moraux et de quelques réfutations (pour éviter l'unisson perpétuel). Mais ce faisant Mme de Staël appelle, pour elle-même, la même réponse aimante. Si elle imite ce qui l'a fascinée, elle fait en sorte que la fascination se propage, et que les regards s'attachent aussi sur elle, sur l'interprète inspirée. Quand elle parle de Rousseau, ses efforts pour « le voir presque », sur fond d'abîme, nous la montrent aux prises avec la mort, luttant pour la *restitution* d'un être, pour la vision reconquise sur les ténèbres. Bientôt ce sera son tour de vouloir disparaître, de jouer avec l'idée du suicide, et d'attendre que lui viennent des autres les *paroles* qui la retiennent parmi les vivants. La fonction de la critique (de l'exégèse du « cœur ») se découvre ici, dans toute son importance : elle est faite pour *ramener à la vie,* ou du moins pour tenter de conjurer le maléfice de la séparation. L'autorité qu'elle veut servir, c'est la présence : et la voici vouée, par là, à rencontrer partout le manque et l'absence.

Jean STAROBINSKI

CONSTANT ROMANCIER ET LA DECOUVERTE DE SOI

J'ai choisi de parler ici d'une partie très mince de l'œuvre de Benjamin Constant. *Adolphe* est un petit livre de cent pages ; ses personnages se réduisent à deux ; la situation reste toujours la même — comme dit son auteur. Pour sa valeur révélatrice de la nature humaine, ce petit livre a cependant été rapproché de l'*Education sentimentale* et de la *Recherche du temps perdu* par un préfacier peu suspect de parti pris, M. Antoine Adam[1]. Il est vrai que depuis Sainte-Beuve certains critiques ont contesté, violemment et parfois insidieusement, la sincérité de l'auteur d'*Adolphe*. Ainsi Francis Jeanson a-t-il pu dire que Constant adopte « une conduite d'échec et de démission » qu'il se dissimule à lui-même, que sa lucidité déverse des confessions factices « pour éluder une prise de conscience toujours imminente et qui l'obligerait à se transformer », que, bref, « la lucidité de Constant est *mauvaise foi*[2] ».

Eh bien, pour ma part, je refuse d'attribuer d'entrée de jeu à Constant une attitude de mauvaise foi. Car comment la rencontre que représente la lecture d'un texte pourrait-elle avoir lieu, si je ne donne même pas à ce texte la possibilité de me parler ? Comment pourrais-je saisir la question qu'il me pose, si d'emblée je prétends en savoir plus long que lui ? Sans doute je ne peux aborder un texte sans anticiper sur le processus de compréhension par une certaine préconception, mais c'est pour remettre celle-ci en question, pour la suspendre, pour la faire modifier par l'expérience du texte. Et n'est-ce pas précisément amputer le texte de toute

---

1. Introduction à *Adolphe*, coll. Garnier-Flammarion, Paris, 1965, p. 31.
2. Benjamin Constant ou l'indifférence en liberté, in : F. Jeanson, *Lignes de départ*, Paris, 1963, p. 24, 30, 15.

possibilité d'agir sur ma compréhension préalable que de l'accuser d'être fallacieux ?

Bien sûr, moi aussi, j'ai une idée préconçue, lorsque j'aborde *Adolphe*. Le titre de cette contribution l'indique d'ailleurs. Mon préjugé consiste à croire qu'*Adolphe* est une œuvre particulièrement apte à nous faire réfléchir sur les problèmes de la découverte de soi, c'est-à-dire de la connaissance de soi et de l'expression de soi. Mais il faudra donner au texte, au fur et à mesure que j'avance, l'occasion de modifier et de déterminer plus exactement cette idée.

Je tiens à préciser dès maintenant que je ne me propose pas d'interpréter le roman d'*Adolphe* en entier, mais que j'en étudierai un petit nombre de textes tirés du 2e chapitre pour discuter quelques problèmes relatifs à la découverte de soi. Comment s'y prendre pour déceler les modes de cette découverte de soi dans le roman [3] ? Une première tentation doit d'abord être discutée.

Les premiers lecteurs du roman déjà ont identifié le personnage central, malgré le démenti formel de l'auteur, avec Constant lui-même. Sans doute, pour un lecteur des *Journaux intimes* et de la correspondance de Constant, un rapprochement s'impose à chaque page, aussi bien à propos des traits de caractère du protagoniste qu'à propos de certaines situations. De toute évidence, Constant a emprunté un certain nombre d'éléments à sa vie personnelle, mais je dis bien éléments ; ils ne s'agit pas, fût-elle possible, de la transformation d'un moi donné, réel, vivant, en un personnage fictif. D'ailleurs les difficultés augmentent considérablement avec le second personnage. Ellénore se laisse encore moins facilement identifier avec l'une des femmes qui ont joué un rôle dans la vie de Constant. Bien sûr, on ne peut éviter de penser à Charlotte de Hardenberg, à Mme de Staël, à Julie Talma ou à Anna Lindsay. Elles ont toutes contribué à former ce personnage complexe. Mais Constant n'a pas eu tort de dire dans la préface à la seconde édition d'*Adolphe* :

> Cette fureur de reconnaître dans les ouvrages d'imagination les individus qu'on a rencontrés dans le monde, est pour ces ouvrages un véritable fléau. Elle les dégrade, leur imprime une direction fausse, détruit leur intérêt et anéantit leur utilité. Chercher des allusions dans un roman, c'est pré-

---

3. Je reconnais avec gratitude ce que je dois à Georges Blin et à ses livres magistraux sur Baudelaire et sur Stendhal, à Jean Starobinski qui n'a cessé d'élucider les problèmes de la quête de soi, et surtout à Georges Poulet qui nous a fait participer à la pensée la plus profonde de Benjamin Constant.

férer la tracasserie à la nature, et substituer le commérage à l'observation du cœur humain [4].

Quelle est cette direction fausse qu'imprime aux ouvrages d'imagination la recherche d'une identification, au moyen de clés, des personnages ? Un lecteur ainsi préoccupé regarde en arrière vers ce dont peut-être l'œuvre s'est nourrie mais dont à coup sûr elle s'est détachée, au lieu de porter son regard en avant, vers la signification visée par l'intention signifiante de l'auteur, et même au-delà de cette intention, vers d'autres interprétations nouvelles qui vont s'imposer tant que l'œuvre continue à être lue.

Nous n'allons donc pas céder à la tentation de l'identification. Essayons plutôt de voir comment Constant réalise l'observation du cœur humain dont il parle dans le passage cité de la préface. Quel est le cœur observé dans ce roman ? Le théâtre privilégié de l'observation, le cœur dans lequel le lecteur est amené à lire sans cesse, c'est évidemment celui du protagoniste. Et si le cœur d'Ellénore ne nous reste pas entièrement caché, c'est à travers les yeux d'Adolphe que nous apercevons Ellénore.

Les préfaces déjà mettent en valeur un certain nombre de traits d'Adolphe. L'un des motifs qui semblent les avoir dictées, c'est la volonté de donner au protagoniste une unité de comportement, de cerner dès le début d'un contour précis un personnage par ailleurs si fuyant dans sa complexité.

L'avis de l'éditeur par contre semble aller dans le sens opposé en montrant tout ce qu'il y a d'incompréhensible dans ce personnage. Ce texte nous aide ainsi à poser nous-mêmes la question à laquelle les préfaces semblent déjà avoir donné une réponse définitive. Il nous place dans la perspective de la question à partir de laquelle une véritable compréhension est possible ; il nous exhorte à comprendre l'énoncé à partir de la question à laquelle celui-ci répond. Après avoir lu l'avis de l'éditeur, en effet, nous ne pouvons nous dispenser de nous demander : qui est cet homme apparemment si étrange ? Le récit central est destiné à nous éclaircir sur ce point, non plus par une affirmation globale, comme c'est le cas des préfaces, mais selon des modes qu'il nous faudra examiner.

Dans le récit même, c'est Adolphe qui raconte lui-même un épisode de sa vie. Cela veut dire que les événements du roman ne nous sont pas communiqués par un témoin hors de

4. *Œuvres*, Pléiade, p. 6.

cause, mais par un participant intéressé, ce qui posera un certain nombre de problèmes.

Au début du récit, Adolphe dessine un premier portrait de lui-même aux traits figés. C'est qu'il commence par se peindre comme un résultat de sa naissance et de son millieu social. Ces traits fixés dès l'abord qu'il nous présente, c'est une extrême timidité, une habitude de tout renfermer en soi, un besoin de solitude, une absence d'abandon. Nous sommes donc continuellement renvoyés à l'intimité d'un personnage qui, comme l'a dit Valéry de Stendhal, s'est fait « insulaire de l'île Moi [5] ». J'ajoute que l'auteur d'*Adolphe* a réclamé pour lui-même cette insularité tant de fois dans ses écrits intimes. J'en donne pour exemple le passage suivant du *Journal*, daté du 12 juin 1804 :

> On n'est connu jamais que de soi, on ne peut être jugé que par soi : il y a entre les autres et soi une barrière invincible. C'est une illusion que de croire qu'aucune relation la fasse disparaître ; elle se relève toujours [6].

Au début d'*Adolphe*, ce sentiment est exprimé sous la forme suivante, qui introduit en même temps un nouvel aspect : « tout en ne m'intéressant qu'à moi, je m'intéressais faiblement à moi-même [7] ». Au milieu d'un portrait statique dont les traits renvoient à une détermination extérieure et n'engagent pas la responsabilité du personnage, voilà donc une première possibilité de mouvement, une première tendance du protagoniste : l'intérêt à l'égard de lui-même. Cet intérêt est exclusif, cependant il est faible, il ne réussit pas à dissiper le sentiment qui domine les premiers chapitres du roman : « l'ennui qui résulte de l'indifférence sur tout ». « Je trouvais qu'aucun but ne valait la peine d'aucun effort [8]. » Au point de départ du récit d'*Adolphe*, nous trouvons donc la situation suivante : une existence passive, renfermée en elle-même, suspendue dans un vide, n'obéissant à aucun élan qui la porterait en avant, se consumant elle-même dans l'ennui, mais enfin — et c'est la seule tendance que l'on décèle dans cette existence par ailleurs si stagnante — faiblement animée par l'intérêt de soi. Il faut donc que quelque chose arrive pour faire naître l'intérêt à l'égard d'autrui ou du moins pour stimuler l'attention qu'Adolphe prête à son propre moi.

---

5. Valéry, *Œuvres*, Pléiade, I, 556.
6. *Œuvres*, Pléiade, p. 285.
7. *Œuvres*, Pléiade, p. 14.
8. *Œuvres*, Pléiade, p. 15.

C'est une aventure amoureuse qui va remplir ce rôle de stimulant. Point de coup de foudre cependant, mais une mise en scène réfléchie, dictée par le besoin de se désennuyer. Adolphe est témoin de la conquête que fait un de ses amis, et il réagit de la façon suivante :

> Le spectacle d'un tel bonheur me fit regretter de n'en avoir pas essayé encore ; je n'avais point eu jusqu'alors de liaison de femme qui pût flatter mon amour-propre ; un nouvel avenir parut se dévoiler à mes yeux ; un nouveau besoin se fit sentir au fond de mon cœur [9].

Il s'agit bien d'une *réaction* devant un spectacle. La perspective encore tout imaginaire d'une liaison avec une femme opère déjà un changement dans Adolphe : le présent stagnant dans lequel il était enfermé s'ouvre vers un avenir ; un but se montre qui vaut la peine de l'effort. Le besoin qui vient de naître est étroitement lié à l'amour-propre : la liaison imaginée est censée flatter la vanité d'Adolphe. Le mouvement érotique encore tout imaginaire est donc destiné à revenir, sous la forme de l'amour-propre, au sujet dont il est issu. Si dans une relation amoureuse la vanité prédomine, cela veut dire que l'autre n'est qu'un moyen qui flatte l'amour-propre. Le regard ne fait qu'effleurer l'autre pour revenir à sa propre source. Nous constatons qu'ici encore Adolphe ne s'intéresse qu'à lui-même.

C'est sur le thème de l'amour-propre que se poursuit la réflexion du narrateur :

> Il y avait, dit-il, dans ce besoin beaucoup de vanité sans doute, mais il n'y avait pas uniquement de la vanité ; il y en avait peut-être moins que je ne le croyais moi-même [10].

Dans cette phrase Adolphe cherche à délimiter la part de la vanité dans le nouveau besoin né en lui à l'époque dont il parle à cet endroit du récit. Il commence par une affirmation : « Il y avait dans ce besoin beaucoup de vanité sans doute » — affirmation qui est déjà affaiblie quelque peu par les derniers mots « sans doute » qui annoncent une restriction ; cette restriction est formulée par la proposition suivante : « mais il n'y avait pas uniquement de la vanité » qui réserve un espace libre dans ce besoin sans le déterminer d'une autre façon. S'il ajoute : « il y en avait peut-être moins

9. *Œuvres*, Pléiade, p. 18.
10. l.c.

que je ne le croyais moi-même », il diminue encore une fois l'importance de la vanité. Une affirmation initiale est ainsi progressivement corrigée : la part de ce qui est connu et nommé (la vanité) se réduit au profit de la part grandissante de ce qui reste inconnu et innommé. Adolphe ne nous indique pas les autres facteurs qui composent ce besoin, ni leurs proportions. La progression de l'analyse ne va donc pas ici dans le sens d'une détermination de plus en plus précise, mais dans le sens d'une indétermination par la correction de la première affirmation qui se révèle comme trop globale. Il y a plus : la dernière proposition (« il y en avait peut-être moins que je ne le croyais moi-même ») introduit une autre différence : celle entre Adolphe subissant le besoin d'être aimé et Adolphe rédigeant le récit de cette partie de sa vie. Il y a ici une différence temporelle entre le moi contemporain de la situation décrite et le moi contemporain de la rédaction ; il y a surtout la différence entre le moi observant et le moi observé. Le moi révolu, subissant et interprétant ce sentiment, devient l'objet d'un moi actuel qui le juge. Cet examen montre qu'aux yeux du témoin actuel, le moi d'alors s'était fait une illusion en simplifiant trop la nature de son sentiment. Victor Brombert a insisté sur le fait que chez Stendhal les personnages, loin d'être lucides comme on l'a dit souvent, sont « chroniquement incapables de voir clair », mais que « Stendhal ne manque jamais une seule occasion de faire remarquer leur cécité [11] ». On connaît les nombreuses phrases du type suivant chez Stendhal : « Si Julien avait eu un peu de l'adresse qu'il se supposait si gratuitement, il eût pu s'applaudir... [12] ». Ces phrases ont pour objet précisément de relever l'illusion dans laquelle s'enferme le héros, de montrer sa cécité à l'égard de lui-même. Par ces interventions, l'auteur Stendhal montre ce que son personnage se cache à lui-même. Le niveau du personnage est celui de l'illusion ; la « vérité » n'appartient qu'à l'auteur. Chez Constant encore, on peut distinguer deux niveaux, mais à l'intérieur du protagoniste lui-même : c'est Adolphe qui, se penchant sur ses souvenirs, reconnaît ses illusions passées et s'efforce de se détromper lui-même. Voilà une attitude qu'il faudra retenir.

Je reviens au texte qui nous occupe. En voici la phrase suivante :

---

11. Victor Brombert : *Stendhal et la voie oblique*, New Haven et Paris, 1954, p. 42 sq.

12. *Le Rouge et le noir*, I, 148, *Œuvres complètes*, Le Divan, Paris, 1927.

> Les sentiments de l'homme sont confus et mélangés ; ils se composent d'une multitude d'impressions variées qui échappent à l'observation ; et la parole, toujours trop grossière et trop générale, peut bien servir à les désigner, mais ne sert jamais à les définir [13].

Ces remarques confèrent une valeur plus universelle aux réflexions d'Adolphe sur la place de la vanité dans son besoin d'amour. Elles portent 1° sur le rapport entre les sentiments et leur observation et 2° sur le rapport entre les sentiments et leur expression par la parole — donc sur des problèmes relatifs aux deux faces de la découverte de soi. La première remarque résume le résultat auquel avait abouti la phrase précédente : au fur et à mesure que l'observateur avance dans l'analyse de ses sentiments, ceux-ci lui échappent par leur complexité. Plus il approche de son objet, et plus celui-ci se pulvérise sous son regard scrutateur. Nous sommes loin déjà de la simplification des préfaces et du portrait figé du premier chapitre. Un mouvement, un glissement mystérieux s'est substitué à la fixation apparemment objective du début du roman. L'objet (en l'occurrence un sentiment) qui semblait se laisser circonscrire par un mot commence à bouger sous l'œil qui veut le fixer. La lumière qu'apporte l'observation modifie l'objet donné qu'elle ne devait qu'éclairer. A cette difficulté très grave pour un auteur résolu de s'observer lui-même s'ajoute une autre. La deuxième remarque dit que la parole est disproportionnée (trop grossière, trop générale) par rapport à ce qu'elle est censée exprimer. Elle est incapable de définir un sentiment. Est-ce là un constat d'échec déjà au 2e chapitre du roman ? Nous avons vu que l'observation ne fixait pas son objet, mais que, au contraire, elle le mettait en mouvement. Nous constatons à présent que la parole ne définit pas le sentiment, mais qu'elle est capable de le désigner. C'est dire que la parole se trouve dans le rôle d'un signe par rapport au sentiment qu'elle vise. C'est dire qu'elle ne détermine pas de façon exhaustive le concept auquel elle se rapporte, mais qu'elle institue un rapport de signifiant à signifié qui a besoin d'être interprété. Bien sûr, la désignation implique un concept de manière à le faire distinguer de tous les autres, mais elle n'en épuise pas la signification. Cette remarque sur la parole, comme celle relative à l'observateur, détruit certains préjugés et substitue un mouvement à un rapport stable.

Quel est donc le résultat de cette page consacrée à l'ana-

13. *Œuvres*, Pléiade, p. 18.

lyse du nouveau besoin d'être aimé ? Ce n'est pas une définition ni une description exacte du sentiment. Le concept au contraire est devenu de plus en plus vague. Le sentiment particulier (le besoin d'être aimé) a fini par devenir un exemple quelconque des sentiments humains en général, et ces sentiments ne sont plus considérés pour eux-mêmes, mais en vue des problèmes de la connaissance et de l'expression de soi. Je relis le passage :

> Le spectacle d'un tel bonheur me fit regretter de n'en avoir pas essayé encore ; je n'avais point eu jusqu'alors de liaison de femme qui pût flatter mon amour-propre ; un nouvel avenir parut se dévoiler à mes yeux ; un nouveau besoin se fit sentir au fond de mon cœur. Il y avait dans ce besoin beaucoup de vanité sans doute, mais il n'y avait pas uniquement de la vanité ; il y en avait peut-être moins que je ne le croyais moi-même. Les sentiments de l'homme sont confus et mélangés ; ils se composent d'une multitude d'impressions variées qui échappent à l'observation ; et la parole, toujours trop grossière et trop générale, peut bien servir à les désigner, mais ne sert jamais à les définir.

Ce premier échantillon du texte d'*Adolphe* montre la succession suivante : d'abord une description de l'événement et des sentiments qu'il suscite ; ensuite l'essai d'une analyse du sentiment et en particulier de la part de la vanité dans le besoin d'être aimé ; finalement deux remarques générales qui concernent le rapport entre le sentiment et l'observation et celui entre le sentiment et l'expression. Nous constatons un élargissement qui va du cas particulier à la maxime généralement valable, et un glissement de l'intérêt qui passe du sentiment analysé aux problèmes de l'analyse de soi. Je retiens encore de ce premier texte un certain nombre de thèmes que nous allons retrouver : nous avons pu deviner le premier schéma d'un mouvement érotique qui ne s'achève pas dans l'objet convoité mais qui revient à son point de départ. Nous avons trouvé le premier exemple d'une préoccupation qui consiste à montrer comment une conscience s'y prend pour s'illusionner. Nous avons constaté une première fois un dédoublement, une scission en un moi observé et un moi observant.

Ces thèmes vont réapparaître tout au long de l'histoire d'*Adolphe* Suivons un peu son récit. Adolphe sent le besoin d'être aimé. Mais regardant autour de lui, il ne voit personne qui puisse lui inspirer de l'amour. S'examinant lui-même, il ne se découvre aucune préférence. Le projet d'être aimé précède donc la rencontre d'une personne susceptible de partager cet amour. La connaissance qu'il fait à ce moment-là du comte de P*** lui permet de fixer son désir sur Ellénore, la maîtresse de celui-ci. Une phrase significative évoque cette fixation :

> Offerte à mes regards dans un moment où mon cœur avait besoin d'amour, ma vanité de succès, Ellénore me parut une conquête digne de moi [14].

Ellénore apparaît ici comme une *victime* offerte au projet de *conquête* formulée par la *vanité* d'Adolphe. Elle est un objet entièrement passif dont la conquête paraît d'ores et déjà certaine. La même phrase cependant révèle encore un aspect très différent, puisqu'elle parle aussi du *cœur* et de l'*amour*. A la regarder de près, on voit même que les deux aspects sont délibérément juxtaposés par le parallélisme de la construction : cœur et vanité, amour et succès vont de pair. Voilà une alliance bien étrange ! Si le cœur est le siège intime des sentiments, la vanité se tourne naturellement vers une approbation extérieure ; et si l'amour fait penser à une relation avec une autre personne *autonome,* le succès ne vise l'autre qu'en tant qu'un *moyen* permettant l'affirmation de soi. En passant du cœur à la vanité, de l'amour au succès, Constant fait chaque fois corriger le premier terme par le second. Il nous laisse ainsi entendre que la vanité lutte contre le cœur et que le besoin de succès défie le besoin d'amour. Constant dit d'ailleurs clairement une page plus loin que « l'amour-propre était en tiers entre Ellénore et moi [15] ». Cependant, dans la phrase que je commente, Constant nous laisse entendre ces relations non pas par un commentaire discursif, mais par la structure de la phrase dans laquelle les contraires se heurtent sans se détruire. La tension même de la phrase nous suggère l'idée de la complexité d'un sentiment. Elle nous montre le protagoniste déchiré entre deux tendances divergentes. Mais, encore une fois, la phrase ne *définit* pas cet état de choses, elle le *désigne.* Sa structure particulière est ici le signe du mode de cohabitation des sentiments contradictoires chez le protagoniste.

Je retiens encore de cet ensemble un élément qui me semble poser un problème. Adolphe dit : « Mon cœur avait besoin d'amour. » Quelle est la nature de cet amour qui se présente ici comme un *besoin* du cœur ? Dans un texte d'*Amélie et Germaine,* Constant met le besoin du cœur en parallèle avec

---

14. *Œuvres,* Pléiade, p. 21.
15. *Œuvres,* Pléiade, p. 22.

le besoin des sens avec lequel il aurait en commun la périodicité et le caractère arbitraire du choix. La qualité pour laquelle on croit aimer une personne ne serait en réalité qu'un prétexte. La personne qu'on aime ne semble avoir aucune prise sur l'amour. Cette conviction est exprimée encore dans le *Journal* de Constant sous la date du 28 avril 1805 :

> J'ai rêvé amour toute la nuit, amour sentimental, amour jeune, comme je l'éprouvais à vingt ans. Trois fois dans ma vie, des rêves pareils ont été les avant-coureurs d'une passion violente... Mais je ne vois pas encore clairement de qui je deviendrai amoureux. L'amour est au reste un sentiment qu'on place, lorsqu'on a besoin de le placer, sur le premier objet venu. Tous les charmes qu'il prête sont dans l'imagination de celui qui l'éprouve. C'est une parure dont il entoure ce qu'il rencontre [16].

Ce passage indique clairement le mécanisme de l'amour constantien. Le rêve révèle la priorité du besoin par rapport à sa fixation sur un objet déterminé. Les qualités véritables de cet objet n'ont aucune importance, puisque l'imagination fournit elle-même tout ce dont on a besoin. L'amour n'est pas provoqué par une rencontre fascinante ; c'est lui qui provoque une rencontre qu'il doue lui-même de toute sa fascination. L'attitude d'Adolphe se laisserait bien résumer par les formules suivantes :

> Je n'aimais pas encore, et cependant j'aimais à aimer... je cherchais, aimant à aimer, ce que je pourrais aimer...

C'est-à-dire par les mots fameux du troisième livre des *Confessions* d'Augustin (III, I, 1) :

> Nondum amabam et amare amabam... querebam quid amarem... amans amare.

C'est l'auteur des premières *Confessions,* le premier intimiste que nous connaissions, qui parle ainsi de son besoin d'amour. Le verbe « aimer » n'a d'abord ici d'autre objet que lui-même ; il se cherche ultérieurement un objet extérieur — quid amarem — mais le neutre du pronom montre bien que cet objet ne compte précisément que comme objet et non pas comme un sujet autonome. Ce n'est pas un autre dans son altérité qui fonde cet amour ; l'amour est au

16. *Œuvres,* Pléiade, p. 478.

contraire sa propre source ; ce n'est pas vers un autre que tend cet amour qui est au contraire sa propre fin (amare amabam) et n'utilise l'autre que comme un moyen.

Il s'agit donc d'un amour non pas transitif mais réflexif, qui ne se dépasse pas vers l'autre mais qui fait retour sur lui-même. Voici à peu près le trajet de cet amour : je projette mon désir, puisqu'il a besoin d'un prétexte pour se réaliser, sur un objet arbitrairement choisi, auquel je fournis moi-même son pouvoir de fascination ; mais je le ramène à moi, puisque le but que je poursuis, c'est mon propre sentiment. J'obtiens ainsi un circuit fermé qui, partant de moi, passe par l'autre pour revenir à moi, l'autre n'ayant qu'une fonction tangentielle.

L'image du trajet que je viens de dessiner me paraît résumer à peu près la conduite d'Adolphe après la rencontre d'Ellénore. La même image recouvre d'ailleurs tant d'autres débuts ou tentatives de liaisons mentionnées dans les écrits de Constant. Aurais-je donc trouvé le schéma d'une certaine conduite amoureuse de Constant ?

Mais suis-je vraiment parti à la recherche d'un schéma pareil ? Si je m'y arrête, j'immobilise de nouveau l'expérience mouvante que je m'efforce de suivre dans son mouvement. Il est vrai que Constant semble souvent pousser le lecteur vers une pareille schématisation, qu'il est toujours tenté lui-même de réduire son propre comportement à l'application d'une loi élaborée à son propre usage. Il le dit d'ailleurs par l'intermédiaire d'Adolphe :

> Presque toujours, pour vivre en repos avec nous-mêmes, nous travestissons en calculs et en systèmes nos impuissances et nos faiblesses : cela satisfait cette portion de nous qui est, pour ainsi dire, spectatrice de l'autre [17].

La tendance à transformer en système son propre comportement est ici mise en relation avec le dédoublement du personnage constantien en un moi observant et un moi observé. La systématisation prématurée serait donc une tentation de facilité pour celui qui s'applique à se connaître lui-même : le moi-objet ainsi circonscrit ne posera plus de problèmes (ne pourra plus se soustraire, se pulvériser), puisque je tiens sa loi, valable pour le passé aussi bien que pour l'avenir. L'illusion consiste à croire qu'on dispose ainsi d'une grandeur finie qu'on peut faire figurer dans ses calculs. Cette systématisation n'est évidemment possible que si je détourne le

---

17. *Œuvres*, Pléiade, p. 22.

regard du véritable objet (le moi complexe, fuyant, changeant sans cesse) pour ne plus considérer que les résultats déduits d'une série d'expériences peut-être arbitrairement choisies en vue de ce but.

Il en est de même de mon schéma du circuit érotique. Moi aussi, j'ai détourné mon regard de mon véritable objet (Adolphe occupé à se découvrir lui-même) pour ne plus considérer que l'un des pôles de la relation d'introspection, le moi observé, alors que le problème réside précisément dans la relation entre un moi observant et un moi observé. Je suis ainsi revenu au niveau des réponses que j'ai signalé à propos des préfaces. La réponse m'a fait perdre de vue la question. Il faut donc avant tout tâcher de retrouver celle-ci.

Le modèle du circuit érotique que je viens d'exposer se définit essentiellement par son caractère réflexif, auto-référentiel. Il n'est donc pas sans analogie avec l'attitude de celui qui veut se connaître lui-même et qui a tendance à tout ramener à son propre moi. Cependant, le circuit de l'amour et le circuit de la connaissance de soi ne se laissent pas simplement juxtaposer sur le même plan, puisque le deuxième englobe le premier. Etant l'interprétation d'une certaine conduite, l'idée du circuit érotique est le résultat d'un mouvement de connaissance. Le circuit érotique est fonction du circuit cognitif. Il se situe au niveau de l'interprétation fournie par celui qui veut se connaître. Dès que je l'examine dans cette perspective, je dois concéder que cette idée n'est pas soustraite au danger de l'illusion qui menace toujours celui qui interprète sa propre conduite. Elle est peut-être exagérée, simplifiée jusqu'à l'excès. A propos de Stendhal, Valéry dit que

> l'égotisme littéraire consiste finalement à jouer le rôle de *soi* ; à se faire un peu plus *nature* que nature ; un peu plus soi qu'on ne l'était quelques instants avant d'en avoir eu l'idée [18].

Ainsi Constant se fait-il un peu plus soi qu'il ne l'est habituellement, lorsqu'il affirme que son élan amoureux est entièrement indépendant de l'objet qu'il vise, lorsqu'il stipule l'autonomie incontestée de son île MOI. Le texte d'*Adolphe* d'ailleurs apporte des corrections à cette formule simplificatrice. Toute une page du 2e chapitre montre quelle était l'illusion d'Adolphe lorsqu'il se croyait observateur froid et impartial d'Ellénore et de lui-même dans une relation dont il pensait

18. « Stendhal », in : *Œuvres*, Pléiade, I, 566.

dicter lui-même toutes les étapes, alors que le regard rétrospectif lui révèle l'ascendant grandissant d'Ellénore et sa propre dépendance à son égard. Ainsi l'idée du circuit fermé de l'amour apparaît comme une projection — plus nature que nature — du narrateur qui s'observe et qui en s'observant transforme son objet. Car que devient le moi-objet devant cet observateur ? Valéry donne du rapport entre les deux « moi » une image frappante — un Valéry âgé de 19 ans, qui le 14 septembre 1890 envoie à son ami Pierre Louÿs une courte autobiographie rédigée à la troisième personne et qu'il appelle lui-même une *autopsie*. Nous y trouvons la phrase suivante :

> Il contient beaucoup de personnages divers et un témoin principal qui regarde tous ces fantoches s'agiter [19].

L'auteur de *M. Teste* nous suggère donc l'idée d'un théâtre intérieur où nous apercevons d'abord un certain nombre de personnages, donc de rôles joués par des acteurs. Mon « moi » instantané, dès que je m'en détache pour me le représenter, devient un personnage, perd donc son identité. Les actes que je vois ainsi à distance ne sont plus réellement les actes de celui qui semble les accomplir : c'est un acteur, c'est un suppléant qui les mime en les réitérant alors que leur véritable sujet s'est retiré pour les observer. Le sujet de ces actes n'est plus vraiment un « je », puisqu'il est devenu l'objet d'un « je » observateur, c'est un « moi », l'un de ces « moi » innombrables que le « je » toujours actuel projette devant lui pour s'en détacher.

Mais la transformation ne s'arrête pas là. Devant le « je » témoin principal, ces personnages, dès que je constate leur manque d'identité, le fait qu'ils sont privés de leur « je », leur impuissance donc à agir en leur propre nom, se changent en fantoches, en marionnettes dont moi, qui les observe, je tiens les ficelles. L'observateur de soi ne décompose pas seulement son objet en supprimant son identité, il lui ôte la vie. Ce qui reste, ce sont les mouvements d'un jouet mécanique manié par l'observateur.

Constant est pleinement conscient de cette transformation. A plusieurs reprises (p. ex. dans une lettre adressée à Rosalie de Constant le 3 août 1813 [20]), il propose de lui-même l'image suivante :

---

19. *Œuvres*, Pléiade, II, 1431.
20. Correspondance B. Constant et Rosalie Constant, Paris, 1955, p. 186.

> Je me compare à ce chevalier de l'Arioste qui combattait toujours sans s'apercevoir qu'il était mort.

Ici le moi sujet regarde le moi objet, en réalité mort sous son regard, continuer à s'agiter comme s'il était encore en vie. Le 11 août 1804, le jour même où il part de Lausanne pour rejoindre Mme de Staël en Allemagne afin de lui apprendre la mort de son père qu'elle a tant aimé et afin de partager sa douleur, il écrit dans son *Journal* :

> Je ne suis pas tout à fait un être réel. Il y a en moi deux personnes, dont une, observatrice de l'autre, et sachant bien que ses mouvements convulsifs doivent passer [21].

L'observateur qui prévoit la fin de cette émotion a déjà réduit celle-ci à la connaissance de la succession de ses états et ne lui laisse plus qu'une vie factice que Constant compare ailleurs

> à ces feuilles pâles et décolorées qui, par un reste de végétation funèbre, croissent languissamment sur les branches d'un arbre déraciné [22].

Modification, altération, mort d'un sentiment — tels seraient donc les ravages causés par l'observation de soi ! Serions-nous réduits à constater l'échec irréparable de la tentative de Constant ? Nous avons entrevu la possibilité d'un constat d'échec au moment où nous entendions Constant affirmer l'inadéquation de l'observation et de la parole par rapport au sentiment. Mais cette fois-ci, il ne s'agit plus simplement d'inadéquation, il s'agit de déformation. Cependant, qui dit *déformation* en mesurant l'écart entre la réalité préexistante et l'image qui résulte de l'introspection, doit bien dire *formation,* constitution, création, lorsqu'il envisage ce qui naît de cette transformation. Quand j'ai parlé du circuit amoureux, je ne me suis tourné que vers le moi-objet ; en replaçant cet objet dans le processus de la connaissance, j'ai été amené à dénoncer la déformation dont il est marqué, mais il me reste de considérer l'aspect créateur de cette transformation. Je dois donc concentrer mon attention non plus sur le moi observé, mais sur le moi observateur, ou disons mieux sur le « je » observateur, car celui qui est toujours sujet et qui se détache inévitablement de la série des « moi » qu'il projette successivement, ne peut être qu'un « je ». Je propose d'exa-

21. *Œuvres,* Pléiade, p. 256-257.
22. *Adolphe,* chap. VI ; *Œuvres,* Pléiade, p. 53.

miner cet observateur et ses projections à l'aide d'un dernier texte tiré encore du deuxième chapitre d'*Adolphe.*

Adolphe a décidé de se faire aimer d'Ellénore. Et puisqu'il n'a pas le courage de lui faire sa déclaration de vive voix, il lui écrit une lettre d'amour pendant l'absence du comte de P***. Voici comment il décrit le moment de la rédaction de cette lettre d'amour :

> Les débats que j'avais livrés longtemps à mon propre caractère, l'impatience que j'éprouvais de n'avoir pu le surmonter, mon incertitude sur le succès de ma tentative, jetèrent dans ma lettre une agitation qui ressemblait fort à l'amour. Echauffé d'ailleurs que j'étais par mon propre style, je ressentais, en finissant d'écrire, un peu de la passion que j'avais cherché à exprimer avec toute la force possible [23].

Deux thèmes me semblent ici prédominer : le thème de l'illusion et le thème du langage. L'agitation qui marque la lettre résulte de l'irritation d'Adolphe à l'égard de sa propre timidité et de son inquiétude sur le succès de son entreprise, mais elle ressemble à l'émotion d'un épistolier vraiment amoureux et peut donc produire sur le destinataire l'illusion de l'amour : elle peut faire croire à Ellénore qu'Adolphe l'aime. D'autre part, l'agitation de son écriture provoque en Adolphe lui-même l'illusion d'aimer. Une nouvelle fois donc Adolphe décrit son expérience comme celle d'un être qui s'illusionne lui-même. Le moyen par lequel cette double illusion est provoquée, c'est le langage et plus particulièrement l'écriture. L'écriture ne transmet pas ici un état préexistant, elle le crée par son propre mouvement. Todorov, dans son essai sur « La parole selon Constant [24] » a très bien dégagé ce caractère dynamique, et non pas statique, de la parole chez l'auteur d'*Adolphe.* Ce dynamisme s'exerce d'abord sur l'épistolier lui-même. Au lieu de toucher le destinataire, la lettre touche celui qui l'écrit, et au lieu de faire naître l'amour en Ellénore, elle en provoque un semblant en Adolphe. Son effort ne réussit donc pas à vraiment atteindre l'autre, mais il modifie sa propre attitude. J'ajoute que cet aspect auto-référentiel est souligné par l'interprétation qu'Adolphe donne implicitement par sa façon de présenter les choses. C'est lui qui se décrit comme celui dont les démarches font retour sur lui-même.

Comment Ellénore répond-elle à la lettre d'Adolphe ? Elle refuse de le recevoir jusqu'au retour du comte de P***. Et voici la réaction d'Adolphe :

---

23. *Œuvres,* Pléiade, p. 23.
24. Critique, XXIV, 254, juillet 1968.

> Cette réponse me bouleversa. Mon imagination, s'irritant de l'obstacle, s'empara de toute mon existence. L'amour, qu'une heure auparavant je m'applaudissais de feindre, je crus tout à coup l'éprouver avec fureur [25].

Au niveau de l'interprétation proposée par le narrateur, nous trouvons d'abord l'effet bouleversant de la réponse d'Ellénore sur Adolphe qui voit tout à coup quelle était son illusion de croire qu'il pouvait mener librement le jeu. L'obstacle que lui oppose l'arrêt d'Ellénore le galvanise et déchaîne son imagination. Une passion violente le saisit — ou plutôt *paraît* le saisir. La différence est capitale. Car l'expression parfaitement exacte réintroduit ici toute la distance entre l'observant et l'observé. Voyons de plus près cette dernière phrase :

> L'amour, qu'une heure auparavant je m'applaudissais de feindre, je crus tout à coup l'éprouver avec fureur.

Le premier mot, « L'amour », donne le thème que la phrase montre successivement sous différents éclairages. Nous y trouvons deux attitudes de l'amoureux (j'appelle ainsi, pour simplifier, le moi révolu, concerné par ce sentiment) : il feint d'abord l'amour pour l'éprouver avec fureur une heure plus tard. Et nous y trouvons deux jugements : je m'*applaudissais* de le feindre, je *crus* l'éprouver. Qui porte ces jugements ? Celui qui applaudit, c'est un Adolphe qui ne connaît pas encore la réponse d'Ellénore, qui est donc contemporain de celui qui feint l'amour. Celui qui dit « je crus », c'est l'Adolphe narrateur qui jette un regard rétrospectif sur l'événement passé. Tâchons de distinguer les niveaux et les perspectives dans cette situation complexe.

Nous avons d'abord un observateur actuel qui est le narrateur. Nous avons ensuite un observateur révolu, contemporain de l'amoureux. Finalement il y a le « moi » observé (celui que j'ai appelé l'amoureux). Dans les trois cas il s'agit d'Adolphe ; ce sont trois incarnations du même individu. Quelle est la relation entre elles ?

Devant le regard de l'observateur actuel surgit l'observateur révolu (celui qui s'applaudissait de feindre) qui à son tour dirige son regard sur l'amoureux qui est en même temps l'objet du premier observateur. L'observateur actuel porte un jugement désillusionnant (« je crus ») sur le témoin révolu qui avait approuvé la dissimulation, puis pris au sérieux la

---

25. *Œuvres*, Pléiade, p. 23.

passion de l'amoureux. Chacune des trois incarnations d'Adolphe réclame pour elle le droit de dire « je », et ce « je » se trouve en effet dans le texte comme garant de l'unité individuelle des trois incarnations. Mais le regard de l'observateur révolu change le « je » amoureux en objet, et lui-même, dès qu'il devient l'objet que regarde le témoin actuel, perd à son tour sa qualité de sujet.

Le véritable sujet de la phrase, c'est l'observateur actuel qui projette devant lui toute cette perspective de regards et de jugements, en introduisant continuellement l'intervalle entre lui-même et ses « moi » — objets. Ce qui indique cet intervalle dans notre texte, ce sont les verbes « s'applaudir » et «croire » qui ne désignent pas des opérations indépendantes, mais qui indiquent une certaine attitude (complaisante, ironique, désillusionnante) que prend celui qui parle à l'égard de l'énoncé des verbes suivants (feindre l'amour, l'éprouver). Adolphe est bien celui qui s'observe s'observant, et cette activité à la seconde puissance est indiquée par la structure même de la phrase ; elle est rendue de façon immédiate par une écriture qui est le graphique de ce mouvement même.

Dans les textes de Constant, tout apparaît réfléchi par un témoin impitoyablement lucide. Ce qui compte ici, ce ne sont pas les sentiments ou les pensées du protagoniste, mais le processus cognitif par lequel celui-ci s'en détache pour les éclairer.

Si nous avons pu constater les ravages que produit la constante observation de soi sur les sentiments observés, nous pouvons dire à présent que peu nous importe si l'interprétation fausse une attitude, puisque le mouvement de la phrase elle-même, puisque le style de l'auteur nous livre le mouvement mental dans son actualité. Nous trouvons donc la découverte de soi dans la trace du mouvement intérieur. Il apparaît ici que les deux faces de la découverte de soi se rejoignent dans ce sens que la saisie de soi ne peut s'achever que dans l'expression de soi.

Ces remarques nous aident également, je pense, à mieux saisir le rapport entre Constant et Adolphe, rapport qui ne consiste pas en une imitation de soi, mais en la constitution d'un personnage fictif dont l'existence se compose de mouvements révélateurs de la connaissance de soi et qui est animé par le mouvement mental de son auteur.

En résumé, on peut dire que Constant révèle bien les difficultés que rencontre celui qui s'applique à suivre le conseil delphien de se connaître soi-même. Le souci permanent de s'observer n'évite pas l'illusionnement et conduit fatalement à une altération de son objet. L'histoire de cette découverte de soi est donc l'histoire de celui qui s'illusionne sans cesse dans son observation de soi, mais qui revient inlassablement à la mise en question de ses jugements prématurés, qui montre ainsi la complexité de la vie intérieure qu'il a entrepris d'explorer et qui surtout réussit dans l'expression de ces démarches, non pas à livrer de lui-même une image adéquate, mais à nous faire participer à ce qu'il a de plus précieux, au mouvement mental par lequel un sujet cherche sans arrêt à se découvrir dans sa propre subjectivité.

Hans STAUB

THE STONE AND THE SHELL : THE PROBLEM OF POETIC FORM IN WORDSWORTH'S DREAM OF THE ARAB

> If any man speak in an unknown tongue, let it be by two, or at the most by three, and that by course ; and let one interpret.
>
> (1 Corinthians, 14 : 27)

To investigate the problem of poetic form as one of the strands woven into the systematic web of Wordsworth's language it will be best to concentrate on the text in which these issues are raised most directly. This is Book Five of *The Prelude,* and, within that, the admirable dream of the Arab with his stone and shell, lines 1-165. Critics from De Quincey on have recognized the special importance and difficulty of this passage, as well as its great power, and I cannot hope to interpret it wholly here. To do that would in fact involve an analysis of all Wordsworth's writings. Even so, I can hope to move some distance around the spirals of the hermeneutical circle.

This may be done by exploring the implications of this passage for an issue already raised in my discussion of the sonnet « Composed upon Westminster Bridge[1], » that is, the question of the radical ambiguity of meaning in that poem. Why is it that the finite elements within the enclosed space of the sonnet cannot be resolved into a neat pattern of meaning, neither in themselves nor in their relation to other texts by Wordsworth ? This question may be related to the problem of the origin of the meaning of signs, a problem also implicit

1. See « The Still Heart : Poetic Form in Wordsworth, » *New Literary History,* II, 2 (Winter 1971), 297-310.

in the metaphors of the sonnets on sonnets, for example, in the relation of breath, trumpet, and the soul-animating strains played on the trumpet [2]. Does the meaning pre-exist the signs for it, so that it is only expressed, copied, or represented by them, or does it come into existence only in its signs ? Does Word precede words, or is it the other way around ? To this may be related the general question of the function of written, as opposed to oral, language, of inscription as opposed to speech.

Wordsworth has often been enlisted into the ranks of those who see poetry as primarily oral. Such men look upon written language as a mere copy of living speech. There are passages by Wordsworth which seem to affirm this view unequivocally, but in fact Wordsworth's thinking on this matter is considerably more complicated than such passages would imply. If he sometimes seems to see authentic poetry as existing only orally, in the « spontaneous » « pouring forth » of the poet's « soul » « in measured strains [3], » on the other hand he is a poet « not used to make/A present joy the matter of a song » (P, I, 46-47), and his poetry was in fact written down. The distinction between immediate experience and the poetry which arises later on when that experience, or its accompanying emotion, is recollected in tranquillity implies at least enough distance from immediate experience to allow it to be « recorded » in a secondary present, as in fact he says of the experience of spontaneous oral poetic creation described at the the opening of *The Prelude* (P, I, 50). This would seem to put the written text at a double remove from the original experience which it describes. The spontaneous overflow of powerful feelings when the original emotion is later on recollected in tranquillity is in its turn « recorded » on the page in a representation of a representation. The writing down of a poetic text is a making present for the reader of what was itself the making present of an experience once present but no longer so. On the other hand, it is clear that both in theory and in practice the recollection in tranquillity for Wordsworth brings something new into existence, something not present in the original experience. If

2. These sonnets are also discussed in « The Still Heart : Poetic Form in Wordsworth. »

3. William Wordsworth, *The Prelude or Growth of a Poet's Mind*, second edition, ed. Ernest de Selincourt, revised by Helen Darbishire (Oxford : Oxford University Press, 1959), p. 5, I, 48, 52. Further references to *The Prelude*, unless otherwise indicated, will be to the 1850 text in this edition and will be identified by « P, » followed by book and line numbers.

this is so, one may wonder whether or not this is also the case with the act of writing down the experience as re-experienced. In fact the issue here is not the opposition of primary oral speech against secondary, derived, written language, but the more fundamental question which lies behind this opposition in its usual form. This is the question whether expression in either oral or written form brings new meaning into the world or only copies a pre-existing meaning.

Wordsworth's concern for this question is indicated by his fascination with all kinds of written language. This includes not only the « Books » which are the title and the overt subject of Book Five of *The Prelude,* but also many other forms of inscription-epitaphs monuments, memorial plaques, signs, and so on. One of Wordsworth's earliest poems is called « Lines left upon a Seat in a Yew-tree, which stands near the Lake of Esthwaite, on a desolate part of the Shore, commanding a beautiful prospect. » The « Essay on Epitaphs » investigates the nature and function of that kind of poetry which is inscribed on stone to mark a grave. One section of the collected poems is called « Epitaphs and Elegiac Pieces. » Another is called « Inscriptions[4] ». The latter group contains short poems with titles like the following : « Written with a Pencil upon a Stone in the Wall of the House (an Outhouse), on the Island at Grasmere », « Written with a Slate Pencil on a Stone, on the Side of the Mountain of Black Comb », « Written with a Slate Pencil upon a Stone, the largest of a Heap lying near a deserted Quarry, upon one of the Islands at Rydal ». These titles, almost longer than the poems they name, are striking in the extreme circumstantiality of detail with which they identify the act whereby the poem was given physical existence. The exact place, the stone, the act of writing, the tool used for the inscription — all are described with precision. This precision suggests that the most important aspect of these particular poems may be the act of writing, that act whereby a mute stone becomes a structure of signs speaking a silent message to any passerby. Such poems are by their titles so wedded to the stone on which they were written that one wonders if they can survive

4. Geoffrey Hartman has in a learned and provocative essay discussed the traditions which lie behind Wordsworth's poems in this mode and their significance in Wordsworth's work : « Wordsworth, Inscriptions, and Romantic Nature Poetry, » *Beyond Formalism* (New Haven : Yale University Press, 1970), p. 206-230. See also the interesting essay by Ernest Bernhardt-Kabisch, « Wordsworth : The Monumental Poet, » *Philological Quarterly,* XLIV, 4 (October 1965), 503-518.

being copied in the book in which we read them today. Their « primary » existence was not as living speech but as marks made with a slate pencil on a stone.

An essay could be written investigating the role of stones in Wordsworth's poetry, the rocks and stones to which Lucy is assimilated after her death in « A Slumber Did My Spirit Seal », the comparison of the old leechgatherer to a huge stone « Couched on the bald top of an eminence » in « Resolution and Independence », the moving line of « Michael » : « And never lifted up a single stone », the « old grey stone », « a rude mass / Of native rock » which used to stand in the square of the village where Wordsworth grew up (P, II, 38 ; 33-34), and many others. Charles du Bos, commenting with great insight on a passage from « The Thorn » and on another from Book Fourteen of *The Prelude* [5], has observed that stones for Wordsworth are often seen as vital, alive with an obscure organic existence which may assimilate them to trees, and that such a living stone is Wordsworth's best symbol for his own soul, his inmost being : « Le tronc d'un arbre », says Du Bos, « à l'écorce rugueuse, que tour à tour la sève envahit et déserte, qui, déserté par elle, se tasserait si son attitude rigide n'appartenait au règne de la pierre, s'il n'était doué de l'étrange majesté d'un dolmen, — c'est ainsi que chez Wordsworth je me représente et la structure et la stature de l'être... Parce que, phénomène naturel, elle-même à l'origine est un roc, cette âme a pour coordonnées — proches ou lointaines, mouvantes ou fixes — de grandes forces vierges : torrents, nuages, étoiles. Son climat natif est l'air

---

5. The texts in question are the following :

> It is a mass of knotted joints,
> A wretched thing forlorn.
> It stands erect, and like a stone
> With lichens is it overgrown.
>
> (« The Thorn, » ll. 8-11)

> ... but for thee, dear Friend !
> My soul, too reckless of mild grace, had stood
> In her original self too confident,
> Retained too long a countenance severe ;
> A rock with torrents roaring, with the clouds
> Familiar, and a favourite of the stars :
> But thou didst plant its crevices with flowers,
> Hang it with shrubs that twinkle in the breeze,
> And teach the little birds to build their nests
> And warble in its chambers.
>
> (P, XIV, 247-256)

de montagne[6]. » Another important aspect of Wordsworth's attitude toward stones, however, may be defined by saying that he not only was fascinated by stones in themselves, found them precious objects[7], but also was impelled, when he found on an island or on a mountain top a stone he especially admired, to scratch or carve a poem on it. Such inscriptions are evidence that Wordsworth, far from always believing that poetry exists primarily as spoken language, sometimes felt that a poem only comes into existence in a satisfactory form when it has not only been written down but inscribed permanently on the perdurable substance of a rock. The implications of this strange strand in Wordworth's conception of poetry are brought most clearly into the open in the admirable dream of the Arab in *The Prelude*. Here the role of written language both as an indispensable metaphor for what it seems to derive from and as a primary or originating act becomes the overt subject of Wordsworth's verse.

*
* *

The opening lines of Book Five of *The Prelude* establish the theme which is to be investigated in the narrative of the dream which follows[8]. The theme is established in terms of a metaphor of the book, of printing or inscription, which is latent throughout but becomes fully explicit only in the closing lines of the proem, lines 45-49. In these lines the fragility of books as physical objects is lamented. The human mind has a power to project itself outside itself, a power to articulate itself in verbal or symbolic structures, poetry

---

6. Charles du Bos, *Du Spirituel dans l'ordre littéraire* (Paris, Corti, 1967), p. 144, 147.

7. Evidence for this is given in the lines from a poem included in a letter to John Kenyon of 1831 (*The Letters of William and Dorothy Wordsworth : The Later Years, 1831-1840,* II, ed. Ernest de Selincourt [Oxford : Oxford University Press, 1939], 572) :

> ... from the builder's hand this Stone
> For some rude beauty of its own
> Was rescued by the Bard.

8. In my discussion of this episode of *The Prelude* I have been aided by the opportunity to read in manuscript the interesting analysis of it by my colleague, C. Michael Hancher, Jr. I have also made use of a number of valuable suggestions made by students and colleagues at various universities who have heard me read versions of this paper.

or geometry. These productions of « Bard or Sage » constitute « adamantine holds of truth / By reason built, or passion (P, V, 39-40) ». The « sadness » is that these rocklike grips on truth must be embodied in an element which, far from having the indestructibility of adamant, may be destroyed by fire or flood, namely the paper, ink, glue, cardboard, or leather of a book :

> Oh ! why hath not the Mind
> Some element to stamp her image on
> In nature somewhat nearer to her own ?
> Why, gifted with such powers to send abroad
> Her spirit, must it lodge in shrines so frail ?
> (P, V, 45-49)

The system of thought leading up to these lines is peculiar, as is so often the case with Wordsworth. Peculiar also is the relation of the proem of forty-nine lines which opens the book and the narrative of the dream which follows it. That narrative is at once an extension of the proem, a commentary on it, and a curious reversal of its apparent premises, a rearrangement of all its elements, literal and metaphorical, to generate unforeseen permutations of meaning. The book, marks stamped or inscribed on frail paper pages, appears as part of a double metaphor in which the secondary is used as the only adequate metaphorical expression of the primary, of that from which it is derived or on which it is modelled. This reversal is part of the Western tradition and may be traced back to Plato as one of those structures of thought inherent in the metaphorical tissue of our languages. The relation between the « soul divine », as Wordsworth calls it in the 1805 text (P, V. 16), and nature is like the relation between a human soul and its body. Just as the human body, especially the face, with its power of modulating breath into speech, is the « image » of the soul which is diffused throughout that body and animates it, so nature is the body of the « sovereign Intellect » which lies behind and within nature. This intellect uses nature as its means of self-expression and as its means of communicating to man. The personification of nature as a human body and in particular as an expressive and speaking face runs throughout *The Prelude* and Wordsworth's works generally. It is present, for example, in the sonnet written on Westminster Bridge and in the grand climactic passage of interwoven metaphors describing the crossing of the Simplon Pass in Book Six of *The Prelude*. The intermingled elements of the Alpine scene « Were all like workings of one mind, the features/Of the same face » (P, VI, 636-637). The names of a part of the creation, human beings, are used to describe the working of the creator in his relation to the creation :

> Hitherto,
> In progress through this Verse, my mind hath looked
> Upon the speaking face of earth and heaven
> As her prime teacher, intercourse with man
> Established by the sovereign Intellect,
> Who through that bodily image hath diffused,
> As might appear to the eye of fleeting time,
> A deathless spirit.
>
> (P, V, 11-18)

The difference, doubtless, between the combination of spirit and body in the human being and the combination of intellect and physical nature in the creation is that the human mind is limited. Its perspective is that of « fleeting time. » The human body, moreover, is mortal. The divine intellect, on the other hand, is « sovereign. » It has a regal power of origination, establishment, and government which cannot die, or which at any rate « appears » to be « a deathless spirit ». The element on which it stamps itself or which it makes use of as the medium of its speech is also indestructible. If the apocalyptic fire and earthquake were to come to burn the earth and dry up the ocean, even then both the sovereign Intellect and the earth which is its speaking face would remain. Nature would still be the living countenance and the book of God :

> Yet would the living Presence still subsist
> Victorious, and composure would ensue,
> And kindlings like the morning-presage sure
> Of day returning and of life revived.
>
> (P, V, 34-37)

Only in a line added in the 1850 version, « As might appear to the eye of fleeting time », is any doubt cast on the adequacy of Wordsworth's formulation, the shade of a suspicion raised by the apparently innocuous words « as might appear » that the vision of earth as a « speaking face » expressing the thoughts of a « sovereign Intellect » may be an appearance projected on nature by the « eye of fleeting time ». This appearance may be somehow generated by the temporal transience of the human perspective on nature. Is the « living

Presence » within nature a pre-existing deathless spirit, or does it only appear that way to the eye of fleeting time ? Is the Presence an illusion or phantom developed by the angle of vision peculiar to human consciousness ? That consciousness dwells within time as its movement and as the power of seeing created by that movement. This movement is determined by man's mortality. Could it be that the appearance of a deathless spirit which has stamped its image on nature, the interpretation of nature as a speaking face, is generated by the movement of a finite consciousness within time toward death ? The romantic poets, as Georges Poulet has demonstrated in his admirable essay on « Les Romantiques anglais [9] », responded to an acute experience of the transitory quality of human time by developing in one way or another a human equivalent of the divine *totum simul.* This equivalent was found in certain privileged moments which seemed to escape from time's remorseless flowing. « Est-il surprenant », asks Poulet, « qu'en un temps où la philosophie régnante faisait apparaître avec une netteté si grande le caractère transitif de la durée, les romantiques aient cru échapper au moins provisoirement à la fuite générale de l'être en fixant leur esprit sur de tels moments privilégiés ? En face des moments perpétuellement charriés par la durée, il y a certains moments favorables, dit Goethe (*günstige Augenblicke*), qui demeurent en eux-mêmes, intacts, comme s'ils étaient affranchis du temps ou appartenaient à un autre temps... Or ce que convoitaient les romantiques, c'était une éternité personnelle, subjective : une éternité à leur usage propre. D'où le besoin, chez eux, de faire descendre l'éternité de son empyrée, pour la situer sur terre dans leur pensée et dans leur cœur. Paradoxalement ce qu'ils firent, fut d'incarner l'éternité dans le temps, dans leur expérience personnelle du temps [10]. » An eternity incarnated within a poet's personal experience of time, an eternity for the poet's private use, will, however, have a different structure from that *nunc stans* attributed to the eternity of God. The temporal experience described by Wordsworth in the dream of the Arab is one example of an eternity paradoxically generated from the *nunc fluens* of human time as it flows toward its last end.

The paradox of the use of a mortal, limited, and derived combination of spirit and physical image, namely the human soul and its body, as the metaphor for that on which it is

9. *Mesure de l'instant* (Paris, Plon, 1968), p. 157-175.
10. *Ibid.*, p. 163, 164.

modeled, the relation of the immortal intellect and nature, is made even more problematical by the introduction, at first subreptitiously, of a second metaphor, that of the book. If nature is the bodily image of a deathless spirit, the things that man has wrought for commerce of his nature with itself are not vocal or bodily expressions, but precisely books, those frail shrines of man's consecrated works. The articulation of the deathless spirit behind nature into the signs and emblems of the speaking face of earth is like the articulation of man's spirit in the words stamped on the printed page. The book replaces the human body as the incarnation of the otherwise undifferentiated power of the human spirit. Body and book are the same, and vocal and written speech are seen as performing a similar differentiating function. In both cases there is the same structure of spiritual energy, modulating instrument, and expressive signs which is also present in Wordsworth's sonnets on sonnets. The traditional metaphor describing the body as the garment of the soul, rags that soul will no more need in heaven, is here transferred to the books man writes when Wordsworth says it causes « tremblings of the heart » « to think that our immortal being/No more shall need such garments » (P, V, 22-24). Wordsworth always found it difficult to imagine any state of disembodiment, even that of heavenly beatitude, and he here expresses the same trembling before the idea of a condition in which man would no longer need books. If the speaking face of nature is necessary for the « intercourse » of the sovereign intellect with man, so that the deathless spirit behind nature would be invisible or inaudible if it were not for its articulation in natural types and symbols, so man must have books in order to maintain the « commerce of [his] nature with herself » (P, V, 19) which is a kind of internal dialogue. Wordsworth's phrasing recalls the use by Plato in the *Philebus* of the image of the book to describe that internal dialogue which takes place for a man when there are no other men with whom to talk[11]. The mind of man in order to communicate with itself must separate itself from itself, project itself into the external and mediate form of books, divide its oneness into the multiplicity of signs stamped on the printed page, add to his natural power the supplementary power of the written word. In heaven we shall need neither book nor body, those garments of the soul, but as long as we are children of the earth we cannot go naked.

---

11. *Philebus*, 38 E ff. : « I think the soul at such a time is like a book... »

The peculiarity of this situation merits meditation. Just as the sovereign intellect, however regal its power, cannot communicate directly to man, but must divide itself from itself, go outside itself into nature, and use the things of nature as supplements to itself, mediate signs by means of which it can speak to man, so the mind of man cannot communicate with itself, either collectively or individually, without a rupture of its unity, simplicity, and self-enclosed perfection. Man cannot hear God's voice directly but must read what God has to say as he has printed it on nature, and man too, in order to speak even to himself, must divide himself from himself, project himself outside himself, exile himself into his printed image or double. If he remains unbroken he is naked, forlorn. He becomes whole or sole only when he has been rent, divided into immortal being and those strange garments woven of geometrical or poetic texts. Man's naked spirit must clothe itself in the leaves of a book. As the lover in Shakespeare's Sonnet LXIV is tormented by the thought that his beloved must die, and as he suffers that thought as if it were his own death, so the anticipation of the loss of his books is to man like a death. In this death he foresees a loss which would leave him his own survivor, alive still but absolutely denuded, separated from all power of discourse, « Abject, depressed, forlorn, disconsolate » (P, V, 28). The fear of this stripping bare is like a foretaste of death. To « " weep to have " what he may lose » (P, V, 26) brings death into the mind as a present reality. Nevertheless, whereas physical nature would, so the poet says, survive any catastrophe and still be available as the book of God, the lament of this proem to Wordsworth's meditation about books is not only that books are destructible but that they must inevitably come to be destroyed. When this happens man will be left bare of all those holds on truth he has so laboriously constructed for commerce of his nature with itself :

> And yet we feel — we cannot choose but feel —
> That they must perish.
>
> (P, V, 21-22)

*
* *

The dream of the Arab takes its place in the context of the group of metaphors established in the proem as a further displacement of what has already been displaced from the mind/body relation to the mind/book relation. In fact the dream may be described as a complex system of displacements, displacement within displacements, displacements added in chain fashion to previous displacements, displacements interwoven with other displacements. This movement of substitution or dislocation may be defined as the fundamental structuring principle of the text as well as its theme. Only by threading his way through the labyrinth of these permutations can the reader interpret correctly the extraordinary climax of the passage, the waking poet's reaffirmation of the Arab's madness, his sober daylight assertion that, in view of the coming end of the world, « by signs in earth/Or heaven made manifest » (P, V, 158-159), the proper thing to do, in order to protect and preserve the great books of the world, Shakespeare's or Milton's, is to bury them, as if they were coffined corpses. What can this mean ?

The dream as a whole is a displacement in the sense that it is a response to the poet's waking anxiety about the fragility of books. Like all dreams it is a transformation into other terms of daylight concerns, a reworking of elements drawn from waking experience. If it demands interpretation, it is itself an interpretation of elements the reader has already encountered. In this case, however, the relation between dream and waking is so immediate and is made so explicit that the dream may almost be called a daydream, or at any rate a so-called « hypnagogic » dream, that sort of dream which provides an immediate reworking by a man who has just fallen asleep of what he has been perceiving and thinking, rather than the rising up within deep sleep of buried images and memories. The poet has been reading *Don Quixote* in a rocky cave by the wide sea and meditating once again on the sad destructibility of books, in spite of the exemption from « internal injury » of poetry and geometric truth. Quixote, poetry, geometry, rock, cave, shore, sea, sultry air — all these elements return in the dream, but transformed, as the poet returns to them once again when the dream is over, so that the sequence from waking to dream to waking again establishes a chain of sideways substitutions in which each scene is an interpretation of the others or is interpreted by them. Thomas De Quincey, in reminiscences written some twenty years after he had seen the text of this dream in manuscript form, emphasized this aspect of the sequence. « The form of the dream », he said, « ... is not arbitrary ; but, with exquisite skill in the art of composition, is made to arise out of the situation in which the poet had previously found himself, and is saintly prefigured in the elements of that situation [12] ». If

12. *The Collected Writings of Thomas De Quincey,* ed. David Masson, II (London, A. & C. Black, 1896), 268.

the dream refashions the elements which have been present to the poet just before he falls asleep, so that, for example, the end of the world is to come by flood in the dream rather than by fire and earthquake, as in the poet's waking reverie, his waking thoughts at the end fashion the dream into the fancy that there might really be such a man, « A gentle dweller in the desert, crazed/By love and feeling, and internal thought/Protracted among endless solitudes » (P, V, 145-147). This man's mad quest takes the form of wishing to preserve books from the end of the world rather than to care, as most men would, for wife, child, or « virgin loves « (P, V, 154). The shift from loved one to books, parallel to Christ's injunction to leave « house or parents, or brethren, or wife, or children, for the kingdom of God's sake » (Luke, 18 ; 19), though Wordsworth adds « virgin loves », is of course another displacement, based upon another metaphorical ratio. As most men are to their beloveds, so the semi-Quixote of Wordsworth's waking fancy is to books. The poet displaces the madness once more when he takes upon himself the « Maniac's anxiousness » and his « errand » :

> Oftentimes at least
> Me hath such strong entrancement overcome,
> When I have held a volume in my hand...
> (P, V, 161-163)

Moreover, the dream itself is structured around a sequence of metaphorical condensations or metonymic displacements in which one thing stands for another which was contiguous to it or in which one thing is two things at once [13]. The essential « daring » of the imagination in great poetry is defined in Wordsworth's Preface of 1815 as the « operations of the mind upon [absent external] objects [14] ». These operations produce a linguistic transfer whereby one thing or group of things is given the name of another. The imagination is the power of the mind over the external world, the power of the mind to « endow » the « images » of things « with properties that do not inhere in them » (p. 754), the power to create fic-

---

13. For a valuable discussion of the relations between metaphor and metonymy, see Gérard Genette, « Métonymie chez Proust ou la naissance du récit », *Poétique,* 2 (1970), 156-173.

14. William Wordsworth, *Poetical Works,* ed. Thomas Hutchinson and Ernest de Selincourt, Oxford Standard Authors (London, Oxford University Press, 1966), p. 753. Further citations from the Preface of 1815 will be followed by page numbers from this edition.

tions. These fictions are embodied in language in the use of the name of one thing for the name of another. So Milton, describing Satan as like a faroff fleet, « dares to represent it as *hanging in the clouds* » (p. 754). In his commentary on the linguistic transformations enacted in the lines from « Resolution and Independence » beginning « As a huge stone is sometimes seen to lie », Wordsworth makes explicit the way the imagination uses language to turn one thing into another, in a sequence of mutations which has no reason to end — stone into sea-beast into old man into cloud. The imagination, in this extraordinary text, is shown to be the exercise of a sovereign power over nature. The instrument of this conferring, divesting, or transforming energy is language, or more exactly, figures of speech, linguistic transfers. The things of nature can be transformed in this way only when they have become « images », emblems, signs :

> In these images, the conferring, the abstracting, and the modifying powers of the Imagination, immediately and mediately acting, are all brought into conjunction. The stone is endowed with something of the power of life to approximate it to the sea-beast ; and the sea-beast stripped of some its vital qualities to assimilate it to the stone ; which intermediate image is thus treated for the purpose of bringing the original image, that of the stone, to a nearer resemblance to the figure and condition of the aged Man ; who is divested of so much of the indications of life and motion as to bring him to the point where the two objects unite and coalesce in just comparison. After what has been said, the image of the cloud need not be commented upon (p. 754).

It need not be commented upon because it will surely be another exercise of the same modifying power which has produced the other images, or which has made things into images by putting them beside themselves into the things to which they may be « approximated » or « assimilated », Rarely has « the mind in its activity, for its own gratification » (p. 754) been so blithely celebrated in its dominion over things as they are. In the dream of the Arab this dominion is affirmed not as figures of speech but as the paradoxical reality beheld by the dreamer. This is appropriate for a dream, since dreams enact as vivid appearances what poetic language performs in overt tropes. In his dream the poet sees a stone and shell which are also books and an Arab who is at the same time Don Quixote. « I wondered not », he says, « although I plainly saw/The one to be a stone, the other a shell ; /Nor doubted once but that they both were books »

(P, V, 111-113), and of the Arab : « He, to my fancy, had become the knight/Whose tale Cervantes tells ; yet not the knight, / But was an Arab of the desert too ; /Of these was neither, and was both at once » (P, V, 122-125). Of these was neither and was both at once — in dream as in the language of poetry nothing is its solid self. It is neither what it is nor the thing whose name or whose image displaces it, but is both at once, and so is nothing but the oscillation or interchange between them, stone or shell for books, Arab for Quixote.

If this pattern of replacement operates not only in the relation of the dream to what precedes and follows it but also within the dream itself as its structuring principle, it may also be detected in the relation of the dream to its « sources ». It is no accident that Wordsworth's dreamer has been reading *Don Quixote* before he falls asleep. His dream is in one of its aspects a commentary on Cervantes' book. Just as Don Quixote was crazed by reading romances, and just as his madness took the form of seeing giants in place of windmills, an army in a herd of sheep (it was a power of transfer engendered by reading too many fictions : Quixote saw each thing in its metaphor), so the dream of Wordsworth's speaker has been generated by reading and by his anxiety for the fragility of books. He too sees things as what they are not, as he encounters in his dream a stone and shell which are books and an Arab who is yet Don Quixote too. *Cervantes' novel,* it may be remembered, is supposed, within its own fiction, to have been written by an Arab. It is also supposed to be reproduced from an incomplete manuscript, its lacunae testifying to the fact that it has survived a catastrophe, perhaps a disaster like the one which awaits those books the Arab hurries to bury in Wordsworth's dream. There is, moreover, an episode of book-burning in *Don Quixote* which demonstrates that Cervantes, like Wordsworth, was concerned not only for the power to induce madness possessed by books, but also for their impermanence. Multiple resonances associate the passage in Wordsworth with the book which is overtly mentioned as one of its generative sources.

There are, however, other « sources » for the dream. Apparently Wordsworth himself did not dream it, and it is not so much a real dream as the deliberate invention of a dream sequence [15]. In the 1805 version of *The Prelude* the drea-

---

15. Freud has discussed the special problems involved in analyzing such a fictional dream in « Delusion and Dream in Jensen's " Gradiva " », *Delusion and Dream and Other Essays,* trans. Harry Zohn (Boston, Beacon Press, 1968), p. 25-121.

mer is not the poet but the « Philosophic Friend », perhaps Michel Beaupuy, to whom he says he had expressed his anxiety about the vulnerability of books, and, as Jane Worthington Smyser has demonstrated [16], the dream was probably not dreamed by the « Friend » either, but was borrowed from one of the three famous dreams of Descartes, described in Baillet's *Life of Descartes* (1691). Descartes, like Wordsworth's dreamer, also dreamed of two books, a dictionary gathering all the sciences and a *Corpus Poetarum,* containing together all of human knowledge and wisdom. Descartes also dreamed of a mysterious stranger with whom he discussed the books. Descartes, like Wordsworth's dreamer, interpreted the elements in the dream while he was dreaming it, in particular the two books. Descartes resolved when he woke up to undertake a religious pilgrimage, just as the awakened poet in *The Prelude* says that when he contemplates the signs of the approaching apocalyptic deluge he shares « that maniac's fond anxiety » and feels that he too could « go/Upon like errand » (P, V, 160-161). From Descartes to the philosophic friend to Wordsworth the dream has migrated, undergoing accretions and mutations in each metempsychosis, in a chain of interpretations and reinterpretations in which Descartes' dream, like any other dream, is not an « origin » but is itself already interpretation, enigmatic signs for a hidden meaning which remains always prior to its displaced expression [17].

From all these forms of displacement it may be concluded that the process of substitution is not only the form but also the theme of the dream of the Arab, which is to say its theme

---

16. « Wordsworth's Dream of Poetry and Science : *The Prelude,* V », *Publications of the Modern Language Association,* LXXI, 1 (March 1956), 269-275.

17. For modern discussions of Descartes' dream see Georges Poulet, « Le Songe de Descartes », *Etudes sur le temps humain* (Paris, Plon, 1953), p. 16-47, and Jacques Maritain, *Le Songe de Descartes* (Paris, 1932). Behind Descartes' dream, of course, lies the Biblical, medieval, and Renaissance topos of the two books, the book of nature and the book of revealed Scripture. If the Bible is the word of God revealed in a written text, the heavens too declare the glory of God, just as, in a secular displacement of the traditional topos, all human wisdom, for Descartes or for Wordsworth's dreamer, is divided into geometry or the sciences, on the one hand, the codified knowledge of the spaces of the creation, and, on the other hand, poetry, human wisdom as incarnated in the written word. See E.R. Curtius' magisterial discussion of the topos of the book, « Das Buch als Symbol », *Europäische Literatur und Lateinisches Mittelalter* (Bern, A. Francke, 1948), p. 304-351,

is the book, defining a book as the replacement of a reality which always remains at a distance from its printed image. To put this another way, the theme of the dream is language or the sign-making power. The essence of this power is in this text affirmed to be that naming of one thing by the name of another which puts in question the possibility of literal naming and suggest that all names are metaphors, moved aside from any direct correspondence to the thing named by their reference to other names which precede and follow them in an endless chain. A question, however, remains. Why do just these elements enter into the transformations of the dream—Arab, Quixote ; stone and shell ; book of geometry and book of poetry ; desert and deluge ?

The stone and the shell have the same relation to one another as do the stone and geometry or the shell and poetry or geometry and poetry. In all the relations among these four elements may by traced the same similarity in difference forming a multiple ratio. The configurations of these relationships, as well as feature throughout the passage as a whole, suggest that binary opposition is as important a structural principle of this text as is the movement of displacement. The displacements take place as permutations of balanced opposites which are nevertheless similar in their difference. Each pair forms a unit in which each is neither and yet is both at once. If the shell is like a stone hollowed out, as if it had been carved, fluted, articulated so that it may speak with voices more than all the winds, poetry is a transformation of the kind of reason which produces geometry. Passion, the generator of poetry, is, says Wordsworth, « highest reason in a soul sublime » (P, V, 41). The difference between the two forms of wisdom is indicated in the difference between the signs for them. A stone uninscribed, uncarved, unhollowed out is just itself. It does not refer beyond itself in any form of displacement. It is not a sign, or it is the null sign, the sign for the absence of signs, like a blank face or a sheet of paper on which nothing has been written. A stone is wholly self-contained, incapable of any lateral displacement of signification. The stone knows not time and shares the permanence, composure, and peace of nature. Precisely this value is ascribed to geometry, not only in the description of the book carried by the Arab as Euclid's *Elements,* a book, said the Arab to the dreamer, « that held acquaintance with the stars, / And wedded soul to soul in purest bond / Of reason, undisturbed by space or time » (P, V, 103-105), but also in the passage on the consolations of geometry in Book Six of *The Prelude* (lines 115-167). In the latter text, after remembering how John Newton was comforted when he was shipwrecked by drawing geometric diagrams on the sand with his long staff [18]. Wordsworth asserts that geometry has a mighty charm for the man who, like the poet, has « a mind beset / With images, and haunted by herself » (P, VI, 159-160). The mind alone is as « abject, depressed, forlorn, disconsolate » as a shipwrecked mariner. Geometry provides an escape form this by lifting the mind to recognize the universal laws of nature, above any mortal vicissitudes, and behind them the creator God whose being is expressed in the permanence of nature and who is « to the boundaries of space and time, / Of melancholy space and doleful time, / Superior, and incapable of change, / Nor touched by welterings of passion » (P. VI, 135-138) [19].

To substitue the shell for the stone, however, or to turn the stone into a shell by carving it or hollowing it out and so making it a speaking stone, as a stone carved with an epitaph speaks, or as the poet hears « an Ode, in Passion uttered » (P, V, 96) when he puts Arab's shell to his ear, is to replace the calm of geometry for precisely that weltering of passion which Wordsworth associates with poetry. The passion of poetry arises not from any care which might be assuaged but from an ultimate anxiety about last things. This anxiety is generated by substituting for the uninscribed stone the spiral tube of the shell. The shell can articulate the uniform sound of the sea, or of « background noise », or of

18. This is another place in Wordsworth, among so many others, in which attention is called to the act of writing or inscription, in this case not on stone or on paper, but on those tiny, pulverized stones, the sands which in the dream passage form the environment of the « Arab phantom's » solitude and of his crazy quest. For John Newton see R.D. Havens, *The Mind of a Poet* (Baltimore, The Johns Hopkins Press, 1941), p. 412-413.

19. Another passage on geometrical diagrams in Book Thirteen of *The Prelude* indicates the associations Wordsworth habitually makes between geometry and the measurement or representation of the fixed patterns of the starry heavens. This is the passage about the Druid markings on Salisbury Plain. If these markings involve stones (which is not wholly clear), another connection between stones and geometry is established, that is, the use of stones as elementary marking or measuring devices, as the stones of Stonehenge are arranged in relation to the summer solstice. « [T]he Plain », says Wordsworth, « Was figured o'er with circles, lines, or mounds, / That yet survive, a work, as some divine, / Shaped by the Druids, so to represent / Their knowledge of the heavens, and image forth / The constellations » (P, XIII, 337-342). I owe thanks to Mr. Gene W. Ruoff for calling my attention to the relevance of this text to my theme.

the rush of blood in the listening ear. into differentiated harmony. The rocky cave in which the waking poet sits by the sea (an example of those many nooks or caves in Wordsworth's verse emblematic of subjectivity looking out on the world) reappears in the dream as the enclosed hollow of the shell. With the shell's diacritical marking or distinction, its fracturing, featuring, or dividing of the single and featureless, comes into existence man himself, that is, consciousness, temporality, signs or the power of sign-making and sign-reading, desire, the anticipation of death, poetry, and the imagination of apocalypse. All these are names for one another, and all are also names for that displacement, substitution, or stepping aside, that splitting apart or distinguishing, which marks a thing so that it ceases to be itself and becomes a sign pointing toward something absent, something always already existing, always elsewhere existing, or always not yet existing.

Geoffrey Hartman, in his commentary on the dream of the Arab, identifies as « imagination » the waters of the deep which are the fulfillment of the prophecy of the shell [20]. This flood, in a displacement from the signs of poetry heard in the shell to the signs of nature seen by the dreamer's eye, is approaching in a glittering wall over the sand toward the Arab as he hurries to bury the two books. Hartman's definition is correct, but it would be as true to say that the coming floods is death, or that it is the movement of human time, as that it is imagination. All three are names for that peculiarly human dimension which is opened by the marks on a rock or by the spiral flutings of a shell. Such markings turn things into what they are not, that is, into signs for something absent. If the dream is itself an example of poetry, in which everything is and is not some other thing, the dream contains its own commentary or explication. It turns back on itself by presenting in the shell a symbol of its own process. The radiant shell, « of a surpassing brightness », « so beautiful in shape/In colour so resplendent » (P, V, 80, 90-91), objectifies the process of the birth of poetry. The sound the dreamer hears in the shell is both « a loud prophetic blast », like a single note from a trumpet, and at the same time it is « articulate sounds », a « harmony », a voice which speaks « in an unknown tongue » the dreamer can nevertheless « under-

20. See Geoffrey H. Hartman, *Wordsworth's Poetry 1787-1814* (New Haven and London, Yale University Press, 1971), p. 229-231.

stand[21] », (P, V, 93-95), as the inscriptions apparently written by God on nature are in no human tongue and yet may be deciphered. The sound the dreamer hears in the shell is the birth of language from the sound of the sea or from the sound of the wind, but it is in fact the sound of his own blood beating in his ear which he hears. He projects this noise into the shell and hears it as the sound of wind and wave wrought objectively into the shell and able to be played back from its traces or records to the man who listens. This natural sound in then interpreted in its turn as signs, as language, as harmony, as the voice not of the wind but of « a god, yea many gods » (P, V, 106). It is not single but multiple, a multitudinous murmur of « voices more than all the winds » (P, V, 107). The originating sound from which all words derive is not a single word but a multiplicity of possible words. This multiplicity must be simplified or filtered out in order to produce articulate sounds. The original voice is already double, divided against itself. There is no originating unity or simplicity at the source, but an initial equivocity. In the beginning was the διάκρισις.

Such multiform voices, when they have been interpreted into « an Ode, in passion uttered » (P, V, 96), can have only one message, the imminent demolition of the world, « Destruction to the children of the earth/By deluge, now at hand » (P, V, 97-98). This apocalyptic news is the fundamental theme of poetry. This is so because, whereas the stone knows no time, or as geometry is a godlike natural science, free of time and space, or as Lucy knows not time when she has become a corpse « Rolled round in earth's diurnal course,/With rocks, and stones, and trees[22] », the shell brings human time

21. Behind this text lies St. Paul's meditation on language and on speaking in tongues, glossolalia, in 1 Corinthians, 14. Among the key terms in Paul's discourse are « prophesy », « unknown tongue », « interpretation », and « understanding ». Even the trumpet appears in the passage. « Now, brethren », says Paul, « if I come unto you speaking with tongues, what shall I profit you, except I shall speak to you either by revelation, or by knowledge, or by prophesying, or by doctrine ? And even things without life giving sound, whether pipe or harp, except they give a distinction in the sounds, how shall it be known what is piped or harped ? For if the trumpet give an uncertain sound, who shall prepare himself to the battle ? So likewise ye, except ye utter by the tongue words easy to be understood, how shall it be known what is spoken ? for ye shall speak into the air. There are, it may be, so many kinds of voices in the world, and none of them is without signification » (1 Corinthians, 14 : 6-10).

22. « A Slumber Did My Spirit Seal », ll. 7-8.

into existence in the signs of it. With human time comes the awareness of death, as something « now at hand ». In this multiple process of interpretation a subjective sound is interpreted as outer, and that sound is in turn interpreted as manifold signs. These signs, which are poetry itself, poetry speaking with the voices of the many gods who seem to lie within and behind nature, have a paradoxical function. On the one hand they have « power/To exhilarate the spirit, and to soothe,/Through every clime, the heart of human kind » (P, V, 107-109). On the other hand this exhilaration and soothing are performed by telling man that the end of the world is at hand. Poetry both soothes and is apocalyptic, just as the dream as a whole is structured around interpretative dislocations from benign to ominous, in which the real sea before him when he was awake is transformed into the final flood, or the book he was reading becomes a stone and a shell and then books again, that is, physical objects inscribed with signs bringing death and the imagination into existence. In the sequence of the listening to the shell imagination is born out of the differentiations making language out of inarticulate sounds, and then the interpretation of nature generated by these signs is projected outward on the world as an objective and pre-existing reality. Since signs produce consciousness which produces time which produces death, the ever-present awareness of the imminence of death, it is no accident that the message the poet hears in the shell is a forewarning of the end of the world.

Moreover, in this process may be seen the fact that the stamping of the image of the human mind on a book is the same operation as the stamping of that image on physical nature. If the differentiations of the traced word or of the articulated voice bring the human mind and its basic thoughts or powers, death, time, and the imagination, into existence, the same operation is, it may be, performed in the reading of nature as signs of some sovereign intellect. The poet in seeing nature as types and symbols, or as speaking face, treats it in the same way as he treats the paper or stone on which he writes a poem or an epitaph. In fact the two operations of « stamping » are identical. The answer to the question, « why hath not the Mind/Some element to stamp her image on/In nature somewhat nearer to her own ? » is that nature is man's book too, since there can be no sign without a physical embodiment. As long as the physical world exists, however completely all the printed books have been destroyed, man will still have rocks, sand, and winds to stamp his image on [23]. The truly primary or originating act is the division of breath which makes the winds into speech, or the carving of the stone which makes its muteness into language.

In the displacement of what the poet hears in the shell to what he sees, the coming deluge, there is a fulfillment of the verbalized prophecy in the actual emblems of nature. This is

---

23. An important passage in Book One of *The Excursion* combines again in a characteristically problematical way the motifs of the printed book, the book of nature, the book of Scripture, the lineaments of a speaking face, and the projection into nature of the presence of an immortal mind, or the interpretation of nature as the abiding place of such a mind. Describing the childhood of the Wanderer, that extraordinary potential poet, Wordsworth says that the Wanderer was taught by his pious parents « a reverence for God's word » (l. 115). The Bible, books of « the life and death of martyrs » in the times of the Scottish Covenant, and « a straggling volume, torn and incomplete », a romance illustrated with coarse woodcuts, made up all his store of books » (ll. 170 ff.). He had, however, « small need of books » (l. 163), not only because oral traditional tales abounded in his remote mountain area, but also because nature was a book to him. In one passage, a text offering in its sequence of « or... or... or » a series of contradictory possibilities for the source of the feeling that nature is the residence of a living mind, the Wanderer is shown tracing the lineaments of that mind in the rocks of wild caves :

— in the after-day
Of boyhood, many an hour in caves forlorn,
And 'mid the hollow depths of naked crags
He sate, and even in their fixed lineaments,
Or from the power of a peculiar eye,
Or by creative feeling overborne,
Or by predominance of thought oppressed,
Even in their fixed and steady lineaments
He traced an ebbing and a flowing mind,
Expression ever varying ! (ll. 153-162)

Though this passage will not commit itself definitely, the doubt is not whether the source of the experience is subjective, but whether it comes from the senses, from feeling, or from thought. Some lines further on, in a passage which brings all these motifs together, the boy herdsman reads in nature the same message he had encountered already in the Bible. The book of Scripture and the book of nature are inscribed with the same promise, and nature is seen as if it were a written text. I find the phrase in this passage about the « volume that displays / The mystery » fundamentally ambiguous. The « volume » may be the Bible, and this would be supported by the lines in « The Ruined Cottage » (that is, the earlier version of Book One of *The Excursion*) which assert that the Wanderer, as a child, « had learned to read / His bible in a school that stood alone » (*The Poetical Works of William Wordsworth,* ed. E. de Selincourt and Helen Darbishire, V [Oxford, Oxford University Press, 1949], 380 ll. 55-56). On the

a displacement from language to natural signs, but the two kinds of signs are the same. The fulfillment of the prophecy is reinforced by another lateral dislocation of the kind so frequent in this text, the reappearance of the « surpassing brightness » of the shell in the « bed of glittering light » (P, V, 80, 129) the dreamer sees as the waters of the deluge hurry over the sand. The shell embodies the coming apocalypse of which it is a sign not only in the sounds heard within it but also in its external look. Both are examples of the stamping of the mind's image on physical elements, the interpretation of the sound in the shell as a prophetic ode, or the transformation of the sea before the waking poet into the glittering wall of water he sees in his dream. This shining wall is the emblem of the opening out of consciousness in a moving stasis, an approach of the « something evermore about to be » (P, VI, 608) which constitutes, for Wordsworth, human temporality. The coming of the waters, always approaching but never here—a static movement of poised violence—is the gap or interruption, the distance between one sign and another, between signs and what they signify, between now and the future, between life and death, in the ecstasies of finite human

---

other hand the book of Scripture may already be in this phrase the vehicle of a metaphor describing that nature which the Wanderer already knows deeply as a book. As is so often the case with such texts in Wordsworth, only the interpreter's tact can decide between meanings which remain formally « undecidable ». If the second reading is taken, then the passage says that all nature is a volume which the Wanderer can read as a written promise of immortality, but in the mountains this promise is also deeply *felt*. The ambiguity of the term « immortality » is suggested not only by the complexity of the uses of the word in other contexts in Wordsworth, but also by the final lines of the quotation in which the boy's spirit is once more described as « shaping » the universe he sees :

> A Herdsman on the lonely moutain-tops,
> Such intercourse was his, and in this sort
> Was his existence oftentimes *possessed*.
> O then how beautiful, how bright, appeared
> The written promise ! Early had he learned
> To reverence the volume that displays
> The mystery, the life which cannot die ;
> But in the mountains did he *feel* his faith.
> All things, responsive to the writing, there
> Breathed immortality, revolving life,
> And greatness still revolving ; infinite :
> There littleness was not ; the least of things
> Seemed infinite ; and there his spirit shaped
> Her prospects, nor did he believe, — he *saw*.
> (ll. 219-232)

time. The terror of a temporal predicament which one approaches by fleeing from it, and in which one awakes from one terror to find oneself confronting the same elements still or once more in a form whose peacefulness makes them only somehow more ominous, is admirably expressed in the final lines of Wordsworth's dream :

> I called after him aloud ;
> He heeded not ; but, with his twofold charge
> Still in his grasp, before me, full in view,
> Went hurrying o'er the illimitable waste,
> With the fleet waters of a drowning world
> In chase of him ; whereat I waked in terror,
> And saw the sea before me, and the book,
> In which I had been reading, at my side.
> (P, V, 133-140)

J. Hillis MILLER

THE SUBLIME AND THE HERMENEUTIC

Influence is a word that points to the stars ; and literary history, as a history of the influence of artist on artist or culture on culture, often involves those theogonic bodies. Literature always contends with a star-system of some kind: with foreign inheritances, native debts, or an overhead of great works whose light still pulses though they existed long ago. It is no accident that the Book of Genesis begins by putting the stars in their place and making them signs rather than powers. Recent scholarship has shown how radical a displacement of the surrounding Canaanite belief that account is. The Bible of one nation can be the systematic dismembering, or disremembering, of another.

It is no accident, similarly, that toward the beginning of the modern era of historical speculation, Hegel addresses a poem to Hölderlin in which the thought-annihilating stars (*Gestirn*) become through the mediation of « Phantasie » the sublime brow (*Stirne*) of monitory spirits :

> Mein Aug erhebt sich zu des ewgen Himmels Wölbung,
> zu dir, o glänzendes Gestirn der Nacht,
> und aller Wünsche, aller Hoffnungen
> Vergessen strömt aus deiner Ewigkeit herab,
> der Sinn verliert sich in dem Anschaun,
> was mein ich nannte schwindet
> ich gebe mich dem unermesslichen dahin,
> ich bin in ihm, bin alles, bin nur es.
> Dem wiederkehrenden Gedanken fremdet,
> ihm graut vor dem unendlichen, und staunen fasst
> er dieses Anschauns Tiefe nicht.
> Dem Sinne nähert Phantasie das Ewige,
> vermählt es mit Gestalt—Willkommen ihr
> erhabne Geister, hohe Schatten,
> von deren Stirne die Vollendung strahlt !
> Er schrecket nicht, — ich fühl' : es ist auch meiner Heimat [Aether,
> der Ernst, der Glanz, der euch umfliesset.

Hegel s experience of the sublime —for so an 18th century writer would have called it—is essentially of a dazzlement which draws the mind into a self-forgetful vortex, then leaves the thoughts that struggle back alienated (« Dem wiederkehrenden Gedanken fremdet... ») until imagination intervenes. This return from apocalyptic feelings to mortifying thoughts, this vacillation between nothingness and nothingness, becomes sufferable and even strengthening when it elicits, as here, a counter-assertive, inward, humanizing power. « So feeling comes in aid/Of feeling, and diversity of strength/ Attends us if but once we have been strong » (Wordsworth, *Prelude* XII). It is, in fact, this assurance given by the sublime experience to the survivor—that is, to imaginative man—which allows Hegel to approach the mysteries of the historical past without taking leave of his mind. The element in which the greats live is his element too. « Es ist auch meiner Heimat Aether. » He breathes the same spiritual air as they.

The 18th century had distinguished the sublime of art and the sublime of nature : Hegel added the sublime of history. The development was, I believe, inherent in general neoclassic doctrine which, by a strange dialectic, by an apotheosis that kicked genius upstairs, at once acknowledged and negated the influence of greatness. Genius could be admired but not imitated. The neoclassical writers knew that it contained otherness : an unacculturated and even demonic element. But Hegel, after *his* experience of the sublime dissolves the distance between him and the mysterious heavens of Eleusis :

> Begeistrung trunken fühlt' ich jetzt
> Die Schauer deiner Nähe,
> verstände deiner Offenbarungen,
> ich deutete der Bilder hohen Sinn...

The historical space between him and Greece is less the space of mystery than of interpretation : it is hermeneutic as well as pneumatic. Hegel stands here on the threshold of the passage from *Geister-geschichte* to *Geistes-geschichte*.

In fact, the mediating « imagination » of 1796 becomes in the *Phenomenology* of 1807 and the lectures on the *Philosophy of History* of 1818 and after a pivotal phase of human consciousness assigned to the time of the Greeks. It is said to have enabled the Eastern world, where mind tended to be lost in the sublime of nature, to evolve as a western consciousness, where mind knows its own sublimity. Hegel's poem remains, however, like the mystery it is drawn to, a night-piece ; it does not move in the open field of consciousness like the *Geistesgeschichte* to come. Star-light, not the « great Day's work of Spirit » is its symbol.

I am not insisting that the sublime of nature as described by neoclassical writers, and deepened by Kant, is at the base of Hegel's dialectic. But the dialectic does contain a strong recognition of otherness, at first attractively anti-mnemonic —like Eastern nature-astonishment or Hegel's starry ecstasy—then repellent as the sense of mortality flows back with antithetical vigor. There is, finally, a kind of synthesis as imagination enters to humanize the stars or remove their taint of absoluteness.

The stars are put in their place. In Hegel, of course, this is not a religious but a hermeneutic degrading which follows from the tacit principle that man is the measure of all things. It is not unusual by the 1790's that the distinction between the sublime and the beautiful fades, or that sublimer nature gives way to a complex valuing of vestiges rather than of powers, of « absences, » as it were, that permit the imaginative spirit a freer, more reflective response. Though the sublime survives, and all the more strongly at times (« Jetzt komme, Feuer » is the opening of Hölderlin's *Ister*), it is there to be overcome or mastered into mind. A small poem by Friederike Brun can illustrate this new, increasingly reflective verse :

> Leise, wie Wellen des Bachs, kamen Gedanken mir—
> Schwanden Gedanken dahin, welche, Erinnerung ! du
> Holde Schwester des Tiefsinns,
> Stets im wechselnden Reigen führst !

This « Empfindung am Ufer » is deeply indebted to a conception of the Classical sensibility as individuality (here individual grief) conditioned by beauty, that is, restrained by the form-giving principle in beauty. The measured verses, like the waves themselves, are anti-mnemonic without denying memory : they are soothers of an absence whose depth (« Tiefsinn ») we do not appreciate till we learn they mourn the drowning of Friederike's brother. The personal circumstances of loss are muted together with its intensity : loss remains only as nature-feeling. Indeed, the personifications (« Erinnerung » which stands to « Tiefsinn » as Friederike to her brother) are indistinguishable from nature-spirits, so that the very form of feeling merges with that of the Greek numina which are traces rather than powers, things half-felt and half-imagined. « The immortal songs of the Muses are not that which is heard in the murmuring fountains, » writes

Hegel of the Greek sensibility, « they are the productions of the thoughtfully listening spirit (*sinnig lauschenden Geistes*) —creative while observant. The muse into which the fountain turns is human imagination itself. » And again : « The Greek mind regards Nature as, at first, foreign to it yet not without a presentiment that in it lodges something friendly... Wonder and Presentiment are its fundamental categories, though the Greeks did not take these moods as ends but represented them as a distinct, if still veiled, form of consciousness. » Friederike's comfort lies in a presentiment, an intimation of immortality which absorbs death into a form resembling nymph or naiad—those curiously deft deities who hardly bend that over which they pass.

The spirits that flit through so much poetry of the time are clearly second-class or de-graded (déclassé) deities ; and the manner called poetic diction helped to make them linguistic rather than divine beings. To compare their status to interpretable script is merely to compare one kind of trace or print (vestigium) to another. Both kinds traditionally lament the shadow they are. For Hegel such seeming poverty of being is a characteristic of all thought that has broken with immediacy and passed into the realm of what he calls the « negative. » This realm, however, becomes the very basis of human freedom : it is the aether in wich consciousness expands its hermeneutic powers.

The inherently degraded character of poetic diction is a curious phenomenon. I have no wish to justify neoclassic « godkins or goddesslings » (Coleridge), but the Enlightenment *was* enlightening : it eased certain burdens weighing on the human spirit, and especially the « burden of the mystery. » Those multiplying personifications, at once linguistic and divine, mental and grammatical, hide what Hegel reveals : how dependent we moderns are on reflective forms that have replaced the sublimer forms of religious self-consciousness. Hegel makes us face the omnipresense of consciousness and so, in one sense, increases our burden—but it is no longer the « burden of the mystery. » He does not ask us to shoulder a set of absurdities called history which is mystifyingly explained by another set called religion but the power of thought in all its modes : from the simple break with sensuous immediacy to the abstractions of science. Allow me to quote his famous passage on hermeneutic heroism, that is, on the capacity of the mind to stay with negative data, with forms so abstract or contrary that no one could plead, « Verweile doch, du bist so schön » :

> The spirit gains its true identity only discovering itself in dismemberment. Its power does not come from taking a positive stance that averts its face from everything negative — as when we say of something, this is nonsense, or wrong, and then, finished with it, turn to another matter. The spirit is power only by looking the negative in the face and abiding with it. This abiding (*Verweilen*) is the magic charm (*Zauberkraft*) which converts the negative into Being.

An element of fairy-tale remains in this appeal (however light) to magic metamorphosis. But it must be so if Hegel is truly a humanist. The humanist is concerned with defining the powers of man, with detaching the being called man from a divine or overshadowing matrix. Humanism sees man as a cosmic alien engaged in what ultimately is a form of ideological warfare. « Soldier, there is a war betwen the mind and the sky » (Wallace Stevens). He is asked to bow down : to influences from the sky or nature or the prevailing *Realpolitik*. But his mind is his manhood ; and the concern with influence, now seeing a revival, is a humanistic attempt to save art from those who would eliminate mind in favor of structure or who would sink it into the mechanical operation of the spirit. To save it from both structuralist and spiritualist, in other words. For influence, *in art,* is always personal, seductive, perverse, imposing. « And what am I that I am here ? » Matthew Arnold cries when the shadow of his mentors falls on him[1]. To which the only answer is the creative blasphemy, « I am that I am. »

Georges Poulet too is a humanist, haunted by the divine matrix he evades. He discerns where the objective form of art becomes pseudo-objective, where the spirit breaks through and establishes its « Here I am. » This point, at once human and transcendent (« subjective »), cannot always be formalistically established ; the where in a sense is everywhere ; the point is not punctual. Hence there is a « critique d'identification », and the reader's sense of presence merges with that conveyed by the text. This double act of presence, though different from the sharp presence/absence structure of sublime experience, is perhaps a way of overcoming it. Poulet's conception of the artist's *cogito* also implies double presence and a virtual harmony : the genetic or palingenetic « Here I am » is not taken to be an actual response to some prior call but a moment of co-naissance that links mind and world, or restores their fragile continuity. It is, like the Bible's « in the

1. *Stanzas from the Grande Chartreuse.*

beginning, » a limiting concept. which tells us not to think about what went before. Whatever the nature of our origin, we begin as beings conscious of this power for correspondence, for capable dialogue. The positing of a *cogito*, although it seems to reintroduce a dubious first term or « valeur d'origine», functions really as a narrative or constructivist device which allows the self to remain present—to tell its story. It is also the Archimedean point by which a reader stabilizes his relation to an author or makes the latter's inner world available.

One problem with this view of reading as identification, or as leading to a double, harmonic act of presence (the ideal form of any understanding) is the mode of existence attributed to the text. Can it be more than a go-between ? Are texts all that necessary ? In Poulet's criticism, text does not call unto text, but conscience unto conscience, The eristics of interpretation are its eros ; wo do not gain a new freedom, we gain ourselves once again. There is one story and one story only. Textuality may itself be the one forme of otherness—the only estranging formalism—we should fear. There is, as Paul de Man has pointed out, the danger of a « self-consuming identity in which language is destroyed. [2] » That is, the link between language and temporality, or the genuine inbetweenness (*Zwischenbereich*) of narrative. Must art be forgotten in the unifying kiss of Paolo and Francesca ?

Whatever paradoxes beset the relation of self and literary language (where language is, self is not ; where self is, language is not) the structure of the critical act in Poulet is the structure of sublime experience in a finer mode. His *cogito* is like the counterassertive, humanizing moment that rises out of the vortex of self-forgetfulness. The identification of reader with writer, similarly, is like that dangerous assimilation to a sublime which comes to 18th-century man via the stars, or vast, inhuman nature. The context of the experience is now the act of reading, and the emphasis shifts from the surprized to the methodically recreative mind. But a critic like Charles du Bos (in the exemplary description offered by Poulet) passes through a moment of influence strong enough to be characterized as an invasion : « I begin by letting the thought that invades me... reoriginate within my own mind, as if it were reborn out of my own annihilation. » The sublime still shadows the hermeneutic. We remain in the hermeneutic

---

2. See the essay on Georges Poulet in *Blindness and Insight* (New York, 1971).

turn (from *Geistergeschichte* to *Geistesgeschichte*) initiated by Hegel.

Let me go back, then, to the stars, and to the historical development of the link between humanism and hermeneutics. In Romantic poetry there are two conspicuous and intertwining themes :that of the fallen star, and of the star redeemed. They are not new, but their use in this period is far-reaching. We come so often on the star/flower theme that it seems to be the founding topos of nature-poetry. The gods fall like stars into nature, and this is felt, on the whole, as a lightening as well as lightning. The sky seems now not so heavy ; the earth somewhat more substantial. Yet by this fall the gods do not lose all their potency, for nature-poetry becomes a second heaven, numinous and mythopoetic. In fact, no sooner have they fallen and become astral flowers, than a contrary movement of redemption is felt. To degrade hermeneutically the sublime realm—and the imaginative response to nature even in so simple a poems as Wordsworth's « Daffodils » is related to this descent of the stars—activates an important theme from Romance, the quest of nature spirits for *soul*.

This quest, sometimes benign, mostly demonic, brings « nature-astonishment » closer to home. It shows that the ancient struggle between man and spirit-influences—that is, of man for self-dependence—is continuing in a more intimate way. What do the spirits want ? Always the same : man's fall, his ontic degradation. How does humanism deal with that ? By sending against them the thunderbolt of hermeneutic degradation. The airy struggle persists as a theme in Wallace Stevens' » *L'Esthétique du Mal,* which opens with reminiscences of the sublime in a Vesuvian landscape, reflects on the « capital negation » that destroyed the Satanic spirits for poetry, and ends punningly where it began : among « dark italics. »

One can venture the thought that the—now vanishing—era of philology brought together hermeneutics and the historical sense through this feeling for « dark italics. » Its great scholars, from Vico to Fr. Schlegel, from Nietzsche to Leo Spitzer, were well acquainted with the region of Vesuvius. When it comes to the resuscitation of texts, they are all Neapolitan sorcerers. Perhaps they have raised too many ghosts by now ; burdened us with an infected past ; and not allowed signs to remain signs. Perhaps our freedom is being restricted by a philological magic which turns words into psychic etymologies. Less interested in the sign than in its source or intention, they often destroy its ideality, its character as trace, or respect that trace only as something to be tracked down. But interpretation that reduces words to clues or symptoms is in danger of becoming *nosology* and making us spies, doctors, debunkers, archeologists.

The myth we need as interpreters, and do not have, is that the stars fell into language. They are the « dark italics, » the « fitful-fangled darknesses. » Mallarmé came closest to the myth : for him poetic words are asterisk. The distance between a luminous event and its verbal trace is not the distance of loss or mystery : it is hermeneutic. The hermeneutic degrading allows an inward and human response. We are not confused by the fact that the golden apples of the Hesperides were, as Thoreau notes, goats and sheep « by the ambiguity of the language, » or that the stars bear the names of animals. To be named is to be interpretable ; not to be named is to be lost in flight.

Take, in conclusion, this starry passage—a classical dawn scene—from *Paradise Regained* (Book IV).

> Thus pass'd the night so foul till morning fair
> Came forth with Pilgrim steps in amice gray ;
> Who with her radiant finger still'd the roar
> Of thunder, chas'd the clouds, and laid the winds,
> And grisly Spectres, which the Fiend had rais'd...

« The radiant finger, » says Bishop Hurd [3], « points at the potent wand of the Gothic magician... » A just observation, which recovers the « dark italics » of the image, or its romance etymon. But the image also points at itself, at its power to dispel the night of history. The hypothesis that dawn's finger replaces a sorcerer's wand allows us to glimpse an elided historical era, the « middle » age between Classics and their revival. That indeed was filled with specters and superstitions from which art, according to Milton, had only just emerged. But his image remains unaffected by the dark middle it throws off as lightly as dawn the illusions of the night. It eases the burden of the past by eliding what gothicism there is like a letter no longer voiced, and by reviving with so slight a modification the classical topos « rosy-fingered dawn. » The modifications of the topos are, in short, so small that they appear as displacements in a sign-system rather than dramatic changes in consciousness or history. Great art closes upon itself.

Hegel would have understood this exorcism or « subla-

3. *Letters on Chivalry and Romance* (1762).

tion. » He too shows how mind labors to free itself from impositions : from the stars, from nature, from foreign ideas—above all, from the curse of secondariness. How do the Greeks, for example, transform inherited symbols ? What is the extent of their interpretive freedom ? « Hercules, » Hegel writes, « is that Spiritual Humanity which by its own strength of doing conquers Olympus with the twelve far-famed labors ; but the foreign, underlying idea is the Sun, completing its revolution through the twelve signs of the Zodiac. » All the themes of the *Philosophy of History* are here : the degrading of the stars, the emancipation from foreign models, the increasing humanity and concreteness of symbolic representation, the reflection in the those symbols of history as a self-imposed labor—not a punishment but a quest, the quest for freedom.

I will not try to make Hegel into Milton. To bring such names together is the comparatist's temptation and folly. Yet Hegel shares with Milton a Protestant consciousness which linked freedom to freedom of interpretation—he also shares, more personally, an ambivalence concerning that freedom. Hegel flirted with conflating freedom and necessity ; and whether Milton, in putting Satan down, degraded a star or his own free spirit, is still unclear. We know, however, where Satan's power lies : he denies history, not only as defeat but as a superior claim or influence of any kind. He denies even what Stevens calls *the first idea* : « Who saw/ When this creation was ? remember'st thou/ Thy making... ? » He proclaims himself an unfathered angel : self-begot, self-raised. Yet without a first idea which is not our own, there may be nothing to respond to. There may be no dialogue, let alone dialectic. Culture and tradition would be vain concepts. Literature would die into a present without presence. « Das leblose Einsame [4] » would remain, playing with skulls in the Golgotha of imagination.

Geoffrey H. HARTMAN

4. See the concluding paragraphs of Hegel's *Phenomenology*.

LE THEME DE LA MARCHE INTERROMPUE DANS L'ŒUVRE DE VIGNY

Sans être le premier poème que Vigny ait écrit, *Moïse* fut choisi, dès l'édition de 1829, pour ouvrir le recueil des *Poèmes antiques et modernes.* Pour le lecteur, ce texte marque donc le vrai commencement de l'œuvre. Or, ce qui nous frappe d'emblée si nous considérons ce morceau en tenant compte de sa position initiale dans l'œuvre, c'est que la carrière poétique de Vigny qui s'annonce avec ce poème commence par la description d'une autre carrière touchant à sa fin. Moïse ne nous apparaît ni comme le législateur sévère ni comme le héros triomphant qui libère son peuple du joug égyptien. Vigny nous le montre au contraire comme le plus fatigué des vieillards qui se plaint de sa charge et ne désire plus que la mort. Tout se passe comme si Vigny, au moment même où il prend la parole, tenait à briser l'élan de cette parole et de son mouvement qui vient à peine de commencer. Ce mouvement ne sera jamais un mouvement qui entraîne ou emporte, mais il sera toujours accompagné par la conscience de sa précarité et forcé par cela même de s'interroger sur son propre sens.

Vigny a insisté sur la distance qui sépare son personnage du Moïse des Juifs. « Ce grand nom ne sert que de marque à l'homme de tous les siècles et plus moderne qu'antique : l'homme de génie, las de son éternel veuvage et désespéré de voir sa solitude plus vaste et plus aride à mesure qu'il grandit. Fatigué de sa grandeur, il demande le néant. » Le critique qui cite ce texte se demande « si Vigny n'aurait pas accentué avec le temps la portée symbolique de son poème et si l'homme de génie que Vigny reconnaît en 1838 sous les traits d'un héros apparaît essentiellement comme l'élu malheureux, était déjà présent dans la pensée du poète en

1822[1] ». Il est permis de se demander si le Moïse de Vigny apparaît « essentiellement comme l'élu malheureux ». On ne saurait douter de son élection puisqu'il y insiste lui-même:

> Que vous ai-je donc fait pour être votre élu ?
> J'ai conduit votre peuple où vous avez voulu. (I, 8[2])

L'élu, dans ces vers, n'est autre que l'instrument de la volonté divine. Mais la fonction de Moïse ne peut être limitée à une telle instrumentalité passive. Il importe, au contraire, de lui reconnaître une volonté propre grâce à laquelle il s'affirme comme un être capable de choisir lui-même son chemin. Moïse est « debout devant Dieu », et il lui parle « face à face ». Mais la volonté de Moïse n'est pas une volonté de puissance, car la puissance est justement ce qui lui vient de Dieu. Sa volonté humaine ne peut se manifester que dans le refus de ce qui lui vient de Dieu. Le geste de Moïse est le refus de la charge qui lui a été imposée par Dieu. Celui qui peut tout de par la volonté de Dieu ne peut vouloir qu'en refusant cette puissance même qu'il sait n'être pas la sienne.

> Et j'ai dit dans mon cœur : Que vouloir à présent ? (I, 9)

Question qui trouve sa réponse dans le refrain plusieurs fois répété où s'unissent la puissance et le désir d'en être libéré :

> O Seigneur ! j'ai vécu puissant et solitaire,
> Laissez-moi m'endormir du sommeil de la terre !

Moïse n'exprime donc pas seulement le malheur de l'élu soumis à une volonté étrangère, mais il laisse transparaître en même temps une certaine indépendance qui s'affirme dans le refus.

Cette autonomie relative de l'être humain vis-à-vis de Dieu se confirme si on compare le poème au texte biblique qui lui sert de point de départ. L'ascension du mont Nébo fait suite à un ordre reçu de Dieu qui, du sommet de la montagne, montre à Moïse la Terre Promise et lui annonce qu'il va mourir. « Ascendit ergo Moyses de campestribus Moab super montem Nebo, in verticem Phasga contra Jericho ; ostenditque ei Dominus omnem terram [...] » (Deut. 34, 1). Le poème de Vigny se distingue par plusieurs points

---

1. F. Bartfeld, Vigny, *Moïse*, édition annotée. Archives des Lettres Modernes, n° 83, Paris, Minard, 1967, p. 8.
2. Toutes les références renvoient aux *Œuvres complètes* d'Alfred de Vigny, texte présenté et commenté par F. Baldensperger, Bibliothèque de la Pléiade, Paris, 1950.

du texte de la Bible. Ainsi semble-t-il que Moïse lui-même ait choisi de gravir la montagne pour se plaindre devant Dieu. Mais fixons notre attention sur un autre détail du texte. Dans la Bible c'est Dieu qui du haut du mont Nébo montre à Moïse l'étendue de la Terre Promise. Le Moïse de Vigny par contre n'attend pas d'avoir atteint le sommet pour jouir de la vue ; il s'arrête à mi-chemin pour jeter un regard en arrière.

Moïse, l'homme de Dieu, s'arrête, et, sans orgueil,
Sur le vaste horizon promène un long coup d'œil. (I, 7)

C'est seulement après avoir parcouru du regard toutes les régions dont le poème en suivant le texte biblique énumère les noms qu'il continue sa marche :

Puis vers le haut du mont il reprend son chemin. (I, 7)

Que signifie ce changement ? Le regard du Moïse biblique est dominé et dirigé par Dieu qui fait voir. A ce regard dominé Vigny oppose le regard libre de l'homme. L'élu n'est pas libre, il voit avec les yeux de Dieu. Cela vaut aussi pour le personnage de Vigny, dans la mesure où il est l'élu de Dieu :

Et vous m'avez prêté la force de vos yeux. (I,9)

Mais Moïse refuse justement d'emprunter la force d'autrui. Celui qui se retourne pour regarder, c'est vraiment lui, voulant voir. Toutefois, il faut se garder de méconnaître Moïse en le prenant pour un rebelle qui refuserait de se soumettre à la puissance divine pour se l'attribuer à lui-même. Le regard de Moïse est « sans orgueil », dans la mesure où la volonté qui s'affirme ici n'est pas une volonté de puissance, mais le refus d'assumer la puissance dont Dieu a choisi de le revêtir. Moïse qui se retourne n'est pas un révolté ; son geste signifie le détachement, la distance qu'il met entre lui-même et la mission que Dieu lui a imposée. Le moment de l'arrêt est le moment de la prise de conscience grâce à laquelle l'homme se situe à l'intérieur d'un mouvement qui est son destin parce qu'il lui est imposé du dehors. Dans la mesure où il permet la compréhension du mouvement même qu'il interrompt, ce moment devient d'une importance capitale pour l'homme de Vigny. Comme nous le verrons, le schéma *marcher — s'arrêter — marcher* désigne la structure fondamentale du mouvement chez Vigny. La marche interrompue de Moïse est un modèle qui restera valable à travers l'œuvre entière du poète.

Pour mieux comprendre ce mouvement, on peut commencer par le considérer d'un point de vue général. Toute marche se dirige vers un but. Celui qui marche veut atteindre ce but. Celui, au contraire, qui se retourne pour regarder en arrière se détache du but pour revenir à ce qui est derrière lui. Le regard en arrière est donc tout d'abord un regard vers le passé. Mais pour Vigny le souvenir n'est pas un port tranquille dans lequel l'âme se repose. Le passé apparaît plutôt comme une tentation dont le pouvoir fascinant menace de mort l'être en mouvement. Le mythe du regard coupable vers le passé, c'est l'histoire de la femme de Loth que Vigny reprend dans *La femme adultère*. La femme de Loth reste attachée au lieu de son enfance dont Dieu lui ordonne de se séparer. La fascination du passé est ce qui paralyse le mouvement. Le passé a un tel poids qu'il supprime l'avenir. Dans le cas de la femme adultère que Vigny compare à la femme de Loth, ce n'est pas le regard comme tel qui est coupable, mais le passé vers lequel il se dirige. L'épouse infidèle se fige dans la conscience du mal qu'elle a fait. Elle reste liée à son péché par le remords qui brise l'élan de son mouvement vital.

Dans le mythe de la femme de Loth on reconnaît le modèle de Moïse. Toutefois l'interruption du mouvement a ici un caractère catastrophique qui empêche la reprise de la marche. Pour que celle-ci reprenne il faudrait pouvoir se détacher du passé. La fascination tue. Celui qui reste fixé sur le passé est coupable ; il brave la « céleste défense » (I, 47).

Si le regard en arrière peut être coupable, le regard en avant ne l'est pas moins. Celui qui ne voit que le but qui est devant lui et qui marche sans s'arrêter risque de perdre le contrôle de son propre mouvement. Tel est le cas de Napoléon qui dans *Servitude et grandeur militaires* avoue son incapacité de s'interrompre. « La vie est trop courte pour s'arrêter » (II, 635). Dans la mesure même où Napoléon refuse de réfléchir et d'interpréter son mouvement, ce mouvement lui échappe : « Moi, il faut que j'aille et que je fasse aller. Si je sais où, je veux être pendu, par exemple » (II, 634). Le mouvement qui ne s'arrête pas de temps en temps est un mouvement incontrôlé qui finit lui-même par nous dominer. Rien de plus contraire au tempérament de Vigny que d'aller droit au but. Le chemin direct est le chemin du mal. L'invention la plus diabolique du siècle est le chemin de fer, le « taureau de fer » sur lequel « l'homme a monté trop tôt » puisqu'il s'y abandonne à une force qui l'entraîne sans lui laisser le pouvoir de la dominer. Il faudrait citer ici tout le passage de *La maison du berger* (I, 125-126) dans lequel Vigny exprime sa haine contre « ces chemins » dont le

> ... voyage est sans grâces
> Puisqu'il est aussi prompt, sur ses lignes de fer,
> Que la flèche lancée à travers les espaces
> Qui va de l'arc au but en faisant siffler l'air.

Mais il faut surtout voir ce qui s'oppose à la rigidité inflexible de la voie ferrée et ce qui est menacé par elle :

> Adieu, voyages lents, bruits lointains qu'on écoute,
> Le rire du passant, les retards de l'essieu,
> Les détours imprévus des pentes variées,
> Un ami rencontré, les heures oubliées,
> L'espoir d'arriver tard dans un sauvage lieu.

Etymologiquement liée au détour, à la « divagation », la rêverie devient pour Vigny le mouvement libre de la pensée qui s'affranchit de la contrainte et se quitte pour revenir à soi, toujours jouissant de sa propre démarche et de sa relation harmonique avec tout ce qu'elle rencontre :

> Jamais la rêverie amoureuse et paisible
> N'y verra sans horreur son pied blanc attaché ;
> Car il faut que ses yeux sur chaque objet visible
> Versent un long regard, comme un fleuve épanché,
> Qu'elle interroge tout avec inquiétude,
> Et, des secrets divins se faisant une étude,
> Marche, s'arrête et marche avec le col penché.

Comme on vient de le voir, la marche contrôlée et méditative dont la strophe sur la rêverie décrit les caractéristiques est exposée à une double menace. D'une part elle risque d'être arrêtée définitivement à cause de la fascination que pour différentes raisons le passé peut exercer sur le marcheur qui se retourne. D'autre part une trop grande hâte peut aboutir à un état dans lequel on se voit privé des moyens nécessaires au contrôle de son mouvement ; on est emporté sans savoir où l'on va. Entre l'immobilité et la précipitation, il y a la progression circonspecte de celui qui ne refuse pas de s'abandonner au mouvement mais qui garde toujours le pouvoir de se ressaisir. Entre la statue de sel et Napoléon, il y a Moïse et tous les autres personnages dont Vigny approuve et adopte la façon de procéder. L'homme qui s'arrête pour s'examiner, qui est pris d'un doute soudain et dont l'hésitation ralentit la marche, ne verra jamais Vigny lui refuser sa sympathie. Lorsque Vigny écrit qu' « ici on voit Chatterton sortir de sa chambre et descendre lentement l'escalier », qu' « il s'arrête et regarde le vieillard et l'enfant » (I, 784), une telle indication scénique n'est pas sans importance, car elle sert à qualifier Chatterton dès sa première entrée en scène comme le héros auquel Vigny confie le plus profond de son expérience.

Eloa est l'histoire de l'hésitation devant la séduction. Dans des termes à la fois spatiaux et moraux, c'est l'opposition entre la montée et la chute. On retrouve ici le mouvement hésitant de l'âme indécise, mais cette fois transposé dans la verticale :

> Déjà presque soumise au joug de l'Esprit sombre,
> Elle descend, remonte et redescend dans l'ombre. (I, 24)

Si l'état de suspension d'Eloa est l'hésitation entre le bien et le mal, l'hésitation comme telle est néanmoins un bien, car c'est à partir de la conscience d'une pluralité de possibilités que l'homme pourra choisir un chemin dont la responsabilité lui incombe. Satan, l'ange déchu qui « ne peut plus remonter » (I, 28), n'a plus de choix à faire. Il est figé dans le mal. Le doute, pour lui, n'est qu'une faiblesse qui menace sa puissance.

> Retrouvant cet esprit qui ne fléchit jamais,
> Ce noir esprit du mal qu'irrite l'innocence,
> Il rougit d'avoir pu douter de sa puissance. (I, 19)

Dans la mesure où l'esprit du mal retrouve sa fermeté, celle d'Eloa est ébranlée. Après avoir déjà repris le chemin du ciel (« Il la vit prête à fuir vers les Cieux de lumière »), elle se retourne encore une fois en voyant pleurer Satan (« La Vierge dans le Ciel n'avait pas vu de larmes / Et s'arrête »), pour succomber cette fois au charme du séducteur.

Ainsi, l'alternative du mal au niveau humain n'est pas le bien, à jamais inaccessible, mais le doute. L'homme qui atteint le plus haut degré d'humanité, ce n'est pas l'homme bon, mais l'homme qui doute. Cela vaut surtout pour l'homme qu'est le Christ. Voici comment Vigny raconte la vie de Jésus au début d'*Eloa* :

> Avec sa suite obscure et comme lui bannie,
> Jésus avait quitté les murs de Béthanie ;
> A travers la campagne il fuyait d'un pas lent,
> Quelquefois s'arrêtait, priant et consolant,
> Assis au bord d'un champ le prenait pour symbole,

Ou du Samaritain disait la parabole,
La brebis égarée, ou le mauvais pasteur,
Ou le sépulcre blanc pareil à l'imposteur ;
Et de là poursuivant sa paisible conquête,
[...] (I, 10-11)

La marche de Jésus telle qu'elle est décrite dans ce texte, est une reprise parfaite de la marche interrompue de Moïse. Il faut avouer que dans les deux cas le doute ne semble pas jouer un rôle prépondérant, ce qui nous avertit que le moment de l'arrêt interrompant le mouvement est plus complexe qu'il ne paraît l'être à première vue. D'autre part, *Le mont des oliviers* démontre avec une insistance remarquable que le Christ est pour Vigny essentiellement l'homme du doute. Toute la première partie du poème est consacrée à la description de la marche de Jésus : « Jésus marchait seul... Jésus marche à grands pas... Il s'arrête... Il se lève étonné, marche encore à grands pas... Il recule, il descend... Le Fils de l'Homme alors remonte lentement » (I, 152-153). Remarquons que Vigny suit ici de très près le texte des Evangiles et que les mouvements du Christ ne sont pas de son invention. Loin de mettre en question notre argumentation, une telle constatation peut expliquer pourquoi Vigny a choisi ce sujet qui répondait admirablement à ses besoins. En devenant homme, Dieu lui-même s'expose au doute et à l'incertitude. Le propre de l'homme est cette incertitude dont le Christ lui-même ne saurait se libérer. Dans le cadre du symbolisme de la marche, l'incertitude peut être définie comme l'ignorance de l'origine et de la fin :

Tout sera révélé dès que l'homme saura
De quels lieux il arrive et dans quels il ira. (I, 156)

La tâche du Dieu serait de donner la certitude. Le Christ de Vigny est conscient de son échec qui se manifeste dans la survivance du doute. En tant qu'il est lui-même sujet à l'hésitation humaine, son pied ne laissera pas sur la terre la « trace profonde » que pourrait y graver l'assurance de celui qui aurait « la Certitude heureuse et l'Espoir confiant » (I, 154). La marche de Jésus est le mouvement incertain que le début du poème décrit.

Ces exemples aident à souligner l'importance que Vigny attribue à la marche hésitante, mais ils ne suffisent pas encore pour éclaircir la valeur de l'instant du doute lui-même. L'hésitation présuppose la possibilité d'un choix entre plusieurs choses, qui ne sont pas nécessairement d'ordre moral. Ainsi, dans le cas de Moïse on ne saurait prétendre qu'il interrompt sa marche parce qu'il doit choisir entre un bien et un mal. Plutôt, nous avons été amenés à poser le problème en des termes de temporalité, disant que celui qui se retourne regarde vers le passé, tandis que celui qui marche est tendu vers le but qu'il poursuit. Essayons de préciser ces rapports temporels en reprenant *Moïse.* Quand celui-ci se retourne, il regarde un monde qui n'est plus le sien, car il est en train de le quitter. C'est le monde où il a accompli sa mission et qui est un monde passé auquel il voudrait échapper. Mais tout en regardant en arrière, Moïse n'est pas absorbé par le passé. Le pays qui s'étend à ses pieds n'est pas seulement celui qu'il a parcouru, mais encore celui vers lequel il a conduit son peuple et où il n'a pas encore été. Moïse ne regarde donc pas seulement un passé mais aussi un avenir. Pourtant cet avenir ne lui est point donné comme ce qui sera, mais comme ce qui, pour lui, ne sera pas :

> Il voit tout Chanaan et la terre promise,
> Où sa tombe, il le sait, ne sera point admise. (I, 7)

Ainsi le moment de l'arrêt apparaît comme un instant d'une extraordinaire plénitude temporelle, plénitude qui est aussi un vide, car elle est accompagnée de la conscience que tout ce qui est présent à l'esprit ne l'est qu'absent et parce qu'il est absent. Moïse prend possession du monde dans la mesure même où il s'en sépare et y renonce.

Le moment de l'arrêt est donc un moment qui réunit le passé et l'avenir dans une présence simultanée, mais il n'accorde cette présence qu'en tant qu'il est lui-même l'instant du détachement de ce qu'il présente. Dans un fragment de 1826, Vigny décrit une âme prête à quitter le monde pour aller retrouver Dieu. Ici encore, tout se concentre dans un instant d'hésitation :

> O mon Dieu, je succombe,
> Laisse-moi m'arrêter.
> Je m'arrête pour me plaindre
> De ce monde d'où je sors. (I, 247)

De même que Moïse, l'âme devant Dieu voit se condenser en un seul instant le passé et l'avenir, et comme dans le cas de Moïse, cet instant est celui de la séparation du monde déjà en train de s'éteindre.

L'acte de se séparer du monde n'est pas nécessairement la mort. Celle-ci n'est que la représentation symbolique de l'acte par lequel l'esprit se sépare de ce qui l'occupe pour s'occuper de lui-même. Ainsi, *Une âme devant Dieu* se présente comme un rêve, c'est-à-dire comme une expérience au cours de laquelle l'âme se sépare du monde pour un certain temps, mais sans perdre la possibilité d'y revenir. D'une manière générale, on peut comprendre le moment de l'arrêt qui interrompt la marche comme l'acte de l'esprit qui établit une distance entre lui-même et ce vers quoi il se dirige, pour se saisir en tant que capacité de comprendre son propre mouvement. L'instant dans lequel je renonce au mouvement, à l'activité, m'élève au-dessus de lui en me révélant la totalité du chemin en une présence simultanée du passé et de l'avenir. Mais la vue compréhensive que la distance procure est elle-même la condition de mon mouvement, car elle me permet de le dominer et de le diriger. Celui qui se limiterait à la pure activité serait incapable de contrôler son mouvement. Il serait toujours tout entier dans le moment présent sans savoir où il va. C'est le cas de Napoléon. Dans un texte du *Journal,* Vigny compare l'âme active à « une bulle de savon toujours emportée par le vent et coloriée par les objets qu'elle rencontre » et lui oppose « l'âme contemplative » qui « est attentive à la fois aux trois points de l'existence, le passé, le présent et l'avenir » (II, 1035).

On peut essayer à présent de décrire un mouvement qui réunirait en lui tous les traits que l'analyse des textes cités a rendu visibles. Un tel mouvement ne serait pas prisonnier d'un parcours préconçu et fixe, il garderait au contraire la liberté du détour et du changement. Mais ce manque apparent de rigueur ne signifie pas que la direction du mouvement est déterminée du dehors. Il ne s'agit pas de s'abandonner au gré du vent comme la bulle de savon. Le mouvement reste toujours contrôlé dans la mesure où chaque instant contient la possibilité d'une vue panoramique qui embrasse non seulement ce qui est, mais aussi ce qui a été et ce qui sera. S'il se laisse aller pour un temps, l'homme en mouvement revient bientôt à lui-même. Il s'arrête pour se retrouver et pour pouvoir s'élancer de nouveau. Celui qui procède ainsi ne se meut pas uniquement pour obtenir quelque chose. Sa marche n'est donc pas exclusivement instrumentale. Il s'intéresse au contraire à son mouvement comme tel. Il lui importe que la progression s'accomplisse de telle façon qu'il puisse la suivre pas à pas et s'y intégrer. Ainsi le mouvement devient plus important que ce vers quoi il se dirige. Le but le cède au chemin qu'on parcourt pour y arriver. Un mouvement dont le sens est son propre accomplissement est un mouvement rythmique. Vigny le caractérise dans un poème qu'il consacre à la danse :

La harpe tremble encore et la flûte soupire,
Car la Valse bondit dans son sphérique empire ;
Des couples passagers éblouissent les yeux,
Volent entrelacés en cercle gracieux,
Suspendent des repos balancés en mesure,
Aux reflets d'une glace admirent leur parure,
Repartent ; [...] (I, 88)

Dans la danse il faut que chaque pas ait lieu en vue de la figure qui doit s'accomplir. Le danseur est donc pris dans un mouvement qu'il ne cesse pourtant pas de dominer. La danse est un mouvement qui entraîne, mais c'est aussi un mouvement voulu. Les danseurs, tout en s'abandonnant à l'entrain musical, ne se perdent pas, mais ne cessent de se situer par rapport à ce qui les entoure. Ils sont toujours conscients de l'événement social qu'est le bal, surtout quand ils s'arrêtent entre deux figures pour se regarder dans un miroir. Le moment bref du repos avant de repartir permet au danseur de se voir danser. Le regard dans le miroir le révèle à lui-même en tant que danseur qui est soi en accomplissant le mouvement de la danse. De plus la danse n'est pas liée à un but. C'est une façon de se mouvoir qui permet de se déplacer sans jamais perdre la possibilité de « revenir sur ses pas » :

Ensemble, à pas légers, traversez la carrière ;
Que votre main touche une heureuse main,
Et que vos pieds savants à leur place première
Reviennent, balancés dans leur double chemin. (I, 89)

Si la danse est pour Vigny, comme d'ailleurs pour bien d'autres poètes, un mouvement privilégié, cela tient au fait qu'elle n'est pas sans rappeler cet autre mouvement qu'est le discours poétique se déroulant lui aussi sans jamais se perdre et en restant présent à lui-même. Au niveau du langage, on ne saurait imaginer de plus parfaite réalisation de ce mouvement idéal qu'un discours versifié. Le poème est un discours qui s'arrête après chaque vers, et la rime qui marque le moment de l'arrêt jette toujours un regard en arrière ou en avant. C'est un discours qui marche, s'arrête et marche encore pour revenir incessamment à lui-même et se retrouver en tant que discours. Il y a des passages dans l'œuvre de Vigny où à la marche interrompue correspond un message dont le mouvement obéit à la même loi. On pensera à Charlemagne qui dans *Le cor* marche, suspend sa marche, la poursuit pour retourner enfin définitivement en arrière après avoir entendu le cor de Roland, dont le son prédit ou imite les manœuvres de l'armée impériale. Un autre exemple se trouve à la fin d'*Héléna* où Mora, après la mort d'Héléna, ne sait pas s'il doit s'en plaindre ou s'en féliciter. Le monologue qui exprime ce doute tragique est introduit par les vers suivants :

> [...] l'on entendait des pas,
> Le pas d'un homme seul sous la voûte sonore :
> Il marchait, s'arrêtait, et puis marchait encore.
> Et l'écho des degrés, en bruits sourds et confus,
> Leur renvoya ces mots vingt fois interrompus : (I, 235)

Ici encore, il y a une correspondance parfaite entre la marche de celui qui parle et celle du langage lui-même.

Dans les exemples cités, la correspondance entre le mouvement que le langage décrit et le langage lui-même est thématisée. Mais elle joue peut-être mieux et davantage là où elle n'est pas dite, mais se fait jour à travers le mouvement du poème lui-même. Le schéma *marcher — s'arrêter — marcher* devient alors le modèle pour la structure de l'œuvre. Ce fait ne surprend pas si l'on considère que le mouvement le plus important pour le poète est celui du langage qui se déroule dans le temps pour constituer le poème. Ainsi l'énoncé devient dans le poème de Vigny l'image de l'énonciation. En reprenant *Le bal* sous cet angle on constate que le mouvement de danse n'est pas seulement présent dans la description explicite que le poème en fournit, mais qu'il se retrouve à d'autres niveaux. La description que Vigny donne des jeunes filles qui, le lendemain de la fête, s'en souviennent, est particulièrement intéressante à ce sujet :

> Demain, sous l'humble habit du jour laborieux,
> Un livre, sans plaisir, fatiguera vos yeux ;
> Ils chercheront en vain, sur la feuille indocile,
> De ses simples discours le sens clair et facile ;
> Loin du papier noirci votre esprit égaré,
> Partant, seul et léger, vers le bal adoré,
> Laissera de vos yeux l'indécise prunelle
> Recommencer vingt fois une page éternelle. (I, 88)

Les signes imprimés du livre représentent ici l'écoulement continu d'une parole qui exigerait la participation attentive de la lectrice. Mais celle-ci, au lieu de se laisser conduire par sa lecture, se laisse distraire à chaque instant par le souvenir du bal, de sorte qu'elle est obligée de reprendre le texte toujours au même endroit. Le jeu qui s'établit entre la lecture et le souvenir crée un mouvement qui semble imiter la danse, objet du souvenir. La progression continue que serait la lecture est empêchée par la force d'attraction du passé, à laquelle la pensée cède en s'écartant de son chemin et en échangeant son objet actuel contre le souvenir de la valse d'hier. Après l'échappée dans le passé, la reprise de la lecture marque le retour au présent. Au lieu d'une évolution et d'un déplacement, on trouve donc ici un mouvement qui revient toujours à son point de départ, obligé de toujours recommencer sans jamais aboutir.

Mais il est possible d'aller plus loin. Le mouvement de la danse ne réapparaît pas seulement dans les jeux de la mémoire, il caractérise encore le mouvement du poème lui-même. Les vers à rimes plates sont interrompus par trois fois, un quatrain de structure différente s'intercalant entre des passages narratifs. Chaque fois le mouvement reprend avec le mot *Dansez*. Ici encore on retrouve donc l'évolution circulaire de la valse.

Comment faut-il comprendre cette insistance sur la circularité du mouvement à tous les niveaux ? On peut penser que la répétition a pour fin de suspendre le vol du temps. En revenant toujours au même endroit et en répétant toujours les mêmes actes, on peut se bercer dans l'illusion d'une permanence qui ne serait pas menacée de désintégration comme tout ce qui est soumis au temps. Le poème formule clairement l'idée que tant que dure la danse, la vie s'arrête. Le bal est présenté comme le moment d'arrêt qui interrompt le mouvement de la vie ordinaire :

> Dansez ; un soir encore usez de votre vie :
> L'étincelante nuit d'un long jour est suivie. (I, 89)

Mais cette interruption apparente de la vie ne saurait empêcher que la circularité répétitive de la danse, ainsi que du poème, ne soit elle-même un déroulement temporel. La répétition n'abolit pas le temps irréversible, elle n'est qu'une manière de le remplir. Au niveau du langage, cela signifie que le poème, bien qu'il soit construit de façon à répéter les mêmes formes et les mêmes mots, se développe dans le temps. Seulement, le langage du poème ne procède pas en ligne droite, mais il est hanté par le souvenir de son propre passé qui le fait revenir sur lui-même et l'oblige à progresser en se répétant.

Des observations analogues s'imposent à propos de *Moïse*. L'interruption de la marche ne caractérise pas seulement la démarche de Moïse. L'ascension du mont Nébo, prise comme un tout, est elle-même un moment d'arrêt qui suspend la marche des Juifs vers la Terre Promise. Le poème commence avec le soleil jetant ses derniers rayons sur les tentes, et il finit avec la reprise de la marche sous la direction de Josué. Entre l'arrivée et le départ il y a l'attente du peuple. C'est la marche interrompue d'Israël qui détermine la structure tripartite du poème. C'est l'arrêt de son peuple qui permet à Moïse de s'isoler dans sa parole. Car ce qui constitue la partie centrale du poème, c'est moins la description du peuple qui attend le retour de son chef que le discours de Moïse devant Dieu. Or, ce monologue central n'est pas un phénomène isolé. On retrouve exactement la même structure dans *Le mont des oliviers* où Vigny a numéroté les trois parties du poème. Comme dans *Moïse,* la première dépeint le mouvement du héros, l'hésitation du Christ devant le silence de la divinité. La troisième partie donne la suite de l'action qui se termine avec l'arrestation du Christ. Dans la section centrale, le mouvement de l'histoire est suspendu ; ce qui l'interrompt, c'est le monologue de Jésus. On se souvient ici du début d'*Eloa,* où le Christ interrompt sa marche pour dire ses paraboles. La parole se situe donc au moment de l'arrêt qui sépare les deux phases d'une activité. On s'arrête pour parler. La parole est ce qui suspend l'activité. Parler, comme danser, est un mouvement qui, tout en ayant lieu dans le temps, se situe en dehors du déroulement ordinaire de la vie. Après la parole, le mouvement reprend là où il s'était arrêté pour permettre le surgissement de la parole. Tout se passe comme si rien n'avait eu lieu.

Pour mieux comprendre le rôle de cette parole, on peut commencer par élargir l'horizon. On a vu que le poème de Vigny ne se borne pas à parler de la marche interrompue, mais qu'il est lui-même le mouvement d'une parole qui suspend sa marche pour donner lieu à une autre parole qu'elle laisse se manifester à l'intérieur d'elle-même. Cette construction en abyme qui peut surprendre dans un poème, est tout à fait commun dans des œuvres narratives. Tous les récits de Vigny sont des récits encadrés : une histoire est raconté à un moment fixé par une autre histoire. Le récit encadré interrompt le mouvement de l'histoire qui constitue le cadre. Un tel ordre narratif n'a rien d'original, mais on comprend combien il doit satisfaire Vigny dont il représente parfaitement la démarche fondamentale. Pour nous rendre compte de l'importance du récit encadré chez Vigny, choisissons l'exemple du livre deuxième de *Servitude et grandeur militaires.* Le titre global de la nouvelle est *La veillée de Vincennes.* La veillée sert au narrateur à écouter le récit qu'un vieux soldat lui fait de sa vie ; cette *Histoire de l'adjudant* interrompt l'action encadrante. Or, à un certain endroit de son récit le soldat se met à réfléchir sur sa propre façon de raconter qu'il oppose à celle qu'on trouve « dans les livres » :

> Si je savais faire des surprises, mon lieutenant, comme on en fait dans les livres, et faire attendre la fin d'une histoire en tenant la dragée haute aux auditeurs, et puis la faire goûter du bout des lèvres, et puis la relever, et puis la donner tout entière à manger, je trouverais une manière nouvelle de vous dire la suite de ceci ; mais je vais de fil en aiguille, tout simplement comme a été ma vie de jour en jour, et je vous dirai que [...] (II, 591)

Dans ce texte le narrateur du récit qui constitue la partie centrale de la nouvelle essaie de caractériser sa propre narration. Ce qui semble surtout la distinguer, c'est l'absence de tout artifice. Le récit se présente comme un mouvement linéaire et simple dont la continuité ne dépend nullement du talent de celui qui raconte, mais tout simplement de la suite des événements racontés tels qu'ils se sont succédés dans la réalité que la parole du conteur tâche de reproduire. Le récit n'est autre que la représentation fidèle d'un passé tel qu'il a été ; il raconte « de fil en aiguille » ce qui s'est passé « de jour en jour ».

Le ton général du texte implique qu'une telle façon de raconter n'est pas littéraire. Le récit littéraire n'est pas direct ni naturel comme celui de l'adjudant, mais réfléchi et artificiel. La littérature n'obéit pas aux faits, elle les arrange. Le récit n'est plus déterminé par des faits dont l'ordre est donné avant le récit et sans en dépendre, mais il utilise les faits pour créer une tension et pour mettre en valeur son propre mouvement de récit qui se reconnaît distinct de tout autre mouvement. Le récit littéraire ne se soumet donc pas à un ordre préétabli mais il crée son ordre à lui. Cela n'est possible que grâce à l'attention que le récit dirige sur lui-même. Il n'est plus absorbé par ce qu'il raconte, le langage ne s'oublie plus dans ce qu'il dit, mais il se replie sur lui-même pour se voir procéder et pour pouvoir contrôler son mouvement.

Si le narrateur dans notre texte prétend ne pas raconter comme on le fait dans les livres, faut-il en conclure que pour Vigny son récit n'est pas littéraire ? Pour répondre à cette question il suffirait de dire que le narrateur qui établit la distinction entre les deux façons de raconter, ne peut le faire que dans la mesure où il a conscience de la différence, et que la différence ne s'impose qu'au moment où raconter est déjà devenu un problème. Admettons toutefois que l'adjudant ne soit pas mystifié quant au statut de sa propre parole, et qu'il soit possible de maintenir la distinction entre un récit naïf et un récit réfléchi. Cette distinction peut alors servir pour décrire la différence entre l'*Histoire de l'adjudant et La veillée de Vincennes*. Le récit de l'adjudant, s'il est un mouvement uni et continu, est lui-même, pris dans sa totalité, l'interruption d'un autre récit. Le récit global est donc plus complexe que l'histoire du soldat qui en est le moment d'arrêt. Mais on peut aller plus loin et montrer que le récit global correspond de la façon la plus précise à la description que l'adjudant donne du récit littéraire. L'action du cadre est très simple. Elle commence par la présentation de l'adjudant examinant scrupuleusement les explosifs dont il est responsable, et elle se termine par l'explosion de la poudrière. Entre le début et la fin, il y a l'histoire de l'adjudant. Elle est ce qui fait « attendre la fin de l'histoire en tenant la dragée haute aux auditeurs ». Elle retarde la fin en se situant dans la tension qui lie les deux parties de l'action encadrante. Dans l'économie du récit global, l'histoire de l'adjudant est l'attente de l'explosion. On voit qu'ici les faits ne sont pas simplement racontés tels qu'ils se présentent. Vigny prend soin de créer une tension qui n'éclate qu'à la fin.

On constate donc que le récit naïf fait partie d'un autre récit, beaucoup plus complexe et artificiel. Si cela est vrai, on ne peut pas isoler le récit encadré, mais il faut le lire dans le contexte dans lequel il apparaît. Le récit « littéraire » est *La veillée de Vincennes*. Le récit du soldat ne devient littérature que dans le cadre qui le situe. Ceci peut être vérifié par un examen des rapports qui existent entre les deux récits et qui sont plutôt dissonnants qu'harmoniques. L'*Histoire de l'adjudant* porte les traits d'une idylle ou d'un conte de fée. De la part des deux enfants qui s'aiment, il y a une confiance illimitée dans le pouvoir et l'amitié de la reine, confiance pleinement justifiée par la bonté royale qui assure le bonheur des amants. Or, le cadre est la mise en question de ce conte idyllique. On y retrouve le pouvoir royal tout à la fin où Louis XVIII visite le château de Vincennes après l'explosion de la poudrière, distribue quelques rouleaux d'or et s'en va sans s'occuper de la famille de l'adjudant mort, ce qui donne lieu à la remarque finale qu' « en général, quand les princes passent quelque part, ils passent trop vite » (II, 605). La reine du premier récit est au roi du second ce qu'un rêve consolant est à la réalité décevante. Le cadre est presque la négation de l'image qu'il encadre. Il démasque le récit de l'adjudant comme une fiction, ce qui ne veut pas dire que l'adjudant ment mais que ce qu'il raconte n'existe qu'au niveau du langage où demeure encore ce qui n'est plus (par exemple la vie idyllique et regrettée de l'ancien régime). Dans la mesure où les deux récits se contredisent, le conte n'est pas déterminé par ce qu'il raconte. La contradiction n'est possible que s'il y a une distance entre ce qui est dit et celui qui parle. En écrivant *La veillée de Vincennes* Vigny ne s'abandonne pas aux faits qui constituent l'*Histoire de l'adjudant*, mais il a simultanément conscience des faits opposés qui forment le cadre. Cette présence double et contradictoire empêche qu'on s'identifie avec l'un ou l'autre des deux récits. Le récit reste toujours séparé de ce qu'il raconte. A travers la distance il se saisit lui-même en tant que l'acte de raconter. Pour que le récit puisse prendre conscience de lui-même, il faut donc qu'il se sache différent de son contenu. Cette différence se manifeste dans l'acte par lequel le récit se nie lui-même au niveau du narré pour s'affirmer comme narration. Dans l'acte de nier ce qu'il dit, le récit se reconnaît comme langage.

La relation ambiguë qui existe entre celui qui représente, la représentation et ce qui est représenté, est elle-même représentée à la fin de la nouvelle. Le corps de l'adjudant a été lancé sur le mur de l'église, « et la poudre dont ce buste effroyable était imprégnée avait gravé sa forme en traits durables sur la muraille au pied de laquelle il retomba » (II, 604). Et Vigny, « moitié par une curiosité invincible, moitié par bravade d'officier », se met à dessiner ce qui reste du cadavre. On retrouve ici la double représentation qui caractérise le récit encadré. Celui qui se représente lui-même, soit dans l'histoire de sa vie, soit dans la silhouette sur le mur de l'église, devient à son tour l'objet de la représentation d'un autre. Mais ce texte fournit en outre une description particulièrement précise du rapport ambigu qui lie le dessinateur à son objet. D'une part, il s'en sent attiré, il s'y intéresse, il est curieux ; d'autre part, et simultanément, il s'en détache, il refuse de s'abandonner à son émotion. L'acte de dessiner implique donc à la fois un rapprochement et une séparation. Mais il est surtout, pour Vigny, la possibilité de maintenir la distance et de rester maître de la situation. Cette maîtrise est menacée par la pitié que le dessinateur supprime :

> Les choses se passent ainsi dans une société d'où la sensibilité est retranchée. C'est un des côtés mauvais du métier des armes que cet excès de force où l'on prétend toujours guinder son caractère. On s'exerce à durcir son cœur, on se cache de la pitié, de peur qu'elle ne ressemble à la faiblesse ; on se fait effort pour dissimuler le sentiment divin de la compassion, sans songer qu'à force d'enfermer un bon sentiment on étouffe le prisonnier. (II, 604)

La pitié est selon Rousseau la seule passion naturelle,

c'est-à-dire précédant la réflexion. En essayant de l'étouffer, Vigny reste donc fidèle à l'anti-rousseauisme de *La sauvage* et en même temps révèle la réflexion comme ce qui est à la base de l'acte de dessiner en créant la distance qui rend possible la représentation. Le dessinateur apprend à dominer l'objet mais seulement en le reléguant dans une distance qui en empêche l'accès. Le dessin conserve l'objet et le rend disponible, mais seulement en tant qu'image ou histoire. Le dessin conserve en niant. Il est essentiellement différent de ce qu'il représente. Ce qui l'en sépare aux yeux de Vigny, c'est qu'il n'a été possible que dans la mesure où le rapport humain et spontané a été remplacé par une relation qui est consciente de la distance de l'objet. Le sacrifice de l'élan naturel peut être à l'origine d'un remords, mais il a aussi permis l'image et l'histoire que nous lisons :

> Je me sentis en ce moment très haïssable. Mon jeune cœur était gonflé du chagrin de cette mort, et je continuai pourtant avec une tranquillité obstinée le dessin que j'ai conservé, et qui tantôt m'a donné des remords de l'avoir fait, tantôt m'a rappelé le récit que je viens d'écrire et la vie modeste de ce brave soldat.

Si la parole littéraire parle à partir de sa différence à l'égard de ce qu'elle dit, elle n'arrive jamais aux choses. C'est une parole qui ne rejoint jamais ce dont elle parle. Son destin est celui de Moïse auquel Dieu montre la Terre Promise tout en lui en interdisant l'accès. On peut se demander quel est le sens d'une parole qui parle en se rendant compte qu'elle n'atteindra jamais ce vers quoi elle s'achemine. On peut poser cette question en reprenant encore une fois quelques-uns des textes qui ont servi de base à cette étude. Dans bien des cas, les personnages de Vigny semblent arriver au but qu'ils se sont fixé. Pour Moïse comme pour l'âme dans *Une âme devant Dieu,* ce but est Dieu, et tous les deux paraissent l'atteindre. Mais il y a aussi le Christ du *Mont des oliviers* dont l'expérience nous force à mettre en doute l'existence de Dieu. Le mouvement vers Dieu y est donc un mouvement vers une absence. Mais si Dieu manque, le mouvement ne peut recevoir son sens du but qu'il poursuit. S'il en est ainsi, pourquoi se mettre en mouvement ? On ne part que si on a un but. Si le but manque, il faut donc le feindre pour pouvoir se rapprocher de sa propre fiction. Dans un texte du *Journal* Vigny formule le statut de la parole littéraire à partir du manque qui en est la cause :

> Du néant des lettres. — La seule fin vraie à laquelle l'esprit arrive, en pénétrant tout au fond de chaque perspective, c'est le néant de tout. Gloire, amour, bonheur, rien de tout cela n'*est* complètement. Donc, pour écrire des pensées sur un sujet quelconque et dans quelque forme que ce soit, nous sommes forcés de commencer par nous mentir à nous-mêmes, en nous figurant que quelque chose existe et en créant un fantôme pour ensuite l'adorer ou le profaner, le grandir ou le détruire. Ainsi nous sommes des don Quichottes perpétuels et moins excusables que le héros de Cervantes, car nous savons que nos géants sont des moulins et nous nous enivrons pour les voir géants. (II, 1126)

Le but qu'on feint, c'est le moulin de Don Quichotte, mais reconnu comme tel. La parole littéraire se dirige vers quelque chose qu'elle sait n'être pas, mais dont elle a besoin pour pouvoir parler. Elle se nourrit de sa propre fiction. Le néant des lettres est la conscience qui habite la parole littéraire que rien n'a d'existence que linguistique. Pour que quelque chose soit, il faut la dire. Mais ce qui est dit n'existe pas sinon en tant que feint par le langage. La parole littéraire parle donc pour se dire en tant que ce qui crée sa propre possibilité de parler. Pour pouvoir se comprendre de cette façon, il faut que la parole se rende compte de son propre mouvement. Pour y réussir, elle doit se détacher de son but et se replier sur elle-même. Elle parle, s'interrompt, et parle. Pour l'homme qui interrompt sa marche, le moment de l'arrêt ouvre la possibilité de la parole. Pour l'homme qui parle, l'arrêt réflexif signifie le passage à la parole littéraire qui ne reconnaît plus son sens dans l'instrumentalité lui permettant de dire quelque chose, mais dans le mouvement dans lequel elle s'accomplit. Ce mouvement ne peut se comprendre qu'à partir du but manquant, c'est-à-dire en cours de route. Le poète parle à mi-chemin.

Hans-Jost FREY.

NATALIE OU LE LECTEUR CACHÉ DE BALZAC

La lettre liminaire du *Lys dans la vallée* propose les tensions essentielles du roman. Cette lettre d'envoi à Natalie de Manerville, où Félix accepte de « livrer » son passé tout en donnant rendez-vous pour le même soir, implique d'entrée de jeu les différents *temps* du livre : l'histoire de son enfance et de son amour idéalisé pour Mme de Mortsauf, mais aussi le présent que le passé continue à grever. Car la mort nourrit la vie. C'est une des ironies du roman : le passé ne se laisse pas objectiver, ne s'exorcise pas. En dépit des apparences, l'histoire n'est pas bouclée : il faut continuer à vivre. Aussi la dialectique du passé et du présent s'enrichit-elle d'une gamme de temps psychologiques : le temps passé revécu dans son immédiateté fragmentaire ; le temps passé appréhendé en tant qu'expérience totale ; le temps proleptique, puisque le retour en arrière de la narration est inséparable d'une « connaissance » des événements ultérieurs, partant d'une sagesse rétrospective qui joue dans le sens de la fatalité. Jeu des temps qu'illustre admirablement le double emploi du présent dans la première description du lieu où habite Mme de Mortsauf. « Si cette femme... *habite* un lieu dans le monde, ce lieu, le voici ! » : monologue intérieur au moment spécifique du premier saisissement devant le paysage privilégié de l'Indre. Mais dans le même paragraphe : « ... depuis ce jour, *je me repose* toutes les fois que *je reviens* », phrase se référant au noyer sous lequel Félix s'est arrêté ce jour-là, mais aussi bien des fois après, et maintenant encore que Mme de Mortsauf n'est plus. (29*)

La lettre à Natalie communique les « signaux » de la lecture. Ceux-là, temporels, de la fermeture et de l'ouverture (les

---

* Les chiffres entre parenthèses renvoient à l'édition Garnier, 1966. Sauf indications contraires, c'est moi qui souligne.

souvenirs « ensevelis » sont offerts à celle qu'il verra « ce soir ») impliquent un lecteur à l'intérieur du roman parallèlement occupé au lecteur que nous sommes. Ils suggèrent aussi une multiplication d'expériences féminines, c'est-à-dire une progressive éducation sentimentale. La dialectique de la confession, avec les incompatibilités de la parole et du silence, avec l'idée sous-jacente du danger des confidences (blessure, violation), est liée à une dialectique amoureuse (hommage à la femme impérieuse qui exige) ainsi qu'à des indices psychologiques concernant le héros : d'une part le besoin de se rendre intéressant (les « contrastes » de son caractère, les « imposants souvenirs » dont il est le dépositaire) ; d'autre part — et dès les premiers mots du texte — sa faiblesse : « Je cède... »

Densité textuelle remarquable : au delà de ces tensions se dessine l'antithèse fondamentale sécheresse-eau (« productions marines » — « grève ») qui annonce la végétation luxuriante, et en particulier l'exubérance florale dans les terrains ingrats de la lande pierreuse, mais aussi la soif qui ne saura être gratifiée, la mort-dans-la-vie. Ce principe de mort n'est pas un principe survenant après coup : il s'installe ici dans l'acte de vivre. Répression du principe vital que vient sans doute compenser l'acte de la confession — le « travail » — nécessaire pour *exprimer*. Or ce travail est à la fois un échec (Félix avec Natalie) et une réussite (Balzac sur le plan du « travail » littéraire). Le roman pose ainsi, dès la lettre liminaire, le rapport entre l'expérience de la vie et l'acte de raconter, affirmant la spécificité du travail artistique.

Texte clé... et cependant il semble bien que l'idée même d'une confession épistolaire ait été fort tardive, alors que le roman avait déjà été conçu et largement écrit. C'est dans les placards corrigés que le nom de Natalie apparaît d'abord, et la lettre d'envoi est visiblement une addition. Quant à la réponse de cette dernière — son refus de l'homme qui vit avec un fantôme — c'est bien *in extremis* que Balzac l'ajoute [1]. Cette postériorité du texte liminaire n'en diminue pour autant nullement la valeur. Tout au contraire : s'il s'agit d'une précaution auto-critique, d'une ironie protectrice (ce roman d'une confession était aussi une confession sous forme de roman), il s'agit plus sûrement encore d'une réaction de l'auteur-lecteur-de-lui-même, c'est-à-dire d'une invention devant un texte déjà écrit, ou plutôt en train de s'écrire. La correction

1. Pour un exposé de l'évolution du texte, voir l'appendice critique de Moïse Le Yaouanc dans l'édition Garnier, 1966.

des épreuves est pour Balzac un stimulant créateur. Le début additif représente ainsi bien plus qu'un cadre : il participe à l'élaboration du tissu romanesque. Que Balzac fut un lecteur attentif de son propre texte, les détails de la lettre-réponse de Natalie le confirment. Or justement, ce *lecteur* qu'il est, préfigurant le lecteur que nous sommes, on peut dire que l'auteur l'incarne, présent partout et visible nulle part, en la personne de Natalie.

Le « vous » qui s'adresse à Natalie, c'est en effet à *nous* qu'il s'adresse, à un *nous* complexe exigé par le roman, et qui fait le roman. « Pour vous peindre cette heure... » L'évocation du moment idyllique mobilise notre expérience de la félicité. La syntaxe confirme qu'il s'agit bien d'un message : Henriette touche l'eau « comme pour rafraîchir une secrète ardeur ». (203) Le « comme pour » constitue un appel au déchiffrement [2]. Roman-message (Balzac n'oublie à aucun moment ses « censeurs en jupon »), *Le Lys,* par l'entremise de Natalie, implique tout d'abord un lecteur abstrait, connaisseur compatissant de la vie et du cœur humain, appartenant à la grande confrérie de ceux et de celles qui comprennent et pardonnent parce qu'ils ont également souffert. D'où les invocations, stratégiquement placées à la fin de la première et de la deuxième partie, à un « vous » qui n'est nullement Natalie : à toutes les « saintes Clarisse Harlowe ignorées », à tous les « chers martyrs », à « vous qui aimez ». (96, 223) D'où les nombreuses formules-maximes, les références à la sagesse et la maternelle compréhension d'une élite sentimentale. D'où encore, sur le plan syntaxique, ces fréquents adjectifs démonstratifs (« ... *cette* science de l'existence... » ; « ... *cet* amour qui... » — 231-232) supposant un acquis commun.

Mais ce *vous-nous* incarné par Natalie implique aussi, dans la mesure précisément où la substance et le ton de la confession sont faits pour lui déplaire, une substitution, une identification psychologique au « juge » qu'elle est, ou qu'elle se révélera être : juge jaloux sans doute, et surtout irrité par la faiblesse, la fatuité, l'égoïsme, la duplicité, et pour tout dire la mauvaise foi du personnage. La lettre-réponse vient ainsi faire écho à une *autre lecture* du texte qui, en regard de l'empathie sentimentale, affirme un point de vue moral beaucoup moins indulgent.

Certes Balzac met en œuvre d'autres moyens pour fixer ou

2. Roland Barthes a montré comment, dans certains cas, la modalisation (*comme*) peut exprimer les seuls intérêts du lecteur, peut signaler une voix déplacée que le lecteur prête au discours par procuration. (*S/Z,* Seuil, 1970, p. 157.)

déplacer le point de vue du lecteur : le « coup d'œil observateur » du médecin par exemple, ou l' « œil » de l'abbé de Dominis, « ce représentant du monde... » (208, 215). Mais le « vous » qu'est Natalie reste l'intermédiaire privilégié, d'autant plus que son invisibilité dans le corps du récit permet à la fois de contrôler les perspectives et de boucler le récit. L'apparente « fermeture » du livre est importante pour les effets d'ironie : histoire qui n'est pas finie, échec de la confession sur le plan de la vie, béance de l'avenir particulièrement pénible pour celui qui n'a « aucune foi dans le lendemain ». (39) Balzac aime à jouer avec les structures. Les « deux enfances » de la première partie sont en fait « la même enfance ». (84) Les deux femmes du titre de la troisième partie sont effectivement deux femmes différentes (Mme de Mortsauf, Lady Dudley), mais sont aussi les deux visages de la même (Mme de Mortsauf laisse voir en elle « deux femmes » : Henriette et Blanche — 214). Cependant derrière ces deux Mme de Mortsauf, nous en découvrons une troisième inconnue jusqu'à la fin, celle qui révèle trop tard sa soif d'une ivresse sensuelle, celle qui aura été troublée, pour toute sa vie, par ses propres désirs réprimés. Arithmétique qui reste flexible : derrière le couple Henriette-Arabelle, derrière la double et même triple Mme de Mortsauf, se dresse une troisième femme, la mère de Félix, celle par qui le roman commence et qui, par sa froideur et ses refus, détermine la vie sentimentale de son fils. Et même ces chiffres-là ne rendent pas compte de la structure du livre : à côté du trio mère-femme adorée-maîtresse, il y a deux autres présences féminines, toutes deux importantes par leur rôle de juge et leur acte de rejet : Natalie et Madeleine. En somme, ce n'est pas de deux, c'est de cinq femmes qu'il s'agit.

Ces complications arithmétiques confirment l'importance que Balzac accorde aux éléments structuraux. La lettre liminaire et le lettre-réponse, tout en servant de cadre, ont sans doute pour but de signaler l'intense structuration de l'œuvre. Or la structure principale, celle précisément que les deux lettres affirment thématiquement, pivote autour du drame du langage. Non seulement la première lettre « cède » à celle qui veut une confession (alors que la lettre terminale reproche justement à Félix d'avoir parlé, d'avoir répondu à une « imprudente demande »), mais à l'intérieur même de la lettre d'envoi nous trouvons déjà cette oscillation, ces mouvements affirmatifs et négatifs, cette double tentation de dire et de ne pas dire. Au verbe céder de la première ligne viennent s'opposer « les règles du bon sens » ; à l'idée de *vouloir* le passé d'autrui, les « répugnances inviolées ». Et ainsi de suite : à la colère de la femme qui exige, le silence ; aux « secrets », l'idée de *savoir* tout ; au « moindre mot », les « souvenirs ensevelis ».Il n'est pas jusqu'au danger de la parole, sa puissance provocatrice et cruelle, ainsi que son pouvoir destructeur, qui ne soient annoncés. Félix a bien raison, et plus qu'il ne saurait deviner, d'invoquer la notion de blessure.

Le rapport entre langage et catastrophe est repris très tôt dans le corps du récit. C'est là une des fonctions de la mère que l'on aurait tort de reléguer à un rôle purement autobiographique. Lorsqu'elle vient reprendre l'adolescent à Paris au moment où il va s'émanciper sexuellement (ne dirait-on pas la mère castratrice !), ce n'est pas tant sur les « désirs réprimés » que sur la répression de l' « essor » de la tendresse que Balzac insiste. Or cette tension entre essor et répression se situe entièrement sur le plan de la parole. A chaque nouveau relais. Félix se promet de parler, mais la froideur de la mère le paralyse. Décourageante et provocatrice (tentatrice ?) à la fois, elle finit par lui reprocher son silence. Mouvement d'éloquence : il lui ouvre son cœur avec une « plaidoirie affamée d'amour ». Mais la répression-punition ne tarde pas : voici que sa mère lui reproche de jouer la comédie. Ce bref passage où alternent le silence et le flux de paroles se termine, symboliquement, par une cruelle fin de non-recevoir et une impulsion au suicide.

Le texte foisonne en situations de ce genre : alternances abruptes entre les exigences du dire et les impératifs du taire. Le pacte — Félix l'appelle le « contrat » — qui régit ses rapports avec Mme de Mortsauf lie paradoxalement le besoin de confidences au sens d'un interdit. Mme de Mortsauf souhaite en Félix un ami pour « l'écouter », un cœur pour y « épancher » ses douleurs ; mais si elle se réserve le droit de « crier » ses souffrances, elle ne veut pas qu'il lui « parle » de son amour, elle ne veut avoir « rien à craindre », elle refuse la « chaleur de [ses] paroles ». Son commandement typique est : « Taisez-vous » (92-94, 146). En somme, elle rêve de cette chose impossible : imposer un langage à sens unique. En fait, le contrat verbal se propose d'emblée comme inquiétant. « Depuis quelques jours une explication flottait entre nous... » (80) La phrase suggère comme une vague menace. La peur devant les mots dépasse la banale pudeur : leur brutalité effraie comme le contact d'un corps. Le contact verbal est d'ailleurs ressenti comme un contact sexuel déguisé. D'où cette chorégraphie d'ordres et de contre-ordres qui, dans certains passages, frôle la stylisation. — « Taisez-vous, me dit-elle... » — « Eh ! bien, dit-elle, parlez ! » Et toujours à la même page : — « Ne parlons plus de ces choses, dit-elle. » — « Mais parlons-en ! lui répondis-je... » (82-83)

La communication — pour ne pas dire la communion — ne se réalise d'ailleurs qu'au-delà ou en-deçà du langage ordinaire. Seule peut-être la promenade sur l'eau marque un moment de plénitude auquel correspond la « grâce mystérieuse » des paroles (203). Le plus souvent il y a repli sur le langage intérieur : Mme de Mortsauf entend une « voix douce » qui lui parle « sans paroles » (179). De même, le jeune Félix converse avec une étoile. Commerce solipsiste qui ouvre la porte à toutes les illusions et tous les malentendus. Le langage de la félicité se situe en dehors de ce « langage précis » (163) qui est celui des cruels rapports mondains : langage des enfants qui babillent « pour babiller » (126) ; langage privé et moins innocent de ceux qui prétendent à une possession idéale. C'est ainsi que Félix demande et obtient la permission de *nommer* Mme de Mortsauf par « un nom qui ne fût à personne » : Henriette. (93)

Rien n'illustre mieux l'insuffisance du langage que la distinction établie entre la voix et la parole. Or c'est la voix qui prime dès l'abord : c'est elle qui touche. Plus tard, Félix expliquera à Henriette combien les mots lui semblent petits au prix du « son » de la voix adorée. (144) Lors de leur première rencontre, il n'entend d'elle qu'un cri et le simple mot « Monsieur ». Il n'a cependant aucun mal à reconnaître cette voix qui « pénétra [son] âme et la remplit comme un rayon de soleil remplit et dore le cachot d'un prisonnier. » (37) Son-lumière tout interne, et qui suggère sur le plan de la parole une expérience analogue à la cécité voyante : « ... semblable aux aveugles, elle savait reconnaître les agitations de l'âme dans les imperceptibles accents de la parole. » (37) Balzac pousse la hardiesse de l'image jusqu'à sa formulation extrême : il s'agit de la « lumière parlée ». Ce qui compte, c'est le chant des syllabes, la caresse des consonnes, le déploiement rythmique de la phrase. La sémantique est ici dépassée ; seule s'affirme l'harmonie de ce qui ne peut se dire. « Elle étendait ainsi [...] le sens des mots... » (40)

Extension qui opère également dans un registre moins harmonieux : le cri. Ici encore il s'agit d'un non-langage. Cri du cœur qu'arrache l'inquiétude d'une mère pour son fils (205), cri silencieux de la femme malheureuse qui se traduit par un regard (116). Cri *silencieux :* le silence serait en fait l'aboutissement logique de cette priorité de la voix sur la parole. C'est ainsi que Félix n'ose pas rompre certains silences, préférant l' « ivresse » comunicative du regard. (99) Si Henriette sait être « affectueusement muette », ce n'est pas seulement parce que le « silence d'une femme » est plein de significations (39, 152) : l'accord ne peut exister qu'en dehors des mots. D'où une poésie du silence, une poésie de la parole réprimée qui se prête aux « mystérieuses significations », tout en servant les exigences de la pudeur et les duplicités du désir refoulé. (123) « ... Quand les mots manquaient, le silence servait fidèlement nos âmes... » (113) Rêve d'un langage sans paroles et qui marque, à l'intérieur du livre, l'incompatibilité du vivre et du raconter. Le mot qui dit ou qui décrit se trouve pour ainsi dire voué à l'absence, au vide. « Je ne puis donc vous parler de vous que loin de vous. » (144)

L'ordre littéraire s'accommode fort bien de ce décalage. Mais pour les protagonistes il y a condamnation à une médiation impossible. Le langage, toujours inadéquat, n'est au diapason d'aucun sentiment. Sublimation, dérivatif, alibi — il ment et il agresse ; il est à la fois insuffisant et dangereux. Plus ou moins inconsciemment, les personnages essaient d'autres médiations, mais ont tôt fait d'entrevoir les limites et le tragique de toute forme de médiation. Même le langage du regard s'avère brutal, concupiscent ; ironique défi à la devise qui orne le château de Clochegourde : « Voyez tous, nul ne touche ! » Tout dans le roman tend à la sublimation du désir ; tout réussit en fait à l'exacerber, à le déformer. Si Balzac a choisi de ne jamais révéler directement ce qui se passe dans l'âme d'Henriette, ce n'est pas seulement pour des raisons esthétiques ou techniques, pour éviter un simpliste conflit entre les sens et la vertu : le transfert, par la symbolisation, est à proprement parler le sujet du roman.

Le symbolisme — le titre l'annonce — occupe en effet une place tout à fait privilégiée. Le paysage par exemple se propose d'emblée comme un garant d'harmonie et de paix. L'Indre, les bois, les oiseaux, les cigales : tout y est « mélodie ». (30) Ce chant de la nature ressemble à « la voix de cet éternel Cantique des Cantiques... » Mais justement l'image biblique, renvoyant au titre du roman, est celle d'une nature qui « convie ses créatures à l'amour ». (72) Très vite en fait ce paysage paisible et paradisiaque subit une érotisation qui, en profondeur, nie la paix et l'innocence. La vallée est une « coupe d'émeraude », la rivière coule avec des « mouvements de serpent ». (29) Ailleurs, la vallée est comparée à un « lit ». (72) L'image serpentine est reprise elle aussi (la « rivière serpentine » —77 ; les « sinuosités vaporeuses » —180), et même explicitement chargée d'une connotation sexuelle. Evoquant les « ondulations » de la rêverie devant la rivière, Félix explique à Natalie ce qu'elle a certainement déjà compris : « ... le désir serpenta dans mes veines... » (113)

Ce paysage stylisé, accommodé aux besoins intimes le plus souvent inavoués, n'est en réalité nullement rassurant. Il devient le symbole non d'une plénitude harmonieuse, mais d'un décor qui masque la vérité. « La nature était le manteau sous lequel s'abritaient ses pensées. » (180) Mais la « nature » ne se laisse pas ainsi apprivoiser ; elle prend sa revanche. C'est bien la leçon d'Henriette à mesure que s'accomplit sa destinée d'inassouvissement : la chère vallée lui « fait mal ». (246) Et rien n'est plus affligeant, au terme de sa maladie incurable — métaphore du dépérissement — que la « clameur horrible » de la femme aux sens trompés regrettant les caresses refusées, souffrant d'une « ardente soif » que la vue de la rivière ne fait qu'aviver. « L'eau de l'Indre me fait bien mal à voir... » Regret du désir refoulé. Mais plus encore révélation de l'imposture fondamentale, du faux rapport avec la Nature. « Tout a été mensonge dans ma vie... » (301)

Les voies médiatrices séduisent d'autant plus qu'elles semblent promettre accord et innocence. Le langage floral se propose comme une « délicieuse correspondance ». (119) Car il s'agit bien ici d'un langage, d'une transposition. D'où les nombreuses suggestions d'arrangements floraux en concurrence avec les autres arts. Avec les bouquets, Félix essaie de « peindre » un sentiment ; lui-même est sensible à ces « phrases musicales » avec lesquelles il produit des « symphonies de fleurs ». (115, 119) Mais c'est à l'art de la parole surtout que les bouquets de fleurs sont destinés à se substituer. Truchements de truchements : Balzac pose simultanément le problème de la mauvaise foi et de la réussite artistique. Les bouquets constituent une « œuvre poétique », un « discours », un « poème », — supérieurs comme *écriture* aux fades « fleurs de l'écritoire ». (116, 117, 122) S'harmonisant entre elles, les fleurs semblent au surplus encourager l'harmonie des êtres : c'est avec Jacques et Madeleine, les enfants d'Henriette, que Félix entreprend son premier discours floral. Mais pareille alliance peut-elle être innocente ? Il voudrait bien le croire : « ... heureux tous trois de conspirer une surprise pour notre chérie ». (115) En fait, Félix se sert d'un sauf-conduit innocent pour créer un langage de la complicité (« une langue à notre usage » —123), c'est-à-dire un langage que la femme aimée seule saura déchiffrer. Le texte est d'ailleurs explicite : « L'amour a son blason, et la comtesse le déchiffra secrètement ». (115)

Dès lors, comment prétendre que ces poèmes de fleurs sont des « plaisirs neutres ». Rien de moins neutre en réalité que ce langage secret de la séduction et de la provocation. D'autant plus que les déclarations florales ont l'effet d'une « contagion », qu'elles parlent, sans ambiguïté possible, de l' « ivresse de la fécondation ». (119) D'une part, l'imagerie des fleurs exprime les espérances sexuelles de Félix : il entrevoit la « vague image des formes souhaitées, roulées comme celles d'une esclave soumise ». D'autre part, elle sert de provocation érotique. Le vocabulaire est ici à l'antipode même de la neutralité : « échevelé », « déchiré », « déchiqueté », « tourmentées, « désirs entortillés » — les bouquets ne suggèrent certes pas la tranquillité des sens. Et que dire de ce « magnifique pavot rouge accompagné de ses glands prêts à s'ouvrir » ? Brutalité de la couleur et de la prolixité qui s'oppose à la solitude et à la blancheur du lys. L'intention aphrodisiaque est d'ailleurs pour ainsi dire avouée. « Mettez ce discours dans la lumière d'une croisée [...], elle sera bien près de s'abandonner (122) ». Discours qui aura porté d'ailleurs, comme en témoigne la « fièvre expirante » d'Henriette » lorsque, mourante, elle s'entoure de fleurs. « Ainsi donc les fleurs avaient causé son délire... »

La médiation est maléfique. Plus encore qu'elle ne convie à l'amour interdit, elle fonctionne comme une tromperie. On imagine l'irritation de Natalie lisant cette phrase de Félix : « Jamais depuis je n'ai fait de bouquet pour personne. » Mais on partage encore plus aisément ce qui ne peut être qu'un jugement sévère devant la phrase qui suit : « Quand nous eûmes créé cette langue à notre usage, nous éprouvâmes un contentement semblable à celui de l'esclave qui trompe son maître » (123) Tromperie doublement néfaste, car c'est eux-mêmes qu'ils trompent par ce symbolisme à la fois exacerbant et protecteur qui ne fait que compenser l'abstinence. Les plaisirs neutres ne servent qu'à « tromper la nature irritée ». Mais la nature, une fois de plus, ne se laisse pas dévier ou réprimer impunément.

Il n'y a pas de médiation innocente. Rien ne le prouve mieux que le rôle des enfants, ou plutôt l'image-symbole de l'enfance. Plus complexe encore que l'imagerie florale, cette symbolique familiale vient d'ailleurs rejoindre la symbolique des fleurs aux moments critiques du roman. Au départ c'est avec les enfants d'Henriette que Félix compose ses bouquets. A la fin du livre, entourée de fleurs qui proclament à la fois son dérèglement et son agonie, Henriette elle-même redevient *enfant* (« ... comme un enfant qui veut un jouet »), obligeant Félix à une inversion de rôle, l'incitant à agir « comme une mère avec son enfant ». (300-301) L'image de l'enfant se manifeste ici de façon extrêmement mobile. Le réseau réel et imaginaire des liens familiaux à l'intérieur du roman est tissu de substitutions, de rêves et de fictions ambiguës. Félix et Henriette découvrent qu'ils ont eu la même enfance » ; ils se considèrent, en un sens, frère et sœur (plus tard elle aura pour lui le sourire d'une « sœur rusée » — 275) Mais Félix incarne aussi le fils et l'époux dans la mesure où il remplit le rôle de frère et père des enfants d'Henriette. Ce qui ne l'empêche pas, nous l'avons vu, de devenir un père pour elle, et ceci non seulement à la fin du livre (alors que, malade, elle retombe pour ainsi dire en enfance), mais dès l'époque des bouquets : « Il fallut la calmer, promettre de ne jamais lui causer une peine, et de l'aimer à vingt ans comme les vieillards aiment leur dernier enfant: » (115)

Ce flottement dans les rapports entre les protagonistes, ce jeu de remplacements, tient sans nul doute à un principe de privation. C'est ainsi que la tante de Mme de Mortsauf remplaçait une mère indifférente, et que Félix remplace une tante aimée qui n'est plus. Dans le contexte du roman il n'y a aucune absurdité à ce que, dans le même paragraphe, Henriette fasse allusion à ce rôle protecteur et rassurant de Félix (« ... vous qui la remplacez ») et qu'elle le désigne par ailleurs comme son « enfant adoptif ». (156) Car elle le veut enfant dans la mesure où il est tout autre chose pour elle. (« Enfant, vous serez aimé » — 190) Félix-tante et Félix-fils sont évidemment des images-écran. La mobilité des images médiatrices relève de la mauvaise foi initiale, à laquelle correspond admirablement l'expression « homme-enfant » dont Henriette se sert dans sa lettre. (156) L'image de l'enfant lui sert d'alibi : la vérité est dans le cri et dans le simple « Monsieur » s'adressant, durant l'épisode initial du bal, au mâle agresseur qu'il est. D'autre part, la mobilité de son image à elle (sœur, mère, femme, enfant) correspond à la qualité incestueuse de l'adultère entrevu (« sœur trop aimée » — « mère secrètement désirée » — 189), c'est-à-dire à l'attraction et la crainte d'un interdit fondamental.

Quant aux enfants *réels* dans le roman, leurs fonctions médiatrices sont également complexes : ils rapprochent les protagonistes, les séparent, leur servent d'alibis, et finalement les jugent. Henriette puise un orgueil teinté d'amertume dans ses responsabilités de mère. En fait, ces responsabilités lui sont utiles, la protègent contre elle-même : « ... peut-être les enfants sont-ils les vertus d'une mère ! » (253) Idée déjà annoncée à la page qui évoque les aphrodisiaques floraux : « ... il faudra qu'un ange ou la voix de son enfant la retienne au bord de l'abîme ». (122) Mais cette vertu assez ambiguë n'est pas même efficace. Henriette en interposant sa propre fille entre elle-même et Félix reconnaît qu'elle cherche à dresser des barrières (ce qui d'ailleurs est faux : son confesseur lui a permis de *garder* Félix à condition qu'elle lui « destine » sa fille !) ; mais ce sont des « barrières impuissantes ». (319)

Balzac opère dans ce domaine de l'équivoque avec des touches supérieurement nuancées. Tout en constatant devant Félix que les enfants sont « les vertus d'une mère » (est-ce de l'orgueil ? est-ce une plainte ?), Henriette passe à plusieurs reprises sa main sur les cheveux de sa fille Madeleine. Mais est-ce vraiment à Madeleine que s'adresse cette caresse ? Et n'est-ce pas plutôt une caresse indirecte destinée à son interlocuteur, à rapprocher du mouvement dans cette autre scène : « Là, tout en caressant la tête de son pauvre enfant [...], elle me raconta ses nuits passées au chevet du malade. » (175)

Il s'agit certes d'un langage oblique qui exige une lecture, un déchiffrement. N'en doutons pas : Natalie, la « lectrice » du récit, comprend fort bien que le « — Cher petit ! dit la comtesse en baisant Jacques avec passion » signale non la tendresse maternelle mais un élan d'amoureuse, que par ce geste Henriette communique non avec son fils mais avec Félix. Langage d'autant plus signifiant qu'elle vient d'être « affectueusement muette ». (152-153) Ces truchements impliquent une double ironie : par l'entremise de ses enfants, la femme s'exprime de façon voilée et incomplète ; mais la mère finit par éprouver un ressentiment d'autant plus fort à leur égard qu'elle s'est trop bien servie d'eux. Faux fuyants et mauvaise foi minent sa vertu de mère bien autrement que ne le ferait un franc adultère. « " Vous me coûtez bien cher ! " a-t-elle dit un jour à Madeleine et à Jacques en les repoussant de son lit. » (293) Rien de surprenant si Madeleine rejette elle aussi Félix à la fin du roman. L'hypothèse de Félix est d'ailleurs pertinente : la haine de Madeleine n'est pas tant dirigée contre celui qui a pu causer la mort de sa mère, que contre un monde de sentiments entrevu tardivement, monde trouble dont elle se sent à la fois exclue et innocemment complice. « Madeleine me haïssait [...] ; elle nous eût haïs peut-être également, sa mère et moi, si nous avions été heureux. » (325) Ici encore, la nature prend sa revanche. La boucle se ferme doucement : le refus de Madeleine ne fait qu'anticiper le refus de Natalie.

La première page du *Lys dans la vallée* annonce une fiction concernant de « pauvres cœurs opprimés ». Le roman, jusqu'à un certain point, se peut en effet lire comme le drame du refoulement. Certains termes-clés reviennent avec insistence : contraindre, confiner, comprimer, contenir, arrêter, étouffer, gêner, défendre — tout un vocabulaire de la répression des sentiments. Or ce qui vient enfreindre le naturel, ce qui oppose un obstacle à l'essor, sert ici non l'ordre mais la perversion. L'exemple de Lady Dudley, l'amante anglaise, est probant. Fille d'un pays où le règne des lois, des règles, de la « forme » encourage l'hypocrisie, Arabelle « encagée » par les « fortifications d'acier poli » que la société élève autour de la femme, se révolte en cultivant le goût de l'éclat et de l'extraordinaire. « Elle voulait du poivre, du piment pour la pâture du cœur... » (228) Le mensonge social se solde par la dépravation.

Ce n'est là toutefois qu'une lecture partielle du roman. S'il est vrai que même les petits défauts « se montrent d'autant plus terribles qu'ils ont été longtemps comprimés » (198), il existe cependant aussi une beauté des règles. Félix se réfère aux délices connues des « cœurs gênés dans leur union » (123) : véritable poésie de la contrainte, que vient confirmer l'invocation à la fin de la deuxième partie. « O vous qui aimez ! imposez-vous de ces belles obligations, chargez-vous de règles à accomplir... » (223) Et même les règles de la vie sociale semblent proposées comme des valeurs positives. Félix parle avec respect de ce code social, de cette « seconde éducation » que nous font les gens du monde. (47) Quant à la lettre d'Henriette — véritable vade-mecum — elle préconise la soumission, la réserve, la « ligne moyenne », les vertus sociales du *silence*. Mais Henriette n'est pas dupe : il s'agit de la « fatale science du monde ». (163) Elle ne se trompe que dans le domaine des sentiments ; elle veut croire que là aussi l'ordre peut régner, que la « tranquillité » est compatible avec l'amour : « ... je me le suis figuré comme un lac immense où la sonde ne trouve point de fond, où les tempêtes peuvent être violentes, mais rares et contenues en des bornes infranchissables... » (266) Cette notion d'eaux contenues est un leurre, comme l'est aussi la satisfaction d'avoir sacrifié aux lois de la société. Il y a bien de l'amertume derrière la phrase de l'ultime lettre d'Henriette : « ... nous avons satisfait aux lois humaines ». (317)

Il n'est qu'un domaine où les règles s'avèrent bénéfiques sans ambiguïté — encore que le succès se solde par une sorte de mort : le domaine du travail intellectuel, et spécifiquement de l'art. Les désirs réprimés du jeune Félix l'ont « contraint » à se jeter dans l'étude. Il a compris alors que le travail de l'esprit peut devenir une passion. Il a entrevu également que là était la victoire de l'ordre, de la forme, de l'expression. Lui-même ne poursuit pas cette voie, du moins dans le temps raconté. Mais le temps de la narration ne correspond-il pas à ce que, dans la lettre liminaire, il nomme le « travail » de l'expression ? Que le problème de l'art s'avère central, cela est attesté par les deux premières phrases du roman. « A quel talent nourri de larmes devrons-nous un jour la plus émouvante élégie [...] Quel poète nous dira les douleurs de l'enfant... ? » Invocation qui pour être interrogative ne place pas moins le récit qui se donne pour *réel* sous le signe de la création littéraire.

L'intrusion de l'image artistique dans le corps du récit est d'ailleurs si intense que l'on peut à juste titre parler d'une priorité de l'art à l'intérieur du roman. Qu'il s'agisse de paysage ou de beauté féminine, la « nature » semble ici copier les modèles artistiques. Mme de Mortsauf a un front comme celui de la Joconde, un nez grec « comme dessiné par Phidias », sa main est modelée sur les statues antiques. (41-42) Quant à la vallée de l'Indre, non seulement Félix l'aime « comme un artiste aime l'art », mais les fleurs « décorent » les rives, elles sont des « tapisseries », le paysage constitue une « scène « que les arbres encadrent, l'église est « comme les peintres en cherchent pour leurs tableaux ». (30-31)

Rien de plus complexe, en définitive, que l'attitude de Balzac à l'égard de la nature, et que les rapports, dans son œuvre, entre la « réalité » et l' « art ». S'agit-il d'échange de richesses, de nourriture mutuelle ? L'ambiguïté du rapport se reflète dans le double aspect de Félix : personnage bien sûr, mais aussi *persona* de l'écrivain. Dès la description de son enfance, il se conçoit comme voué à une destinée de voyant :

> J'ai souvent attribué ces sublimes visions à des anges chargés de façonner mon âme à des divines destinées, elles ont doué mes yeux de la faculté de voir l'esprit intime des choses ; elles ont préparé mon cœur aux magies qui font le poète malheureux quand il a le fatal pouvoir de comparer ce qu'il sent à ce qu'il est, les grandes choses voulues au peu qu'il obtient ; elles ont écrit dans ma tête un livre où j'ai pu lire ce que je devais exprimer, elles ont mis sur mes lèvres le charbon de l'improvisateur. (12-13)

Tout y est, jusqu'à l'allusion au prophétisme. En un sens, Balzac en tant que créateur se renvoie son image dans ce livre. Ou plutôt, c'est l'univers de *La Comédie humaine* qui se reflète dans le modèle réduit du roman. D'où les allusions à des personnages balzaciens (Mme de Beauséant, d'Adjuda, Mme d'Aiglemont, le marquis d'Espard) qui ne paraissent pas du tout dans ce récit.

En profondeur, toutefois, la vie et l'art se conçoivent ici comme deux ordres inconciliables. S'ils communiquent, c'est bien dans le sens d'une transsubstantiation qui marque la supériorité du vécu sur le vivant — c'est-à-dire la supériorité du message purifié, du langage posthume de la distance et de l'absence. N'est-ce pas le sens de la double image florale et sidérale ? Le lys est périssable mais l'astre luit dans le temps.

« Vous l'avez laissée fleur encore [...], vous la retrouverez consumée, purifiée dans le feu des douleurs, et pure comme un diamant... » (294) Les paroles édifiantes de l abbé ne renvoient-elle pas au transfert sidéral opéré par l'enfant mal-aimé (ses dialogues avec les étoiles), ainsi qu'au « travail » d'artiste exprimant et organisant, par le prestige d'un langage inefficace dans la vie, mais suprêmement modulé dans la *fiction,* ces « anciennes émotions » qui, réveillées soudainement, peuvent faire si mal aux vivants ?

Le Lys de la vallée est un roman diversement exemplaire. Entre réalité et expression verbale il y a décalage, voire rupture. Il faut choisir. Mais même l'option pour le langage ne permet pas à l'auteur (heureusement pour l'œuvre !) de s'installer dans le confort. Le code ne pourra jamais être univoque : c'est bien ce qu'illustre le personnage présent mais invisible de Natalie. Car Natalie, c'est-à-dire le lecteur caché (c'est-à-dire nous) existe sur deux plans — tous deux nécessaires à la dialectique liberté-nécessité. Au jugement hostile (impliquant un critère moral devant l'*acte*) répond l'empathie complice devant la souffrance. Mais plus encore : Natalie cachée mais présente suggère un circuit qui, en passant par le lecteur, fait que tout auteur est nécessairement d'abord lecteur de lui-même.

Victor BROMBERT.

LES MUSES TARDIVES

Une lecture des Phares *de Baudelaire.*

Le lecteur des *Phares* s'interrogera tout d'abord sur le sens que cache la succession des huit médaillons destinés à huit artistes allant du XVIe au XIXe siècle. Il y découvrira un ensemble de différences, mais plus encore tout un réseau de similitudes. Le jeu des rapports que chacune des huit premières strophes entretient avec les sept autres semble ouvrir la voie à une infinité de réflexions combinatoires. En observant ce jeu, nous avons cru déceler un certain nombre de lignes de force qui guideront notre analyse.

C'est le dernier médaillon, celui qui est consacré à Delacroix, qui fournira à nos commentaires le point de convergence. Il nous a semblé que les sept premiers médaillons préparaient, de manière chaque fois différente, ce huitième médaillon. Trois étapes principales semblent annoncer son avènement. En les distinguant, nous tentons du même coup d'expliquer l'ordre non chronologique adopté par Baudelaire.

Nous pensons ne pouvoir entrer dans le détail d'un commentaire descriptif des huit médaillons qu'après avoir donné une vue d'ensemble du sens de la composition. Ce résumé tente d'interpréter l'histoire de la solitude de l'homme moderne à laquelle Baudelaire nous prépare par des tableaux qui ont la fonction d'un avertissement prophétique.

LES PHARES

Rubens, fleuve d'oubli, jardin de la paresse,
Oreiller de chair fraîche où l'on ne peut aimer,
Mais où la vie afflue et s'agite sans cesse,
Comme l'air dans le ciel et la mer dans la mer ;

Léonard de Vinci, miroir profond et sombre,
Où des anges charmants, avec un doux souris
Tout chargé de mystère, apparaissent à l'ombre
Des glaciers et des pins qui ferment leur pays ;

Rembrandt, triste hôpital tout rempli de murmures,
Et d'un grand crucifix décoré seulement,
Où la prière en pleurs s'exhale des ordures,
Et d'un rayon d'hiver traversé brusquement ;

Michel-Ange, lieu vague où l'on voit des Hercules
Se mêler à des Christs, et se lever tout droits
Des fantômes puissants qui dans les crépuscules
Déchirent leur suaire en étirant leurs doigts ;

Colères de boxeurs, impudences de faune,
Toi qui sus ramasser la beauté des goujats,
Grand cœur gonflé d'orgueil, homme débile et jaune,
Puget, mélancolique empereur des forçats ;

Watteau, ce carnaval où bien des cœurs illustres,
Comme des papillons, errent en flamboyant,
Décors frais et légers éclairés par des lustres
Qui versent la folie à ce bal tournoyant ;

Goya, cauchemar plein de choses inconnues,
De fœtus qu'on fait cuire au milieu des sabbats,
De vieilles au miroir et d'enfants toutes nues,
Pour tenter les démons ajustant bien leurs bas ;

Delacroix, lac de sang hanté des mauvais anges,
Ombragé par un bois de sapins toujours vert,
Où, sous un ciel chagrin, des fanfares étranges
Passent, comme un soupir étouffé de Weber ;

Ces malédictions, ces blasphèmes, ces plaintes,
Ces extases, ces cris, ces pleurs, ces *Te Deum*,
Sont un écho redit par mille labyrinthes ;
C'est pour les cœurs mortels un divin opium !

C'est un cri répété par mille sentinelles,
Un ordre renvoyé par mille porte-voix ;
C'est un phare allumé sur mille citadelles,
Un appel de chasseurs perdus dans les grands bois !

Car c'est vraiment, Seigneur, le meilleur témoignage
Que nous puissions donner de notre dignité
Que cet ardent sanglot qui roule d'âge en âge
Et vient mourir au bord de votre éternité [1] !

La première étape, le médaillon dédié à Rubens, marque le fond d'inconscience propre à un langage pictural proche en apparence de celui de Delacroix mais profondément distinct de lui quant au sens de son message. Rubens ne serait, dans cette optique, que le sosie purement matériel d'un Delacroix qui intériorisera tout ce qui chez son aîné restait extérieur. Rubens l'inauthentique, presque le pastiche du peintre moderne, devient en quelque sorte la toile de fond sur laquelle s'inscrit une deuxième peinture qui exprime tout ce que taisait la première. Ce rôle expliquerait qu'il figure en tête du poème.

La deuxième étape comprend d'abord les deux peintres suivants, Léonard et Rembrandt, qui expriment, chacun à sa manière, ce qui manque à Rubens : le dépassement du naturel, la présence du surnaturel. On retrouvera chez Delacroix cette même quête d'absolu, mais alors que Léonard transforme calmement tout en surnaturel et que Rembrandt en autorise à tout instant le brusque surgissement, Delacroix, lui, ne sera plus que le prisonnier d'une mélancolie nostalgique tournée vers un inaccessible au-delà. Ses tableaux ne seront plus soutenus par la présence continue et sûre du transcendant ; la lutte par laquelle il tentera de dépasser sa condition terrestre sera la seule forme d'ouverture qui lui reste, mais cette ouverture ne cessera de se heurter à un refus.

Avec Michel-Ange commence à s'opérer un renversement : il nous fait quitter le domaine céleste pour celui des corps puissants entravés par leurs attaches avec la terre. Michel-Ange renverse donc le sens de la dualité propre à Léonard et à Rembrandt, mais il subit encore la tension entre les deux mondes.

Cette tension change complètement de sens avec la troisième étape représentée par Puget et les peintres qui lui font suite, Watteau et Goya. Tous trois n'ont plus accès à un

1. Baudelaire, *Œuvres complètes*, Bibliothèque de la Pléiade, Paris 1956, p. 88-90. Toutes les citations de Baudelaire se réfèrent à cette édition.

autre monde qu'à celui dont ils sont prisonniers, mais ils s'élèvent contre cette condamnation. Leurs œuvres sont des protestations contre ce qu'elles représentent. Ils n'épousent plus la voie du dépassement et celle-ci ne domine plus leurs témoignages. De là, la négativité de leurs thèmes. Delacroix héritera de cette situation, mais il s'en écartera en rejoignant les artistes de la deuxième étape : comme eux, il fera une place à la transcendance. Mais il devra le faire à l'intérieur de sa prison. Il réalisera donc la synthèse entre les « idéalistes » et les forçats, moins restreint que les seconds, mais bloqué dans sa quête d'un autre monde, à la grande différence des premiers. Ni idéaliste, ni forçat, Rubens permet de mesurer le chemin accompli par Delacroix en s'offrant comme la matière vide de sens et exempte de tourment que Delacroix reprendra dans un tout autre esprit.

Ce résultat synthétique est donc décomposé en étapes délimitées dont chacune est liée à la précédente et à la suivante par contraste et par correspondance. Ainsi le déchiffrement de Delacroix devient possible grâce à ce processus analytique et à ce système de découpage.

En nous introduisant dans cet itinéraire, Baudelaire vise évidemment au delà de la compréhension du seul Delacroix. Il s'agit pour lui de se saisir lui-même, de devenir son propre miroir, créateur et critique en même temps. Aussi son Delacroix s'écarte-t-il profondément de celui que nous connaissons. Ce qui explique cet écart, c'est qu'il applique au peintre la conception de la modernité qu'il a mise en œuvre dans ses poèmes et développée dans ses *Curiosités esthétiques*. Les autres artistes sont moins « déformés » par sa présentation, puisqu'ils ne sont choisis qu'en fonction de leur contribution à un Delacroix réinventé par Baudelaire. Ce que Baudelaire retient d'eux n'est souvent qu'un aspect partiel, mais il les respecte davantage, puisque le rôle qu'il leur assigne n'est qu'un rôle de précurseurs. Le miroir ici ne peut être que partiel.

Il est peut-être utile, avant de retracer le cheminement du poème, de s'arrêter aux critères qui ont pu présider au choix des huit peintres retenus par rapport aux peintres exclus.

Comme Baudelaire oriente son poème vers Delacroix, tout ce qui s'apparente au camp adverse — au camp d'Ingres — s'en voit banni. Ingres sacrifie son art à « la tradition » et à « l'idée du beau raphaélesque [2] ». C'est lui que vise Baudelaire lorsqu'il félicite Delacroix « d'être une protestation perpé-

2. *Exposition Universelle de 1855*, p. 699.

tuelle et efficace contre la barbare invasion de la ligne droite, cette ligne tragique et systématique[3] ». C'est précisément à cause de sa parenté avec Raphaël que ce dernier est écarté. Baudelaire résume d'ailleurs l'art d'Ingres quand il évoque « la douce majesté et l'ordre eurythmique de Raphaël[4] ». Toutes ces caractéristiques peuvent nous servir de critère négatif, Baudelaire n'ayant retenu que des peintres au rythme non placide, non symétrique, contrasté, voire discontinu. Ailleurs, Raphaël est traité d' « esprit matériel sans cesse à la recherche du solide », composant « des créatures à l'état neuf et virginal, — Adam et Eve[5] ». Sont donc écartés les artistes qui croient pouvoir rétablir l'état paradisiaque auquel s'oppose la modernité définie par la conscience de la chute et par l'aspiration à un état différent de l'état de nature. Véronèse, coloriste préparant Delacroix, est rejeté parce que sa couleur est « calme et gaie[6] », « paradisiaque[7] ». Mais pourquoi Rubens, tout aussi matériel que Raphaël aux yeux de Baudelaire, est-il présent dans le poème ? Parce que l'art de Rubens s'oppose à la solidité, parce que la fécondité de sa peinture, son « esprit de combinaison et de décoration[8] » seront repris par Delacroix, quoique dans une constellation tout à fait inverse. En résumé, Baudelaire bannit de son poème tout ce qui sert un idéal archaïque, tout ce qui évoque une « vie robuste » ou dépeint « des mouvements sérieux, des attitudes majestueuses » offertes au « plaisir des yeux[9] ». Il condamne ce paganisme pour les mêmes raisons qu'il traite Victor Hugo de « grand poète sculptural qui a l'œil fermé à la spiritualité[10] ».

Cette opposition de la beauté antique et de la beauté moderne se retrouve dans le poème qui précède *Les Phares*, mais elle y est soumise à une évaluation contraire. Les « époques nues » qui permettent aux hommes une vie saine et naturelle y sont louées en même temps que la « sainte jeunesse » qui en reproduit l'innocence. L'âge d'airain n'a engendré que des monstruosités, mais il n'est pas impossible de leur trouver des « beautés de langueur » reflétant l'époque moderne dominée par les « muses tardives[11] ». *Les Phares*

---

3. *Id.*, p. 708.
4. *L'Œuvre et la Vie de Delacroix*, p. 856.
5. *Salon de 1846*, p. 611.
6. *Id.*, p. 615.
7. *L'Œuvre et la Vie de Delacroix*, p. 856.
8. *Exposition Universelle de 1855*, p. 709.
9. *Salon de 1846*, p. 677.
10. *Exposition Universelle de 1855*, p. 706.
11. « J'aime le souvenir... », *Les Fleurs du Mal*, p. 88.

renversent ces vues puisque les muses tardives y sont célébrées sans allusion à la « vie antérieure » d'une époque archaïque. Mais cet hymne est comme révoqué une seconde fois par le poème suivant, *La Muse malade*[12], où se formule à nouveau, dans un monde de cauchemars, le regret de Phœbus et de Pan.

Les Phares sont donc encadrés par une vision contraire du monde et par des critères de valorisation opposés à ceux qui président au choix des huit peintres. C'est ainsi que nous sommes en droit de mettre l'accent sur ces « muses tardives » dont nous allons tenter de déchiffrer le langage, en vue d'une compréhension plus différenciée du portrait de Baudelaire transmis par le miroir de Delacroix, lui-même transmis par les sept miroirs antécédents de Rubens, Léonard, Rembrandt, Michel-Ange, Puget, Watteau et Goya.

Pourquoi Baudelaire évoque-t-il d'abord Rubens ? Ce peintre se trouve être à la fois le plus proche et le plus éloigné de Delacroix. Le plus proche, puisque Baudelaire qualifie Delacroix de « Rubens français », dans une conférence prononcée à Bruxelles en 1864[13]. La première métaphore (la plus importante) utilisée dans la strophe initiale ainsi que dans la huitième pour résumer l'art des deux maîtres est dans les deux cas rattachée à l'eau : « fleuve d'oubli », « lac de sang ». Et chaque fois, la strophe est dominée par un paysage qui s'étend jusqu'au ciel. Fluidité et passage d'air ou de sons marquent une dimension d'où tout contour, toute figure ou forme délimitées sont absentes. Les ensembles, les masses auxquels en art il convient de sacrifier le détail, comme Baudelaire le note dans son traité *De la couleur*[14], sont ici caractérisés par des espaces ouverts qui sont le lieu d'un passage incessant. Et même les touches restrictives qui viennent ôter à ces paysages leur présence immédiate se répondent, de loin, il est vrai : l'oubli et la paresse séparent le fleuve et le jardin d'un présent agissant ; de même, le ciel chagrin, auquel s'accorde un soupir étouffé, paralyse la lumière. Les épanchements des grandes masses colorées auxquels se plient les corps onduleux, dans les œuvres des deux peintres, justifient les images du ciel, de la mer et de la musique. Nous sommes à l'opposé des valeurs sculpturales (le thème des deux strophes médianes), à l'opposé des conflits brusques qui s'expriment dans la pierre, mais nous sommes loin aussi du calme

12. *Id.*, p. 90.
13. *Eugène Delacroix, ses œuvres, ses idées, ses mœurs*, p. 851.
14. *Salon de 1846*, p. 613.

de Léonard, du dualisme de Rembrandt, de la légèreté de Watteau et des horreurs de Goya.

Et pourtant, quelles que soient les correspondances entre le Rubens de la première strophe et le Delacroix de la huitième, il n'y a nulle part, dans cette succession de médaillons, de tension plus accusée qu'entre ces deux strophes. Car le Rubens de Baudelaire se satisfait de son royaume, il s'endort dans un bonheur inconscient, il transforme l'humanité en matière de sommeil ; l'agitation de la vie qu'il représente n'est qu'une sorte de tautologie : l'air reste l'air, la mer confirme la mer. Ainsi, il y a mouvement permanent, mais ce mouvement n'est qu'une autre forme de l'oubli, de la paresse, du sommeil. Certes, entre la première et la seconde moitié de la strophe, une opposition se fait jour entre le repos et le mouvement. Elle reste d'ailleurs insoluble, comme si l'art de Rubens procédait du lieu de rencontre de ces oppositions, lieu qui formerait un axe insaisissable. L'opposition à laquelle manque la synthèse est donc présente, comme dans la plupart des strophes qui vont suivre, mais elle est en même temps annulée parce que la tension qui introduirait la dimension du temps, du changement, est supprimée par le mouvement du type représenté dans les deux derniers vers. Ainsi, aucune allusion surnaturelle ne vient déranger le rythme des éléments, aucune inquiétude ne jette son ombre sur cette scène [15].

Et c'est bien là que Delacroix est en tout le contraire de son grand précurseur. Chacune des images qui l'évoquent traduit la souffrance. Le sang, les mauvais anges, l'ombre, le ciel chagrin, le soupir étouffé reflètent un univers de la « désolation [16] », de la « douleur universelle [17] », de la chute irrémédiable, et cette condamnation ne reste pas à l'intérieur du domaine terrestre, les mauvais anges l'incarnent comme une fatalité obstinée. Bien sûr, il y a une gradation de la douleur : la violence du sang rouge appelle son contraire, le vert sombre des sapins, selon la loi que Baudelaire fixe dans *De la couleur*, lorsqu'il dit que « le rouge chante la gloire du vert [18] ». L'inverse est également vrai : « le vert s'empourpre richement [19] ». Mais la correspondance de ces deux tons n'aboutit pas à une harmonie : « cette sanglante et farouche désolation,

---

15. Cf. Yves Bonnefoy, *Baudelaire contre Rubens, L'Ephémère 9* (1969), p. 72-112.
16. *L'Œuvre et la Vie de Delacroix*, p. 871.
17. *Salon de 1846*, p. 625.
18. *Salon de 1846*, p. 612.
19. *Id.*, p. 613.

à peine compensée par le vert sombre de l'espérance[20] ! » La « Chasse aux Lions » de 1855, année probable de la genèse de notre poème, présente avec violence le mariage nécessaire et impossible des rouges (les manteaux des cavaliers arabes) et des verts (arbres et prés) si parfaitement appropriés à la tuerie des lions[21]. En la décrivant, lors de l'Exposition Universelle de 1855, Baudelaire l'appelle « une véritable explosion de couleur... Jamais couleurs plus belles, plus intenses, ne pénétrèrent jusqu'à l'âme par le canal des yeux[22]. »

Puis, il fait remarquer « que cette couleur... pense par elle-même, indépendamment des objets qu'elle habille[23] ». Et il en vient à constater l'impression « quasi musicale » que font ces tableaux. Dans son traité, Baudelaire fournit ces observations avant d'introduire la citation de notre strophe, laquelle illustre un système de couleurs comprises pour elles-mêmes et non comme support de la réalité, ce qui, du même coup, éclaire la comparaison avec la musique dans les deux derniers vers. La modernité de Delacroix apparaît dans sa conception musicale et mathématique des rapports entre les couleurs. Baudelaire s'y réfère en mentionnant ses couleurs (ce qu'il ne fait nulle part ailleurs) et en utilisant une comparaison musicale, rappelant par là que « l'état spirituel de notre siècle » veut « que les arts aspirent, sinon à se suppléer l'un l'autre, du moins à se prêter réciproquement des forces nouvelles[24] ». Ainsi, Baudelaire qualifie de poèmes les œuvres de Delacroix[25] et leur auteur de « poète en peinture[26] ».

Dans notre texte, la musique a pour mission d'opposer à la violence des couleurs un accent plaintif, une mélancolie qui trahit « la maîtrise de la douleur[27] », propre à « notre religion profondément triste, religion de la douleur universelle[28] ».

Delacroix est avant tout le peintre qui témoigne, par son « ardent sanglot », de la dignité humaine devant Dieu. La « douleur morale[29] » qu'il exprime se fait entendre au bord de l'éternité, elle fait apparaître la conscience d'un mal qui a

20. *Id.*, p. 625.
21. Eugénie de Keyser, *L'Occident romantique (1789-1850)*, Skira, Genève, 1965, p. 114.
22. P. 707.
23. *Id.*
24. *L'Œuvre et la Vie de Delacroix*, p. 856.
25. *Salon de 1846*, p. 620.
26. *Id.*, p. 621.
27. *Id.*, p. 629.
28. *Id.*, p. 625.
29. *Id.*, p. 629.

atteint le siècle et qui n'est autre que la sensation de la mort s'emparant de toute une époque. Sa présence pourra nous servir de guide à travers les six strophes qui se situent entre Rubens et Delacroix.

Le deuxième médaillon, celui de Léonard de Vinci, s'apparente à celui de Rubens uniquement par l'absence de tension. En frayant la voie à une dimension surnaturelle que révèlent les « anges charmants, avec un doux souris Tout chargé de mystère », cette strophe se détourne résolument du domaine de Rubens et indique le chemin que le poème va suivre dans sa première moitié, celui de la spiritualité intervenant dans un contexte plus ou moins réel. Le lieu de cette intervention est ici le « miroir profond et sombre ». La contradiction entre sa révélation d'êtres supérieurs et son obscurité se retrouve dans la dualité des glaciers et des pins. Il y a donc lumière et obscurité tout ensemble, comme la visiteuse des ténèbres est « noire et pourtant lumineuse [30] ». Le miroir s'ouvre en profondeur, mais le pays qu'il laisse apparaître en son fond est fermé. Comme dans les deux médaillons que nous venons de commenter, nulle présence humaine. Cette absence signifiait, dans le cas de Rubens, une indifférence ; dans le cas de Delacroix, la solitude d'une ère de désolation. Ici, elle signifie la présence d'une spiritualité pure qui se détache d'un fond de néant. Si Léonard est compris comme un miroir, tout ce qu'il laisse voir est doué d'une existence seconde que la conscience a transformée. Cette conscience s'exprime dans le charme, le sourire, le mystère angéliques et dans l'immatérialité du paysage alpestre. Elle n'est donc arrêtée par aucun objet, par aucune forme délimitée. La conscience traverse une transparence, ce qu'elle n'atteint pas est relégué dans l'ombre ; il n'y a pas ici de domaine intermédiaire, de monde qu'habiteraient des hommes et que signaleraient des objets saisissables. Rubens était représenté comme l'incarnation de l'inconscience. C'est pourquoi une nature passive et autonome dominait ses œuvres. Léonard ne traduit que des expériences réfléchies. La réflexion dessaisit la nature de son innocence. Les glaciers et les pins jettent l'ombre qui enveloppe les anges de néant. Ils sont placés ainsi au seul du non-être. Ils sont faits d'une matière presque immatérielle, claire-obscure, qui répond au dualisme de l'art tel qu'en témoigne la « ligne de suture » insaisissable entre le « transcendant » et le « naturel » que Baudelaire remarque chez Goya [31]. Que la Monna

30. *Un Fantôme,* I *Les Ténèbres, Les Fleurs du Mal,* p. 112.
31. *Quelques caricaturistes étrangers,* p. 755.

Lisa puisse se transformer en ange, voilà qui accuse la volonté d'expatrier l'art du domaine terrestre pour l'orienter vers la frontière entre deux états. Le langage de la réalité n'aurait d'autre fonction que de se renier en faveur de l'absolu qu'il réfléchit. Tous ces signes sont ambivalents, tous figurent le renvoi à ce qui est différent d'eux.

Quel est l'enchaînement qui mène de Léonard de Vinci à Rembrandt ? C'est encore le surnaturel. Mais il y a entre ces deux médaillons de grandes différences. Rembrandt s'exprime dans un drame, son dualisme s'oppose à l'immatérialité de Léonard, il s'exprime dans l'acte par lequel il dépasse la sphère hideuse de l'humanité souffrante et des objets déchus. Si la réalité de Léonard était indiquée comme un lieu solitaire de hautes montagnes, celle de Rembrandt, tout en accentuant la solitude, se situe à l'étage le plus bas des expériences humaines. Une fois de plus, Baudelaire réduit le monde charnel et opulent en un théâtre désert qu'emplissent seuls la masse inconsistante de bruits indistincts et les déchets d'hommes et de choses. Les seuls signes dont la présence soit distincte sont le crucifix et le rayon d'hiver. Leur verticalité accentue la différence, l'altérité que représente la dimension surnaturelle. La force de cette irruption (rayon) ou de ce surgissement (croix) fait la modernité de Rembrandt et le distingue en même temps de la transcendance fataliste et paralysée des peintres du XIXe siècle.

Parmi les tableaux du Louvre auxquels Baudelaire aurait pu songer, où le clair-obscur s'accuse avec le plus de netteté, on a donné la préférence à l'un des deux philosophes de 1633. Pourtant, il ne serait pas impossible de penser également au « Bœuf écorché » du Louvre qui réunit plusieurs des aspects de Rembrandt auxquels Baudelaire est attentif : L'endroit où il est exposé est particulièrement désert et triste. Les poutres auxquelles il est fixé rappellent un crucifix. Le bœuf lui-même est dans la position du crucifié. La lumière blanchâtre qui lui permet de se détacher du fond transfigure sa chair hideuse en matière surnaturelle. Ainsi, il peut même être résumé par la métaphore d'un rayon d'hiver qui traverse l'obscurité. D'ailleurs, on pourrait également songer à des tableaux d'inspiration moins réaliste, par exemple à l' « Erection de la Croix » et à la « Descente de Croix » de Munich où Jésus et son suaire deviennent le rayon hivernal qui traverse la nuit.

Ordures transmuées en prière, telle est l'une des constantes des *Fleurs du Mal*. Le rayon d'hiver reprend la lumière des glaciers de Léonard. Mais le brusque contraste entre le lieu de désolation d'une part et le Sauveur, la prière et le rayon d'autre part annonce le déchirement encore plus dramatique qui dominera le quatrième médaillon, celui de Michel-Ange.

Les crépuscules y sont troués, lorsque le suaire des fantômes se déchire afin d'ouvrir une voie à la résurrection. Le ton devient plus viril, la méditation est remplacée par la lutte des corps antiques qui envahissent le « lieu vague ». Mais ce monde qui oppose les Hercules aux Christs se trouve dans l'incertitude. Sa tension est insoluble, son langage est de double nature : force physique, plasticité des Anciens, spiritualité de l'ère moderne : lorsqu'ils s'entrechoquent, le renversement qui s'ensuit s'opère doublement : Jésus se fait homme et assume les tourments de la condition terrestre, Hercule acquiert la dimension de la passion chrétienne. La Renaissance aurait ainsi accompli le mariage impossible entre deux traditions en conférant à chacune d'entre elles les caractéristiques de l'autre. Ce renversement est le principe qui permet de comprendre la suite du poème : les quatre médaillons suivants, destinés au XVIIe, au XVIIIe et au XIXe siècle, connaissent chacun la même tension entre la spiritualité rendue à la terre et la réalité terrestre que l'artiste tentera désespérément de dépasser. Car s'il est vrai que, le suaire étant déchiré, la verticalité de Rembrandt se retrouve dans les ressuscités qui s'élèvent tout droit, la nouvelle vie se double aussitôt de la prison de la mortalité à laquelle Rembrandt et Léonard avaient échappé. Le côté antique de Michel-Ange apparaît ici sous le signe d'une obstination qui prépare les colères du boxeur de Puget. Ainsi le langage corporel qui accompagne l'accès à une vie supérieure — les fantômes qui se dressent, les doigts qui s'étirent — se rallie aux Hercules du passé et confère à la résurrection une profonde ambiguïté. La nouvelle vie est donc entravée par une deuxième forme de paganisme qui entraîne la solitude des corps modernes sur une terre rendue à elle-même. Il importe de comprendre la rébellion héroïque du solitaire qu'est Michel-Ange, son refus de la lumière, sa séparation d'avec l'esprit.

Puget, sur l'autre versant du poème, du côté des modernes — la place exceptionnelle de son nom à la fin de la strophe indique que la césure principale se situe entre le quatrième et le cinquième médaillon [32] —, reprendra à son compte avant tout l'épreuve de l'emprisonnement dans les corps tourmentés. Ceux-ci ne s'élèveront plus vers la hauteur, car les boxeurs, faunes, goujats et forçats sont tous des êtres terrestres rivés à leur condition entravante. A partir de cette

---

32. Cf. Léon Cellier, *« Les Phares » de Baudelaire, Etude de structure. Revue des Sciences humaines,* 1966, p. 97-103.

strophe, le thème de la modernité est entièrement présent, — sous la forme du laid, de la mélancolie et de l'excès. Tout dans Puget est tourment sans remède.

La faiblesse de l'artiste et la démesure de ses thèmes composent ensemble une constellation de l'irrémédiable. Désormais, l'orgueil de l'artiste trahit sa tentative désespérée de racheter sa condition. L'artiste devient démiurge. Tout, dans cette strophe, signale son effort surhumain pour sauver les débris : ainsi, il prend en charge ce qui ne se donne plus de soi-même. Une volonté forcenée qui ne dépend plus que d'elle-même s'empare des figures humaines auxquelles elle espère donner vie. Et ces figures sont toutes des cas-limite : leur matérialité, leur grossièreté, leur hideur fondent un nouveau type de beauté qui ne se manifeste que par son contraire.

Ainsi, le lion qui mord Milon de Crotone arrache le boxeur à la sphère des hommes pour le rejeter dans celle des fauves. Le faune revêt d'ailleurs un aspect aussi humain que le boxeur dont la bouche ouverte, la tête dressée de côté, l'épaule tordue, la main tendue parlent le langage d'une tension, d'une disharmonie, d'un désarroi que le sculpteur maîtrise en leur conférant une grande fermeté. D'ailleurs, la proximité d'Hercule et du Christ se remarque dans les sculptures de Puget. Et l'on peut se demander si la strophe de Michel-Ange n'est pas déjà destinée en partie à Puget qui a sculpté un Hercule gaulois, un Hercule terrassant l'hydre de Lerne et une tête du Christ. Le pluriel d'Hercule semble indiquer que Baudelaire songeait d'avance à Puget, comme il préparait Delacroix en décrivant Rubens.

D'un médaillon à l'autre nous avons pu constater une opposition évidente, mais aussi une continuité secrète. De Michel-Ange à Puget, la parenté semblait être plus grande qu'entre les autres médaillons voisins. Pourtant, cette parenté n'était possible qu'à cause d'un contraste fondamental, celui de l'orientation : transcendante encore chez Michel-Ange, malgré toutes les restrictions que nous avons formulées, purement terrestre chez Puget.

Watteau, s'il représente le contraire de Puget dans son langage de la légèreté et des lumières subtiles, le rejoint pourtant dans sa part d'irrémédiable. Ce bal tournoyant n'a plus de sens. Nulle élévation n'est plus possible, nulle direction vers le haut ou vers d'autres horizons. La ronde se répète sans espoir de changement, les danseurs sont frêles, non pas puissants comme les figures des deux sculpteurs. La vie n'est plus qu'un simulacre, le dédoublement explique la folie : celle-ci n'est autre chose que le remplacement du vrai par son simulacre. La légèreté des corps et des cœurs, des flammes et des décors n'est donc qu'un signe d'inconsistance, d'évanescence ; nous assistons à une nouvelle forme de mortalité. Non plus celle des corps abandonnés à eux-mêmes, mais celle de l'absence des corps. Ce vide prépare à la mélancolie du médaillon final, il exprime le démon de l'Ennui. Si Léonard n'était que réflexion, Watteau n'est que reflet sans source de lumière, sans origine, privé de sens. Car les lustres font partie des décors, ils sont artificiels. Présente dans les trois premiers médaillons, la nature est totalement absente du sixième. Et de la puissance des deux médaillons précédents, il ne subsiste rien. Les papillons, psychés des temps anciens, n'ont que fonction de comparaison. Ils errent, car ils n'ont pas d'orientation sensée. Malgré ses charmes, ce bal figure une sorte de danse des morts.

C'est ce qui rattache Watteau à Goya. Extérieurement, le contraste est violent. La grâce fait place aux horreurs, au sadisme, à la laideur démoniaque, à la lubricité. Mais en substance, ces sabbats de sorcières visent également à sucer le sang et la moëlle et à transformer la vie en mort sans lendemain. Le miroir des vieilles correspond ironiquement à celui qu'habitent les anges de Léonard, mais les choses inconnues — reflet négatif du mystère de Léonard — le sont par le degré de dépravation qu'elles incarnent. Leur avenir est d'emblée annihilé, comme l'indique la cuisson des fœtus. Et les enfants nues n'annoncent pas davantage un nouveau monde : elles sont complices de la vieillesse la plus obscène.

On peut se demander pourquoi Baudelaire n'a pas transposé l'art de Goya en métaphores, comme il l'a fait pour les autres artistes. Ici seulement, l'allusion à des œuvres précises est absolument sûre[33]. C'est que les thèmes abordés par Goya sont déjà des métaphores : ils transforment la réalité en des scènes non pas sur-, mais sous-naturelles, à l'aide d'une démonologie qui rappelle E.T.A. Hoffmann, l'un des principaux maîtres de Baudelaire. De là, il n'y a qu'un pas à la hantise du lac de sang de Delacroix. Une fois ce lien établi, nous voyons les sapins faire écho à Léonard, le ciel, à Rubens, le soupir étouffé, à l'hôpital de Rembrandt tout rempli de murmures. Nous sommes donc en droit de voir dans cette strophe une synthèse des médaillons précédents. Delacroix est le seul romantique de cette galerie. Son romantisme inclut le Léthé de Rubens, l'ombre de Léonard, la tristesse de Rembrandt, les fantômes de Michel-Ange, la mélancolie de Puget, l'éclairage

33. Il s'agit de plusieurs « Caprices », des n°s 43, 45, 69, 19, 65 et 17. Cf. Pierre-Georges Castex, *Baudelaire critique d'art,* Paris, 1969, p. 42.

artificiel de Watteau et les démons de Goya. Ce concours d'éléments montre que Delacroix est un auteur symphonique — ce qu'expriment bien les « fanfares étranges » —, un peintre universel qui résume maintes faces de la modernité. Comme la dernière place le suggère, Delacroix est l'achèvement de la négativité exprimée par les précédents. Il n'a pourtant plus la force de Puget, ni la légèreté de Watteau, ni l'imagination infernale de Goya, mais de ces trois artistes, il a hérité trois formes d'étouffement : la mélancolie des forçats, l'inconsistance des danseurs incertains et l'angoisse devant le crime contre la vie. Delacroix a représenté tout cela : « désolation, massacres, incendies [34] », « tristesse sérieuse [35] », « mélancolie singulière et opiniâtre [36] », tout cela étouffé sous une pâleur qui révèle des « batailles intérieures [37] ». Cette intériorité se traduit par des effets musicaux qui ajoutent une nouvelle correspondance à celles que nous venons de relever. Grâce à ces qualités musicales, le message est soumis à un passage incessant vers une instance invisible et éloignée qui ne saurait le recevoir. C'est cette mélodie qui forme « la partie mélancolique et ardente du siècle [38] » et qui s'exprime dans « cet ardent sanglot qui roule d'âge en âge ». Ce sanglot est condamné à mourir bien avant d'avoir atteint Dieu. Delacroix est conscient de cette fatalité. Son héroïsme consiste a l'assumer. C'est pourquoi l'éternelle répétition des plaintes, des cris, des pleurs et des prières ne cherche plus d'interlocuteur. Elle se dépense avec une intensité digne de la solitude autonome de l'homme, mais elle se sait condamnée à rester un témoignage sans résultat, sans réponse.

Baudelaire reprend cette solitude désespérée à son propre compte lorsqu'il se situe dans le même paysage que son peintre favori :

> Moi, mon âme est fêlée, et lorsqu'en ses ennuis
> Elle veut de ses chants peupler l'air froid des nuits,
> Il arrive souvent que sa voix affaiblie
>
> Semble le râle épais d'un blessé qu'on oublie
> Au bord d'un lac de sang, sous un grand tas de morts,
> Et qui meurt, sans bouger, dans d'immenses efforts [39].

---

34. *L'Œuvre et la Vie de Delacroix*, p. 871.
35. *Salon de 1846*, p. 625.
36. *Id.*, p. 628.
37. *Exposition Universelle de 1855*, p. 707.
38. *Id.*, p. 709.
39. *La Cloche fêlée, Les Fleurs du Mal*, p. 144.

Les premiers artistes se donnaient des réponses ; Rubens non, mais les autres : Léonard, en se faisant le miroir de l'Autre, Rembrandt, en accueillant la lumière dans le déchet, Michel-Ange, en faisant sauter les contreforts de la mort, alors que Puget, Watteau et Goya figuraient, chacun de manière différente, une tentative extrême de clamer la condamnation du mortel. Delacroix reprend les méthodes des « croyants », mais il en a perdu le sens. Ainsi, il résume toutes les méthodes de peinture présentées par Baudelaire sans en connaître le message. Delacroix est, dans ce contexte, l'aboutissement de la peinture occidentale, dans le double sens de synthèse et d'absence d'issue. C'est pourquoi les dernières strophes ne sont que la confirmation de la même situation : toujours le même écho, le même cri, le même ordre. Le temps s'abolit dans le roulement d'une vague de sanglots qui meurt de son mouvement tautologique. Car l'espérance « Est soufflée, est morte à jamais [40] ! » Et le phare est devenu « ironique, infernal, Flambeau des grâces sataniques... [41] ».

L'art, dans la mesure où il réussit à être ce phare inconsistant, est fidèle à la solitude réfléchie qu'habite Satan. Baudelaire critique reproduit ce miroir de sa réflexion solitaire en sept portraits d'artistes, qui représentent chacun un type différent de miroir, et en un huitième qui devient le miroir des sept autres. Ainsi, nous déchiffrons chaque fois le miroir d'un miroir de sept miroirs, et le faisant, nous ne cessons d'assister à l'acte critique d'un poète pour qui la critique est inséparable de la création.

Bernard BÖSCHENSTEIN.

---

40. *L'Irréparable, id.*, p. 129.
41. *L'Irrémédiable* II, *id.*, p. 152.

NOTE SUR L'INSTANT DRAMATIQUE DANS LE THEATRE DE CLAUDEL

Claudel ne lisait pas *Polyeucte* sans une vive irritation. Il ne voyait pas comment Péguy pouvait « s'exciter » sur cette pièce et la « considérer comme le chef-d'œuvre de la tragédie chrétienne[1] ». Une page de son *Journal* montre que les raisons de son agressivité étaient d'ordre littéraire, bien sûr, — « style d'une invraisemblable platitude et d'un bourgeoisisme cocasse » — mais surtout d'ordre religieux ; et il n'est pas seulement choqué par l' « espèce d'énergumène qui se rue au baptême, puis à des actes ostentatoires que l'Eglise a toujours condamnés » : il met en question la façon même dont le Dieu de Corneille agit : « Quant à cette force soudaine de la Grâce, qui motive toute cette antihumanité...[2] » De fait, dans *Polyeucte,* la grâce tombe sur les âmes comme un coup de foudre et, ce que nous devons souligner, elle produit instantanément tout son effet. Elle n'est pas simplement un appel, elle ne marque pas le commencement d'une lutte : tous ne la reçoivent pas, certes, mais pour ceux qui la reçoivent, il n'y a plus de problèmes.

> Et Dieu qui tient votre âme et vos jours dans sa main.

Tel est le principe que Néarque rappelle à Polyeucte dès la scène I de l'Acte I : l'âme est une marionnette dont la main de Dieu tire les ficelles.

> Il est toujours tout juste et tout bon : mais sa grâce
> Ne descend pas toujours avec même efficace.

---

1. « *Le Soulier de Satin* » *et le public,* dans : Paul Claudel, Théâtre, La Pléiade, t. II, p. 1479. Voir aussi : *Mémoires improvisés,* 37e entretien.
2. *Journal,* II, La Pléiade, 1969, novembre-décembre 1939, p. 293-294.

Sans doute il appartient à notre volonté d'obtempérer ; et « nos longueurs » risquent d'irriter l'Eternel : la grâce cesse alors d'être une délectation qui captive dans un saint plaisir :

> Le bras qui la versait en devient plus avare,
> Et cette sainte ardeur qui doit porter au bien
> Tombe plus rarement ou n'opère plus rien [3].

En fait, la grâce vraiment efficace ne laisse pas à la volonté le temps de tergiverser. Pauline assiste au supplice de son mari :

> Je vois, je sais, je crois, je suis désabusée [4].

Même transformation radicale et immédiate dans l'âme de Félix qui vient d'envoyer son gendre chrétien à la mort. Il écoute la profession de foi de sa fille et voici qu' « un secret appas » séduit son cœur :

> Je cède à des transports que je ne connais pas
> Et par un mouvement que je ne puis entendre,
> De ma fureur je passe au zèle de mon gendre [5].

Ainsi, dans cette théologie de la grâce, le moment essentiel est psychologique. D'un côté, Dieu distribue la grâce selon ses desseins ; de l'autre, la volonté humaine a le pouvoir de ne pas céder immédiatement ; mais la grâce, concrètement, est de l'ordre de ce qui plaît, elle est sentie comme un plaisir ; elle est donc plus ou moins efficace, c'est-à-dire qu'elle déclenche plus ou moins vite le consentement, selon la vivacité ou l'intensité du plaisir qui la manifeste. La parfaite efficacité abolit le temps : elle opère la conversion dans l'instant. Conversion si totale qu'il n'y a plus aucun obstacle à vaincre. Aussitôt « désabusée », Pauline est prête pour le martyre : Félix, de même.

> Polyeucte m'appelle à cet heureux trépas [6]

dit la fille du gouverneur d'Arménie qui pour plaire à l'Empereur a fait périr son gendre. Quelques minutes plus tard, ce même gouverneur déclare à l'homme de confiance de l'Empereur :

---

3. *Polyeucte*, acte I, scène I, vers 25 à 36.
4. *Ibidem*, acte V, scène V, vers 1727.
5. *Ibidem*, acte V, scène VI, vers 1770-1772.
6. Acte V, scène V, vers 1733.

Immolez à vos dieux ces deux nouveaux chrétiens :
Je le suis, elle l'est, suivez votre colère [7].

Paul Claudel a l'expérience de ce coup de grâce qui convertit, au sens le plus actif du verbe, les Polyeucte et les Pauline. On connaît la scène racontée dans *Ma conversion :* le 25 décembre 1886 — le poète a donc dix-huit ans — à l'heure des vêpres, dans Notre-Dame de Paris, « debout dans la foule, près du second pilier à l'entrée du chœur à droite du côté de la sacristie », le jeune homme se sent brusquement devenir un autre. « En un instant mon cœur fut touché et *je crus*. Je crus d'une telle force d'adhésion, d'un tel soulèvement de tout mon être, d'une conviction si puissante, d'une telle certitude ne laissant place à aucune espèce de doute, que, depuis, tous les livres, tous les raisonnements, tous les hasards d'une vie agitée, n'ont pu ébranler ma foi, ni, à vrai dire, la toucher [8]. »

Cet événement, « l'événement qui domine toute ma vie », n'a pourtant jamais été théâtralement exploité par l'auteur dramatique. Sans doute, il y a bien une allusion dans *Partage de Midi :*

Vous seul en moi tout d'un coup à la naissance de la vie, vous avez été en moi la victoire et la visitation et le nombre et l'étonnement et la puissance et la merveille et le son !

Mais cette irruption n'est pas une péripétie de l'action représentée [9]. Dans la seconde version de *La Ville,* la conversion de Cœuvre, « au second âge de la vie », est comme le fruit mûr qui tombe de l'arbre de la science, pas de la science des savants, bien sûr, mais de la science des poètes :

Et je compris l'harmonie des choses dans leur accord et leur succession.
Et enfin, ayant fait la grande découverte, dans l'intelligence de l'unité et de la distinction de la différence, je trouvai le ravissement.
Un œil pur et un regard fixe voient toutes choses devant eux devenir transparentes.

---

7. Acte V, scène VI, vers 1782-1783.
8. *Ma conversion,* texte écrit en 1909, publié dans *La Revue des jeunes,* 10 octobre 1913, recueilli dans : *Contacts et Circonstances,* Gallimard, 1940, p. 13, et *Œuvres en prose,* Pléiade, 1965, p. 1010.
9. *Partage de Midi,* Cantique de Mésa, Paris, Mercure de France, 1948, p. 141.

Alors, comme Rimbaud, « le grand Cœuvre » s'est tu et a disparu [10]. Conversion sans instant flamboyant.

Ce que l'auteur dramatique a retenu de « l'événement » de Noël 1886, ce n'est pas l'instant de la conversion mais la situation créée par cet instant. L'homme nouveau ne prend pas la place du vieil homme : il habite le vieil homme, introduisant dans l'existence ce principe de contradiction qui, selon Claudel, définit la condition du chrétien [11].

D'abord, la foi s'affirme à côté d'une raison positiviste, matérialiste, anti-chrétienne : « ... Cette résistance a duré quatre ans. » C'est seulement le 25 décembre 1890 que le converti fit ce qu'il appelle « sa seconde communion » à Notre-Dame [12].

Surtout, la foi ne cessera de s'affirmer à travers « tous les hasards d'une vie agitée », formule à souligner, car elle ajoute à la certitude les épreuves auxquelles la certitude fut soumise, elle joint la durée à l'instant privilégié, la durée dans le temps non privilégié des misères quotidiennes.

Loin d'être le dénouement d'un drame, la certitude de la foi est source de drames ; loin d'apporter le repos, elle est créatrice de conflits. Conflits d'ordre intellectuel : si Claudel n'a jamais remis en question la foi qui le fit chrétien le jour de Noël 1886, il semble bien que cette foi ait toujours été tourmentée par le mystère du mal dans le monde [13]. Conflits d'ordre moral inséparables des précédents : l'aventure de *Partage de Midi* se joue à l'intérieur de la foi et n'est dramatique qu'à l'intérieur de la foi. Un mot d'Ysé en dit long sur la tragédie intime de Mésa : « ... Et il me regardait de son air de mauvais prêtre [14]. »

Tout se passe comme si le Dieu du 25 décembre 1886 avait laissé son enfant se débrouiller tout seul, avec les seuls secours de la prière et des sacrements, mais sans aide particu-

10. *La Ville*, 2e version, acte III, *Théâtre*, II, Mercure de France, 6e éd., p. 289-290. Et, un peu plus loin : « Et dans la profondeur de l'étude j'ai trouvé une autre naissance » (p. 290).

11. Ce que Claudel a clairement exprimé dans sa *Lettre au « Temps »* de juin 1914 et dans sa *Lettre au « Figaro »* du 14 juillet 1914 : « La force du christianisme tout d'abord, c'est qu'il est un principe de contradiction. Ses exigences, en apparence démesurées et déraisonnables, sont les seules cependant qui soient à la mesure de nos forces et de notre raison... Il ne nous permet pas la paix, il ne nous permet pas les attitudes, il ne nous permet pas la complaisance et la satisfaction... (*Positions et Propositions,* I, Gallimard, 1928, p. 240-241.)

12. *Ma conversion,* p. 12 et p. 16 ; Pléiade, p. 1011 et 1014.

13. Voir, par exemple : André Espiau de la Maestre, *Job et le problème du mal dans l'œuvre de Paul Claudel,* dans : *Entretiens sur Paul Claudel,* Paris-La Haye, Mouton, 1968.

14. *Partage de Midi,* acte III, Mercure de France, 1948, p. 124.

lière, comme s'il ne voulait pas lui ôter la responsabilité de dénouer ses contradictions. Dieu ne le quitte pas ; Dieu reste présent mais comme un témoin qui agirait par son seul regard : « tous les hasards d'une vie agitée » ne sont plus de simples accidents de parcours ; sous le regard de Dieu, ils sont vécus sur un mode qu'il serait juste de nommer tragique [15].

Telle est l'expérience vécue qui est, pour ainsi dire, la source permanente de la dramaturgie claudélienne : il ne semble pas que Claudel ait fait revivre dans un personnage de son théâtre l'instant de sa « conversion » ; mais cet instant l'a introduit dans un univers où sa pensée et sa vie ont trouvé des problèmes, des épreuves, des combats que l'imagination va soumettre à cette alchimie poétique qu'est l'invention d'une action dramatique.

Ceci ne signifie évidemment pas que la foi de Claudel l'introduit dans un temps où l'instant ne pourrait être celui d'un jaillissement, d'un surgissement, le nouvel avenir marquant aussitôt une rupture avec un passé désormais privé de tout espoir de retour. Dans la vie des personnages claudéliens il y a bien des instants privilégiés, qui sont comme des bifurcations, qui jettent l'homme sur un chemin où il est interdit de revenir sur ses pas. Ainsi, dans la première *Jeune fille Violaine,* au début du second acte, la Mère raconte à Bibiane — la future Mara — comment elle a fait sa commission à Violaine : si tu épouses Jacques, ta sœur ira se pendre. Violaine n'a rien répondu : elle ne semble même pas avoir délibéré ; elle a regardé sa mère, sa mère l'a regardée et, dès lors, le sacrifice était consommé. Dans le second acte de *L'Otage,* il y a dialogue, cette fois, entre Sygne de Coûfontaine et le curé Badilon, dialogue qui n'est en aucune façon une dialectique destinée à conduire Sygne du refus au consentement mais qui est là pour permettre à Sygne d'user sa résistance en l'explicitant : comme il le dit lui-même, le prêtre « attend » ; et un moment vient où, sans paroles, le don est accompli. Dans ces deux cas, l'instant n'est-il pas celui d'une « conversion » ? Oui et non. Le 25 décembre, en 1886, il s'agissait d'une conversion à Dieu ; dans les deux exemples cités, il s'agit d'une conversion à soi. Entendons : il y a toujours, au même instant, conversion à Dieu et conversion à soi ; mais, à Notre Dame, Claudel est devenu Claudel sous

15. *Ibidem,* p. 122 :
« Et cependant il y a des moments où, tu sais, c'est comme quand on sent que quelqu'un vous regarde.
« Sans relâche, et l'on ne peut échapper, et quoi qu'on fasse... »

le regard de Dieu ; dans les diverses versions de *L'Annonce faite à Marie*, Violaine devient Violaine parce qu'elle se sent sous le regard de Dieu ; de même pour Sygne de Coufontaine. Violaine aurait sans doute épousé Jacques et Sygne n'aurait sûrement pas épousé Turelure si elles n'avaient, l'une et l'autre, vécu dans l'univers et le temps de la foi.

La différence entre les deux « conversions » est radicale. Si ses documents le lui permettent, l'historien de Claudel peut et même doit essayer de situer l'épisode de Notre Dame dans son contexte psychologique, social, culturel ; il n'y a là aucun postulat étroitement rationaliste : la présence du surnaturel ne saurait exclure l'enquête sur les « circonstances », *circumstantia*, qui constituent le naturel. Mais, du point de vue de Claudel, Dieu a tout fait. C'est peut-être même cette conviction qui explique pourquoi il exclut de son théâtre un instant où Dieu serait l'acteur unique et, de ce fait, pourquoi *Polyeucte* lui est insupportable. Ne doivent être représentés sur la scène que des histoires où Dieu, déjà là, met l'homme dans des situations dramatiques et le condamne à lutter, jusqu'à la mort.

Dans ces histoires, n'attendons pas, d'ailleurs, un Dieu qui multiplie les signes de sa présence : sauf erreur, il n'y a dans le théâtre de Claudel qu'un seul miracle, celui de Violaine ressuscitant la fille de sa sœur dans *L'Annonce faite à Marie*. Dieu est là, mais il s'agit surtout d'une présence-absence, d'une présence par le regard, d'une présence qui est agissante sans actes distincts. Nous rejoignons ici les justes remarques de Georges Poulet sur Claudel : « La grâce ne vient pas, elle meut, elle suscite. L'acte du Créateur se confond donc avec la naissance et l'activité de la créature. Le pouvoir de l'un est le pouvoir de l'autre, comme si, par une intussusception immédiate et sans distance... Claudel créé devenait créateur et *sentait* par conséquent en lui-même *le besoin non seulement de subir la volonté-créatrice, mais d'en réaliser activement les desseins*[16]. » Souligons les mots qui disent ici l'essentiel : c'est ce *sentiment* qui nous semble à la fois introduire dans l'existence une référence au regard de Dieu et rapporter le *besoin* qu'il exprime à ce regard comme l'effet à sa cause ; Violaine *sent* plus ou moins confusément le *besoin* d'être telle que Dieu voudrait la voir.

Ce *sentiment* est-il infaillible ? En acceptant son sacrifice, Sygne est-elle réellement telle que Dieu voudrait la voir ? Le

16. *Les métamorphoses du cercle*, Paris, Plon, 1961, p. 478-479.

curé de campagne de Bernanos ne le pensait pas [17]. Mais ceci serait une autre histoire.

Restons dans l'univers spirituel où les personnages de Claudel ont la vie, le mouvement et l'existence : la foi crée un *moi* idéal, ce *moi* que le regard de Dieu m'invite à devenir, et il y a des instants privilégiés où ce *moi* cesse d'être une idée, un projet, une tentation, où ce *moi* est réellement *moi.* Sans sous-entendre la moindre possibilité d'une influence bergsonienne, ces instants semblent bien correspondre à l'acte libre tel qu'il est décrit dans le dernier chapitre des *Données immédiates de la conscience :* « Nous sommes libres quand nos actes émanent de notre personnalité entière, quand ils l'expriment, quand ils ont avec elle cette indéfinissable ressemblance que l'on trouve parfois entre l'œuvre et l'artiste... [18]. » Cette « personnalité entière », que Bergson appelle encore « le moi profond », « le moi fondamental », n'est-ce pas cette espèce de sur-moi que la foi impose aux héros claudéliens et qui est source permanente de conflits dramatiques ? Jusqu'où irait le rapprochement ? Sous « entier », « fondamental », « profond ». Bergson met la totalité des instants vécus depuis celui de ma naissance et accumulés dans l'épaisseur de l'instant ; l'acte libre est défini à partir et à l'intérieur de la durée que le philosophe oppose au temps des horloges, cette durée où le passé ne passe pas et où mon être coïncide avec mon histoire [19]. Dans la vision claudélienne du monde le *sur-moi* qu'a fait surgir la présence même silencieuse de Dieu, ce *sur-moi* ajoute à mon histoire un sens, ce sens est un appel, de sorte que la conversion à soi-même est le consentement à une vocation.

Henri GOUHIER.

---

17. *Journal d'un curé de campagne,* Paris, Plon, 1936, p. 224.

18. *Les Données immédiates de la conscience,* Paris, Alcan, 1889, p. 132. Cf. Henri Gouhier, *Bergson et Claudel,* dans *Entretiens sur Claudel,* ouvr. cit., p. 135-140.

19. Cf. Georges Poulet, *Bergson et le thème de la vision panoramique des mourants,* Revue de théologie et de philosophie, 1960, I ; repris sous le titre : *Bergson : le thème de la vision panoramique des mourants et la juxtaposition,* dans : *L'espace proustien,* Gallimard, 1963.

PROUST VELOUTÉ, VERNISSÉ, REFLECHI

Les pages qui suivent voudraient, en hommage aux travaux proustiens de Georges Poulet, et dans leur suite, apporter quelques échantillons de ce que pourrait être, menée sur Proust, l'analyse d'un imaginaire matériel. Dans le système des catégories sensuelles propres à l'univers de la *Recherche,* ou, si l'on préfère, dans la grille proustienne de la présence au monde, on a prélevé, un peu arbitrairement, quelques qualités privilégiées, en s'interrogeant sur leur valeur et leur fonction. Ce seront, liés les uns aux autres, le *velouté,* le *vernissé,* le *miroitant.* Tous trois se situent, à des lieux différents, dans une même problématique du manifesté et du latent, du superficiel et du profond ; tous trois intéressent le geste, ici fondamental, d'une épiphanie de la matière.

***

Parmi les modalités de la manifestation proustienne, nulle, peut-être, ne séduit mieux que le velours. Car il semble, sous la forme d'une douceur étalée, quasi cutanée, recueillir ou appeler en lui la chaleur profonde des substances. Le plus souvent il se lie à un éclairement : soit qu'une lumière veloute une surface en se posant sur elle, soit inversement qu'un velours attire une lumière, la capte, puis la prolonge dans l'épaisseur irradiée de sa texture. Le velouté n'est en effet ni mat, ni réverbérant : sans vraiment l'éteindre ni la renvoyer, il maintient en lui la clarté, il l'entretient à l'état de rayonnement latent. D'où la lenteur, la tiédeur, le secret aussi du vrai velours : ce quelque chose de retenu, voire de différé, de presque lourd (*velours* c'est encore *vie lourde*) qui qualifie toujours son charme. Mais ce poids suggéré, cette rétention se vivent aussi en lui comme une promesse du profond. Vis-à-vis de l'en-dessous substantiel le velouté a valeur de lieu d'affleurement : il est son espace d'aveu, sa plage révélante.

Souvenons-nous, ainsi, de la messe de mariage de Mlle Percepied, occasion de la première apparition à Combray de la duchesse de Guermantes. La gloire de cette épiphanie charnelle culmine en un effet d'éclairement, qui provoque à son tour une déclaration voluptueuse des matières :

> ... et le soleil, menacé par un nuage, mais dardant encore de toute sa force sur la place et dans la sacristie, donnait une carnation de géranium aux tapis rouges qu'on y avait étendus par terre pour la solennité, et sur lesquels s'avançait Mme de Guermantes, et ajoutait à leur lainage un velouté rose, un épiderme de lumière, cette sorte de tendresse, de sérieuse douceur dans la pourpre et dans la joie qui caractérisent certaines pages de Lohengrin, certaines peintures de Carpaccio, et qui font comprendre que Baudelaire ait pu appliquer au son de la trompette l'épithète de délicieux (*S.*, I, 178)*.

La provocation lumineuse d'une matière — la laine rouge du tapis — a pour résultat ici d'abord sa vivification féminine, presque sexuelle (marquée par des termes tels qu'*épiderme, carnation*), puis son fleurissement rêvé (c'est l'appel au géranium, fleur emblématique chez Proust de la joie charnelle, comme du bonheur d'art), enfin son animation profonde, son réchauffement : car la chaleur naturellement et presque animalement rêvée dans l'espace du laineux s'atteint aussi à travers l'élasticité tiède de la surface veloutée. Un velours en outre dont le rose atténue, filtre, mais traduit aussi en lui l'ardeur du rouge profond. Tout ce gestuaire sensuel aboutit au dégagement et à la nomination d'une essence : c'est la *tendresse,* dont Proust continue alors de rêver l'intention en la retrouvant et déplaçant dans trois expériences d'art privilégiées (Wagner, Carpaccio, Baudelaire). Or ce *tendre,* cette vertu qui intéresse ici tout un espace de désir (il affecte, par

---

* Liste des abréviations :

Corr. : Correspondance
C.S.B. : Contre Sainte-Beuve
G. : Le côté de Guermantes
J.F. : A l'ombre des jeunes filles en fleurs
J.S. : Jean Santeuil
P. : La prisonnière
S. : Du côté de chez Swann
S.G. : Sodome et Gomorrhe
T.R. : Le temps retrouvé

(T.R. III, 736 signifie : *Le temps retrouvé,* t. III de l'édition de la Pléiade de *A la recherche du temps perdu,* p. 736).

contagion métonymique, le corps même de la duchesse qui, ne l'oublions pas, foule de son pied la laine si sensuelle du tapis), cette qualité qui définit à la fois la surface perçue de l'objet et sa profondeur rêvée, c'est en réalité, la fin du texte cité le montre bien, un *mixte.* Il se construit comme un combinat d'éclat (intérieur, surgi) et de continuité (étalée, liée) ; il synthétise en lui l'assurance du soutien profond et le glissé, le voluptueux de la caresse : *sérieuse douceur,* dit Proust, mélange de *pompe* et de *joie...* Or c'est bien un tel mélange, une telle congruence chaleureuse du superficiel et de l'épais qu'opérait dans son registre propre le velours. Nous voici dès lors conduits tout naturellement à l'étonnante trompette baudelairienne : chez Baudelaire en effet la vigueur éclatée de la sensation ne se donne que dans l'apaisement, le calme étalé (velouté) d'une harmonie (d'une « sorcellerie évocatoire ») ; la vigueur y reste spontanément liée à un délice [1].

Dans d'autres textes le veloutement, toujours fidèle à sa visée d'un quelque chose se tenant au-dessous de lui (d'une *sub-stance*), y renvoie non plus à la tiédeur pressentie d'un rayonnement, mais à la dimension d'un calme, d'une inertie heureuse. Ainsi dans ce balcon parisien ensoleillé où la ferronnerie de la balustrade détache ses ombres « avec un tel relief, un tel *velours* dans le repos de ses masses sombres et heureuses qu'en vérité ces reflets larges et feuillus qui reposaient sur ce lac de soleil semblaient savoir qu'ils étaient des gages de calme et de bonheur » (S., I, 396). Ce qui s'annonce dans ce velours d'ombre (et dans les thèmes qui le connotent d'étalement, de compacité végétale, de liberté flottante, c'est la jouissance interne d'une paix, d'une immobilité vivante... Celle-ci tout à la fois promise et offerte au regard, à la manière, selon le mot de Proust, d'un *gage.* Et ce même repos peut ailleurs devenir celui d'une profondeur horizontalisée,

1. Il est intéressant de voir, ailleurs dans la *Recherche* (*P.*, III, 260), ce mixte se défaire en ses éléments constituants, recomposant alors les deux termes d'une opposition (celle que Proust charge de marquer la différence entre la Sonate de Vinteuil et le Septuor) : « C'était une joie ineffable qui semblait venir du paradis, aussi différente de celle de la Sonate que, d'un ange doux et grave de Bellini jouant du théorbe, pourrait être, vêtu d'écarlate, quelque archange de Mantegna sonnant dans un buccin. » On retrouve ici une trace du mixte ancien (le *doux* et *grave* associés de Bellini), un écho de la synesthésie couleur-musique (*écarlate, buccin*) ; mais l'important reste la scission, opérée à travers deux autres médiateurs artistiques (Bellini, Mantegna) et l'appel à deux instruments (théorbe, buccin : au lieu d'un seul, trompette), entre la tonalité du *doux* et celle de la *joie* supraterrestre.

d'un lointain entrevu par-delà la diaphanéité d'un intervalle : ainsi la petite phrase de Vinteuil apparaissant distante, autre, profilée comme en un tableau de Peter de Hook, « dans le velouté d'une lumière interposée » (*S.*, I, 218). Le velours est ainsi comme une marque de l'ailleurs, le signe d'un autre monde (substance ou essence), auquel d'une certaine façon il nous relie. On se retrouvera par exemple chez Proust « velouté d'avoir dormi » (*G.*, II, 85), c'est-à-dire recouvert, duveté par toute l'épaisseur, encore à demi enveloppante et rémanente, de cet espace inconnu, noir et onctueux d'où l'on sort à peine : le sommeil.

A partir de là se développera toute une mythologie spécifique, intéressant les régions les plus variées de l'expérience. Le velouté s'y opposera aux sèmes antinomiques du défini, du net : à la qualité de tout ce qui accepte de se laisser trancher, par l'intelligence ou le concept. Face à la clarté trop simple de l'univoque il marquera l'ambiguïté des significations doubles ou multiples, le charme des textes-palimpsestes, l'attrait ou le vertige des espaces à plusieurs niveaux. Ainsi à travers les images, superposées les unes aux autres par sa mémoire, des divers salons Verdurin, Brichot, leur « vieil habitué », aperçoit cette « patine » (mode à la fois temporel et lumineux du velouté), « ce velouté des choses auxquelles, leur donnant une sorte de profondeur vient s'ajouter leur double spirituel », (*P.*, III, 286). La surimpression de toutes les « épreuves » successives de ce salon fait ainsi apparaître, sous forme d'une étoffe de velours, la figure de son essence même. Le veloutement du temps — le flou, le tremblé de sa sédimentation — donnent finalement accès à la solidité d'une forme intemporelle.

Mais le rapport de la temporalité et du velours peut s'inverser aussi, se négativiser : et cela dans la mesure où la durée, au lieu d'enrichir successivement l'identité, s'emploiera à la définir, c'est-à-dire à la déterminer, à l'élaguer de ses multiples possibilités initiales. Vieillir, c'est alors s'éloigner d'une sorte de velours premier où la richesse demeurait encore contenue en elle-même. Ce à quoi s'oppose ici le velours, c'est à la superficialité, c'est-à-dire à l'intelligence : « ses vérités ont des contours plus secs [que ceux des vérités sensibles] et sont planes, n'ont pas de profondeur, parce qu'il n'y a pas eu de profondeur à créer pour les atteindre... » D'où la triste sécheresse des créations de la maturité : « Souvent des écrivains au fond de qui n'apparaissent plus ces vérités mystérieuses n'écrivent plus à partir d'un certain âge qu'avec leur intelligence qui a pris de plus en plus de force ; les livres de leur âge mûr ont, à cause de cela, plus de force que ceux de leur jeunesse, *mais ils n'ont plus le même velours* » (*T.R.*, III, 898). Le velouté nous renvoie bien ici au thème édénique d'un inanalysé, d'un non-encore-déployé, d'un inexpliqué — pourtant de toutes parts offert et accessible. Utopie d'un secret qui s'avouerait par sa réserve même. Toutes les jeunesses en pratiquent ouvertement le charme. Ainsi la Grèce : « c'est une époque où on ne développait pas ses idées, on les présentait ainsi sans les ouvrir, sans faire sortir tout ce qu'elles contenaient. Le duvet, la fraîcheur n'en étaient pas ôtés » (*J.S.*, I, 330).

Tout velours ouvre ainsi un espace de sens, mais sans l'ouvrir. Il propose, sous forme d'une fraîcheur étalée, ou émanée, car il lui arrive aussi de parfumer, une richesse interne, recluse, peut-être défendue. Sa jouissance permet alors sinon de lever, du moins de contourner l'interdiction. Relisons, à ce sujet, l'un des épisodes les plus importants de *Jean Santeuil,* les plus directement ouverts en tout cas, sur certains secrets de la sensibilité proustienne (il ne passe dans la *Recherche* que fragmenté et déguisé) : il s'agit de l'histoire du vase brisé par un geste coléreux de Jean lors d'un accès de révolte dirigé contre son père, et plus peut-être encore contre sa mère [2]. Celle-ci venait en effet de lui interdire une sortie chez ses amis les Réveillon, sortie imaginée par elle comme un acte, insupportable, d'émancipation (« sans ses parents, avec des femmes, pour nous préparer à une nuit

2. On se souvient que, dans *Un Amour de Swann,* Odette brise un vase en un moment de rage contre Swann. C'est après un échange érotique violent, et suspect, auquel Swann a fini par se dérober : « On ne peut jamais rien faire avec toi ! » lui crie-t-elle. La cassure du vase marque alors une défaite du désir ; il est un aveu (furieux, sadique) de l'intimité impossible ; il sanctionne la fragmentation d'Odette en mille personnages fuyants et évasifs. Plus tard, au cours de ses amours adolescentes avec Gilberte, Marcel décide de vendre, pour se procurer l'argent d'un cadeau, un vase que lui a légué sa tante Léonie (ici substitut lointain de la mère) : vase dont la mère redoute d'ailleurs à chaque instant le bris. Le vœu de rupture est ici plus caché, plus insidieux : on vend le vase pour obtenir les moyens d'une séduction, c'est-à-dire qu'on utilise l'objet maternel lui-même pour la satisfaction, interdite, d'un désir. Le vendant, d'autre part, on le profane, ce qui, selon un mécanisme proustien bien souvent affirmé, l'érotise davantage encore. Toutes ces transgressions entraînent d'ailleurs l'inévitable punition : c'est en allant vendre son vase que Marcel découvre, ou croit découvrir, la trahison de Gilberte, donc la perd. Dans le texte de *Jean Santeuil,* cependant, la vase brisé donnait lieu, après réconciliation du fils et de la mère à une sorte de *vœu,* quasi-religieux : « Ce sera comme au temple le symbole de l'indestructible union. »

d'orgie », *J.S.*, I, 302). Dans la rondeur mise en pièces du vase, cet objet si symbolique, c'est toute la continuité de l'enveloppement maternel, ressentie alors comme censure et répression, qui se trouve refusée, insultée, émiettée. Mais après ce geste si caractéristique de dilacération, le vœu de réparation ne tarde pas à apparaître : et cela, nous ne nous en étonnerons pas, en invoquant la puissance tout à la fois liante et approfondissante d'un velours. Jean, retiré dans sa chambre, y cherche un habit dans son armoire et y trouve par hasard le vieux manteau de velours noir de sa mère. Manteau qui, grâce à tout un jeu d'associations, et par la médiation d'un autre velours, celui de la mémoire, le renvoie à l'époque heureuse où il allait embrasser celle-ci le soir, avant de se coucher :

> C'était un manteau de velours noir, bordé d'aiguillettes, doublé de satin cerise et d'hermine, qui, meurtri par la violence du coup, entra dans la chambre au poing de Jean comme une jeune fille saisie aux cheveux par un guerrier. Ainsi Jean le brandissait, mais ses yeux n'étaient pas encore tombés sur lui qu'il reconnut l'odeur indéfinissable de ce *velours* qu'il sentait quand il y a dix ans il allait embrasser sa mère, alors jeune, brillante, heureuse, prête à sortir et que, passant ses bras autour de sa taille il sentait le velours écrasé sous sa main, et que les aiguillettes lui caressaient les joues pendant que sa bouche respirait sur le front de sa mère tout le bonheur dont elle resplendissait et qu'elle semblait lui promettre.

Passage exemplaire d'une tonalité sadique du désir (marquée par le geste du rapt, avec le thème barbare, mérovingien, de la jeune fille prise aux cheveux), à une tonalité attendrie, réconciliée, marquée par « l'écrasement » doux de l'étoffe symbolique. Mais ce contact ne fait pas encore possession ; il engage à une préhension plus souple encore, plus intime de la surface veloutée. C'est ce qui se produit quelques lignes plus loin :

> Troublé il regarda le manteau qui, dans ses couleurs encore fraîches, son velouté encore doux, ressemblait à ces années qui ne servaient plus à rien, sans rapport avec la vie, mais pas fanées, intactes dans son souvenir. Il l'approcha de son nez, sentit le velours fondre encore sous sa main et crut qu'il embrassait sa mère... (*ibid.*, I, 310)

A travers l'étonnante fusion de ce velours c'est tout le corps maternel bien évidemment qui se redonne, qui se lie et se délie sous l'insistance passionnée de la caresse. Il ne reste plus à notre héros, pour réintégrer pleinement ce corps désormais recollé à lui-même, qu'à se glisser en lui, à le *vêtir*. Jean Santeuil enfile en effet la robe de chambre, et va, ainsi habillé, rechercher, sous l'œil incompréhensif (et frustré) de son père, le baiser de pardon de sa mère. Marque exemplaire d'une réunion, qui serait aussi un plein réenglobement dans l'origine. Nul doute qu'à cette issue n'ait contribué pour beaucoup la puissance intériorisante, creusante, liante, du velours.

Or ce même pouvoir, celui qu'affirme par exemple sensuellement à Balbec la « figure veloutée » d'une Albertine, le velours l'affiche en un autre domaine encore, où son thème reste lié au vœu d'un homogène : ce qu'il s'agira d'unifier, ce ne sera plus pourtant ici, ou plus seulement le corps, mais le volume, ou, si l'on préfère, le texte de l'existence même. A la fin du *Temps retrouvé* Proust évoque en effet les relations multiples, et souvent inattendues, que la vie établit entre les choses et les êtres apparemment les plus séparés. Chaque terme vécu s'y met à communiquer mémoriellement avec les autres par un jeu, de plus en plus serré à mesure qu'on vieillit, de relations, symétriques, obliques, latérales : tissage structural qui aboutit presque alors au schème d'une continuité, voire d'une unanimité du sens. « Une simple relation mondaine, même un objet matériel, si je le retrouvais au bout de quelques années dans mon souvenir, je voyais que la vie n'avait pas cessé de *tisser autour de lui* des *fils différents* qui finissaient par le *feutrer de ce beau velours inimitable des années,* pareil à celui qui dans les vieux parcs enveloppe une simple conduite d'eau d'un fourreau d'émeraude » (*T.R.*, III, 973). Revoici notre velours euphorique, avec toutes ses qualités désormais familières : son don de créativité temporelle, sa puissance voluptueuse d'enveloppement, sa vertu d'accumulation, sa luisance. Mais il s'ouvre ici à une utopie nouvelle : celle qui fait de lui la limite lisse d'un maillage, le terme d'une sorte de saturation voluptueuse du rapport. Sa valeur devient donc, si l'on veut, cybernétique tout autant que substantielle. Il ne se contente plus d'envelopper et de creuser chaque terme vécu vers son fondement matériel, ou maternel (dans l'exemple cité ce fondement a d'ailleurs en soi peu de valeur : le vide d'un tuyau vulgaire) : il le met aussi en communication immédiate, en *contact* continu avec tous les autres. D'où son prix (l'émeraude), et sa valeur d'exemple : n'est-ce pas là ce que tente d'opérer, selon l'aveu de Proust, tout le développement de son texte même ? La richesse — le velours — de l'écriture proustienne tiennent peut-être d'abord à sa si puissante capacité de mise en relation : de connotation, de connexion.

*
* *

Aux côtés du velouté il conviendrait d'évoquer quelques qualités parentes : par exemple le *soyeux,* le *satiné.* Relevant du même paradigme, ils remplissent des fonctions analogues, mais avec des moyens légèrement différents : ainsi la non-épaisseur épidermique, le serré accru de la texture, et aussi un lisse plus dégagé, une aptitude plus grande à faire courir lumières et reflets sur une surface plus glissante. Mais il semble que cette platitude même ne satisfasse pas vraiment le désir proustien. Il aime en effet souvent à la creuser par l'appel à une émanation profonde : ainsi dans cette « *soierie embaumée* du géranium » (*P.*, III, 376), qui symbolise la « fragrance », l'énergie parfumée de la musique de Vinteuil. Ou bien il l'anime, la gonfle imaginairement par la mise en œuvre d'un dynamisme aérien : ainsi dans ces *Contes* de Musset où l'on sent « le frémissement, le *soyeux,* le *prêt à s'envoler* des ailes qui ne se soulèveront pas » (*C.S.B.*, coll. *Idées,* 207). Spontanément il semble d'ailleurs que le satiné, ou le soyeux visent à s'épaissir, afin de renvoyer le regard ou le tact à la suggestion d'un en-deçà désirable. Ainsi le merveilleux éloge de Marcel, ou plutôt de son écorce charnelle, de sa peau, par les deux courrières de Balbec se construit sur un jeu subtil, délicatement érotique, entre montré et caché, dehors et dedans, tendre et déchirant, caressé et caressant : danse du désir, et du langage, où le satin, devenu duvet, occupe sa place prévisible : « Ah ! front qui a l'air si pur et qui cache tant de choses, joues amies et fraîches comme l'intérieur d'une amande, petites mains de satin tout pelucheux, ongles comme des griffes... » (S.G., II, 848).

A la limite de ce satin-peluche se situerait le *fourré,* générateur de délices plus profondes encore, plus troubles, ainsi dans l'équivoque de ces cheveux Guermantes, « sorte de mousse d'or moitié touffe de soie, moitié fourrure de chat » (*C.S.B.,* 321). Que cette touffe se végétalise, s'aplatisse, se transporte du registre de la chair à celui de la terre, et elle nous introduira aux plaisirs du *moussu* lui-même, ou, moins serré, plus épars, à celui de l'*herbeux*[3]. Enfin ces catégories

3. Cette qualité sourdement épiphanique de l'*herbeux* (velouté superficiel inscrivant et appelant en lui une vérité de l'en-dessous) permet de saisir la valeur puissamment imaginaire d'un passage comme celui-ci : « Moi je dis que la loi cruelle de l'art est que les êtres meurent et que nous-mêmes mourions en épuisant toutes les souffrances, *pour que pousse l'herbe* non de l'oubli mais de la vie éternelle, l'*herbe drue des œuvres fécondes,* sur laquelle les géné-

possèdent un équivalent aquatique, l'*écumeux,* velours aérien et transparent en lequel vient passagèrement fleurir, sous forme d'une multiplicité de bulles, le secret des eaux profondes. Mais on ne saurait justement aborder la thématique de l'écume sans traiter de celle, tout aussi spécifique, de la bulle : ce qui n'entre pas, ici, dans notre propos.

*
* *

Imaginons maintenant que l'épiderme de l'objet, abandonnant la qualité d'opacité qui le caractérisait jusqu'ici, lie son jeu au don nouveau de transparence. Nous aurons affaire à la catégorie, si importante chez Proust, du *vernissé,* souvent varié en *glacé,* ou en *patiné.* Catégorie liminale encore : la translucidité y demeure horizontale, successive, elle court et s'étire sur le plan de l'objet sans accéder jamais à son dedans. Mais cet intérieur, elle semble elle aussi nous le promettre, d'une autre façon il est vrai que le velours ; elle nous en offre même une sorte de jouissance préalable. Ainsi Marcel, invité à déjeûner chez les Swann, éprouve « le beau temps, le froid, la lumière hivernale de la rue » comme « une sorte de préface aux œufs à la crème, comme une *patine,* un rose et frais *glacis* ajouté au revêtement de cette chapelle mystérieuse qu'était la demeure de Mme Swann et au cœur de laquelle il y avait au contraire tant de chaleur, de parfums et de fleurs » (*J.F.,* I, 526). Le centre domestique, encore interdit au visiteur, se définit, en accord avec toute la thématique proustienne du foyer, par sa puissance d'accumulation calorique, son don vital d'émanation et de fleurissement, son lien à une nourriture succulente. Mais à la surface de cet objet si désirable la croûte lumineuse et transparente qui s'y perçoit, ou qui s'y rêve, permet une pré-volupté : une dégustation de la profondeur en son bord, en sa limite même.

Le *glacé* éprouvé de l'épiderme introduit donc ainsi à l'onction rêvée de l'épaisseur. Il en est de même de certaines chairs attirantes dont la pulpe semble s'offrir et se refuser tout à la fois à travers la demi-matité des peaux. Ainsi les

---

rations viendront faire gaiement, sans souci de ceux qui dorment dessous, *leur déjeuner sur l'herbe.* » (*T.R.,* III, 1038.) La mort, située dans l'en-deçà terreux, devient à la surface une herbe, une herbe de vie. Et c'est sous forme d'art (le roman proustien, le tableau de Manet qui le métaphorise), d'un art offert à la consommation multiple (nourriture, nudité féminine, amitié : tout le thème du « déjeuner sur l'herbe »), que l'humanité future jouira, *herbeusement,* du génie des grands artistes disparus.

joues d'Albertine, dont on sait les si riches variations : « Je regardais les joues d'Albertine pendant qu'elle me parlait et je me demandais quel parfum, quel goût elles pouvaient avoir : ce jour-là elle était non pas fraîche mais lisse, d'un rose uni, violacé, crémeux, *comme certaines roses qui ont un vernis de cire*. J'étais passionné pour elles comme on l'est parfois pour une espèce de fleurs » (*J.F.*, I, 888). Bien intéressante combinaison de qualités : le *lisse*, l'*uni* s'y opposent au *frais* comme l'horizontalité étale à la verticalité ouverte ; le *violacé* apporte sa note d'intensité, de congestion sensuelle ; le *crémeux* appelle au lié d'une dégustation épidermique ; le *vernissé* rassemble enfin et unifie toutes ces nuances ; il permet de conjecturer, en elles, à travers elles, la consistance désirée, mais interdite aussi, figée (sous sa couche de cire) d'une chair pulpeuse et désirable (une rose). Il permet donc de voir, mais sans laisser toucher. Quelquefois son en-dessous se rêve comme animé par un mouvement d'initiative : à travers le glacé de la couche protectrice l'épaisseur matérielle, et plus spécialement végétale, semblera réclamer alors l'espace d'une issue, presque d'une naissance. Ainsi dans ce texte si curieux de *Jean Santeuil :*

> Il me semble que sous le *vernis vert* de la feuille et sous le satin blanc de la fleur il y ait comme un être particulier, un individu que nous aimons et que personne ne peut nous arrêter au *satin blanc* de la fleur blanche, au *vernis vert* de la feuille verte ; qu'*il y a quelque chose dessous,* notre plaisir est comme *profond,* nous sentons quelque chose qui s'*agite* en dedans que nous voudrions saisir, et qui est bien doux... (*J.S.*, 138)

Douceur qui affecte à égalité, on le voit, nos deux essences cousines (vernissé et satiné) ; elle les associe, par une formulation encore maladroite, dans cette sensation d'un au-delà à délivrer, d'un secret à déchiffrer qui donnera lieu, plus tard, à de très célèbres analyses. Devant ce « vernis vert » et ce « satin blanc », qui sont à la fois un appel et une réponse (« chaque fleur, chaque feuille répondent en nous à un désir »), Proust ne ressent pas en effet une impression très différente de celle qu'il éprouvera devant les clochers de Martinville, les arbres d'Hudimesnil, ou même devant la petite madeleine. Dans tout ces cas aussi, il y aura « quelque chose dessous » : quelque chose qu'on ne pourra connaître et dévoiler qu'en une interrogation, passionnée, de son « dessus ».

Mais revenons-en à nos vernis et à leurs qualités plus spécifiques. L'une des raisons du goût que Proust manifeste à leur endroit tient à la liaison rêvée qu'ils entretiennent avec la notion, toujours si euphorique ici, de *fluide*. Tout épiderme vernissé semble en effet avoir reçu, puis gelé sur lui un écoulement de transparence. Dans le vernis c'est la liquidité même des lumières qui baigne, qui nappe la surface offerte des objets. Si donc le glacé peut se vivre comme renvoi à un en-deçà matériel, à ce « quelque chose dessous » dont nous parlait le texte de *Jean Santeuil,* on l'imagine aisément aussi comme le produit d'une imprégnation externe, comme un dépôt, ou, mieux, comme un enduit de jour. A partir de l'immobilité vernie on rêvera dès lors aisément à l'acte vivant du *vernissage* : ainsi sur le corps d'Odette, enveloppée d'un ruissellement fluide, « reconnue au fond de la transparence liquide et du *vernis lumineux* de l'ombre que versait sur elle son ombrelle » (*J.F.,* I, 640). Ce qui se dépose ici sur le corps désiré, pour l'homogénéiser et le glorifier, c'est la tendresse de l'espace même. Elle sera susceptible de recouvrir, directement ou métaphoriquement, n'importe quel type, ou combinaison de sensations. Ainsi dans l'évocation suivante d'une chambre fraîche, qui donne lieu à un étonnant exercice de virtuosité synesthésique :

> Plus frais au contraire dans ma chambre, quand *l'air onctueux avait achevé d'y vernir* et d'y isoler l'*odeur* du lavabo, l'odeur de l'armoire, l'odeur du canapé, rien qu'à la netteté avec laquelle, verticales et debout, elles se tenaient en tranches juxtaposées et distinctes, dans un *clair obscur nacré* qui ajoutait un *glacé plus doux* aux reflets des rideaux, je me voyais... (*P.,* III, 411)

Vernis ou nacre individualisent, clôturent sur eux-mêmes chaque odeur et chaque reflet ; ils leur donnent (*debout, en tranches*) une parfaite netteté. Mais cette distinction reste paradoxalement liée à un principe originel d'osmose : puisque ce qui vernisse chaque sensation c'est le clair-obscur, la douceur, Proust va jusqu'à dire l'*onction* d'un enveloppement atmosphérique.

Une telle onction favorise bien sûr, toutes les caresses du regard. Pour l'œil ou pour la main le glacé est aussi un glissant. Il exorcise en lui toutes les formes du discontinu ou du rugueux ; il a pouvoir de résorber reliefs, trous ou différences. Sur le tissu du monde, comme sur celui du texte, il étale le charme « d'une espèce de fondu, d'unité transparente, où toutes les choses perdant leur aspect premier de choses, sont venues se ranger les unes à côté des autres dans une espèce d'ordre, pénétrées de la même lumière, vues les unes dans les autres, sans un seul mot qui reste en dehors, qui soit resté réfractaire à cette assimilation... Je suppose que c'est ce qu'on appelle le *vernis des Maîtres* » (*Corr.*, II, 86). Texte décisif, où le motif du vernissage permet à Proust, et nous comprenons mieux désormais pourquoi, de rêver en une seule euphorie toutes les dimensions constitutives, et apparemment contradictoires, du chef-d'œuvre : épaisseur et discursivité, intensité et planitude, netteté et harmonie. Car il faut bien comprendre, et les réflexions de Bergotte mourant nous y aident encore, que ce vernis ressort d'une accumulation de transparence. « Mes derniers livres sont trop secs, il aurait fallu passer plusieurs couches de couleur, rendre ma phrase en elle-même précieuse... » Aussi précieuse que la substance, matière volatilisée en lumière, ou lumière gelée en matière, du petit pan de mur vermérien. Mais ce vernis demeure en même temps, et totalement, épidermique : il est l'instrument d'une juxtaposition idéale, le lieu d'un pur côte à côte. Ou plutôt il naît de ce que Proust nomme une « fusion » : une mise en perspective, horizontale, de chaque objet dans la totalité éclairée de tous les autres. Les choses y sont à la fois « pénétrées de la même lumière », et « vues les unes dans les autres » : imprégnées du dehors, rapprochées (réciproquement) du dedans par une même et puissante pulsion d'identité. De même que le velours fournissait tout à l'heure la limite rêvée d'une certaine tentation de la complexité relationnelle (de la structure), le vernis se donne ici pour la figure la plus réussie d'une mythologie du style. Il le peut puisque — et tout comme la phrase sur chaque terme nommé — il étend sur chaque objet par lui investi l'énigme d'une transparence plane, d'un brio latéral, d'une profondeur continuée.

*
* *

Dans l'objet reflétant cette profondeur se brise, ce brio cesse d'être horizontal : le reflet marque en effet non plus l'adhésion d'une transparence à un épiderme sensuel, mais la réplique de la chose éclairée, donc le renvoi du message lumineux. Il manifeste ainsi dans l'objet sinon une prise d'initiative véritable (celui-ci ne brille qu'après provocation), du moins une capacité inédite de réponse : signe d'une entrée plus active de la matière dans le jeu de la lumière.

Cette valeur, le reflet la conserve à travers les acceptions assez diverses que lui confère la sémantique proustienne. Il peut en effet signifier ici le simple dépôt d'une tache de clarté, ou de couleur, sur une surface jusque-là inerte. Il peut instaurer encore la répétition, dédoublée ou inversée, d'une figure sur le plan d'un espace miroitant. Mais au-delà de ces fonctions d'excitation, ou de représentation, il soutient, plus activement, le renvoi de la trace lumineuse, son re-départ vers d'autres surfaces à animer, surfaces à partir desquelles il rebondira, encore, vers de nouveaux objets à toucher et à vivifier. La réflexivité instaure ainsi un trajet, tout à la fois rompu et enchaîné, de la provocation éclairante. Comme le vernissage elle est successive, discursive : mais son discours devient discontinu puisque, d'un terme éclairé à l'autre, elle procède toujours par sauts, par mutations. Elle relève ainsi du geste du *déplacement,* si important, on le sait, dans toute l'économie proustienne de la signification et de la jouissance. Chaque objet ne pouvant, de l'aveu même de l'écrivain, y être touché (compris, goûté) qu'à travers un ou plusieurs autres objets, à la fois semblables et divers, la pratique sensuelle du monde imposera la mise en œuvre d'un principe général de transfert, principe dont le reflet pourrait constituer le mode primitif, et la métaphore la théorisation seconde. Et l'on voit en effet ici métaphore et reflet se métaphoriser souvent l'un l'autre ; ils additionnent parfois même leurs vertus pour composer, de réverbération en comparaison, de comparaison en association, ou en opposition de thèmes la ligne, toujours brisée, d'un parfait relais de sens et de désir.

Deux passages illustreront cette complicité. Le premier nous renvoie aux promenades de Combray, et au retour, le soir, vers la maison de Léonie :

> Il y avait encore un reflet du couchant sur la vitre de la maison et un bandeau pourpre au fond des bois du calvaire, qui se reflétait plus loin dans l'étang, rougeur qui, accompagnée souvent d'un froid assez vif, s'associait dans mon esprit à la rougeur du feu au-dessus duquel rôtissait le poulet qui ferait succéder pour moi au plaisir poétique donné par la promenade, le plaisir de la gourmandise, de la chaleur et du repos. (*S.*, I, 133)

Un jeu de réverbérations simples (le soleil dans la vitre), ou doubles (le soleil sur l'arbre, puis l'arbre dans l'étang), compliqué d'un jeu second de déplacements métaphoriques (par similitude : rouge du ciel / rouge du feu ; ou par opposition : froid du ciel / chaud du feu, poésie / gourmandise, promenade / repos) aboutit à orienter le paysage, et le marcheur, vers la fin désirée d'une intériorité chaleureuse, nourrissante, réparatrice. De relais en relais, de détour en détour, tout s'organise, et toujours indirectement, selon la convergence d'un foyer.

Ailleurs le motif du centre visé disparaîtra, et la course des reflets instaurera le phénomène d'une simple circularité de la réponse : façon, pour les objets reflétants-réflétés, de s'animer mutuellement, et de se reconnaître, ou même de s'affirmer co-présents. C'est là sans doute la raison de la joie provoquée chez Marcel par le petit paysage de Montjouvain. Paysage tout d'éveil et de jeunesse : lavé de pluie, touché d'un soleil neuf, ébouriffé de vent. Mais le voici en outre animé par le jeu lumineux des réverbérations :

> Ce toit de tuile faisait dans la mare, que le soleil rendait de nouveau réfléchissante, une marbrure rose à laquelle je n'avais encore jamais fait attention. Et voyant sur l'eau et à la face du mur un pâle sourire répondre au sourire du ciel, je m'écriai dans tout mon enthousiasme en brandissant mon parapluie refermé : « Zut, zut, zut, zut. » Mais en même temps je sentis que mon devoir eût été de ne pas m'en tenir à ces mots opaques et de tâcher de voir plus clair dans mon ravissement. (*S.*, I, 155)

Il eût fallu, en somme, apporter dans la pensée la même clarté que dans le paysage. Celle-ci s'instaure selon la circulation d'une série réfléchissante à trois termes (et même à quatre, si l'on y inclut la réponse parlée du « zut, zut, zut, zut... ») : soleil, toit, mare y font courir entre eux, sur un mode à la fois lumineux et coloré, une suite de provocations-réponses. A travers l'alacrité de ces reflets le monde paraît se déclarer à lui-même comme un ensemble dynamiquement lié, — c'est là le sens de ce *sourire* dont il faudrait analyser plus longuement la valeur propre —, et la cause sans doute de cet *enthousiasme* si inapte encore à verbalement s'élucider. Le circuit d'ailleurs de cette réponse réfléchie permet aussi à chacun de ses termes de manifester, sous le regard, le plus fin de sa définition matérielle : vivacité tendre de la tuile, diaphanéité pâle de l'eau. La mise en réflexivité du paysage permet ainsi de le saisir tout à la fois dans son unité et dans sa vérité.

Il faudrait remarquer ici la nature assez particulière des éléments réverbérants eux-mêmes. Ce ne sont pas, le plus souvent, des ustensiles fabriqués ou disposés dans une intention de réflexion. Proust, on l'a noté, utilise assez peu les miroirs. Mais il aime à voir naître le reflet sur des surfaces naturelles, dont le pouvoir réverbérant demeurera passager, précaire, quasi-accidentel, donc d'autant plus précieux. Comme il s'intéressait moins au soleil qu'à l'ensoleillement (et à toutes ses variations), la vertu de réflexivité le touche moins que la naissance toute contingente du reflet, que sa découverte en des lieux et sur des objets inattendus. Le privilège, ce sera de voir des matières jusque-là mates et recluses accepter de s'ouvrir à d'autres matières en leur réexpédiant leur jour. Quelles sont ces matières ? Des vitres de maison, bien sûr, mais aussi ces vitres vivantes que figurent toutes les eaux naturelles, canaux (à Venise), rivières, étangs, marais : ils donnent au reflet, du fait de leur mobilité, un caractère éclaboussé, fuyant, fluide, qui séduit davantage encore le regard. Il y aura aussi des miroirs plus surprenants : prairies « où quand le soleil les rend réfléchissantes comme une mare se dessinent les feuilles des pommiers » (*S.*, I, 185) ; ou trottoir « encore mouillé changé par la lumière en laque d'or » (*G.*, II, 59) ; ou bien encore « flaques d'eau que le soleil qui brillait n'avait pas séchées », faisant « du sol un vrai marécage » (*S.G.*, II, 781). On remarquera que la naissance du pouvoir réverbérant s'y lie implicitement à d'autres qualités déjà reconnues pour bénéfiques : ainsi la verdeur veloutée du pré, le vernissé fluide du trottoir, ou la dispersion tachetée des flaques. Et l'on notera que, dans ces miroirs spontanés, ce sont presque toujours les mêmes valeurs sensuelles qui choisissent de se projeter : qualités vitales comme le *rouge,* qui redoublent la valeur d'éveil du miroitement (rouge du toit de la maison de Montjouvain, rouge des fresques du Giorgione dans l'eau clapotante des canaux vénitiens, rouge des voiles admirées par Albertine dans la mer de Balbec) ; ou bien qualités contrastantes, capables d'instaurer dans l'espace reflétant la vigueur et la régularité d'un *noir-sur-blanc.* Ainsi dans le double paysage suivant : « Les *silhouettes* des arbres *se reflétaient* nettes et pures sur cette *neige* d'or bleuté... Elles étaient allongées à terre au pied de l'arbre lui-même, comme on les voit souvent dans la nature au soleil couchant, quand celui-ci inonde et *rend réfléchissantes* les praries, où des arbres s'élèvent à intervalles réguliers » (*T.R.*, III, 736).

Cette réflexivité euphorique constitue, il faut le noter enfin, un phénomène d'équilibre. Elle n'a lieu qu'en échappant à deux excès qui en compromettraient également la réussite. Le premier serait celui d'un renvoi négatif, d'une réflexion-refus : la surface réverbérante n'y répercuterait le jour que pour le rejeter loin d'elle, sans jamais l'admettre ni s'en laisser marquer. Ainsi la maison de Swann repoussant de ses vitres luisantes le regard de l'amoureux, interposant entre « moi et les trésors qui ne m'étaient pas destinés un regard *brillant, distant* et *superficiel* qui me semblait le regard même des Swann » (*J.F.*, I, 503). Parallèlement, ou inversement à ce brio hostile (à cette réflexivité sans adhésion) s'inscrirait l'ennui d'une clarté sans brio (d'une luminosité non réfléchie).

L'objet, cette fois, y accepte la lumière, mais aussi la bloque, l'emprisonne en sa surface, l'empêche de s'en évader. D'où une impression d'accablement, celle ainsi de ce paysage avant l'orage : « L'*éclat mais non la clarté* était enlevé à la campagne où toute vie semblait suspendue, tandis que le petit village de Roussainville sculptait sur le ciel le relief de ses arêtes blanches avec une précision et un fini accablants » (*S.*, I, 150). Relief et sculpture marquent ici la clôture des formes ; le suspens nous renvoie à une paralysie, que confirme la blancheur inerte des matières. L'absence de réverbération affiche la finitude insupportable de l'objet.

Jean-Pierre RICHARD.

PROUST ET L'ALLEGORIE DE LA LECTURE

I

Georges Poulet nous a appris à considérer, dans *A la recherche du temps perdu,* la juxtaposition de différences temporelles plutôt que l'expérience immédiate d'une identité donnée ou récupérée par un acte de la conscience (mémoire, projection prospective, etc.[1]). C'est dans le jeu d'un mouvement alternant entre la prospection et la rétrospection que s'établit la spécificité du roman proustien. Ce mouvement de va-et-vient ressemble curieusement à la lecture ou, plutôt, à cette re-lecture à laquelle la complication de chaque partie et la séduction de l'ensemble de l'œuvre nous invite incessamment. On remarquera que, tel que Georges Poulet le décrit, le moment qui marque le passage de la « vie » à l'écriture correspond à un acte de lecture qui sépare de la masse indifférenciée des faits et des événements les éléments distinctifs susceptibles de constituer un texte. Ceci s'accomplit par un processus de suppression, de modification et d'amplification qui ressemble de près à l'interprétation critique. Et nul n'a aussi clairement que Poulet mis en relief le rapport intime entre la critique et la lecture[2].

Qu'en est-il de la lecture dans *A la recherche du temps perdu* ? Nous n'abordons ici la question que sous sa forme la plus littérale et, en fait, naïve, en lisant un passage qui traite précisément de Marcel lisant. Nous ne pouvons être certains *a priori* que c'est par cette lecture de la Lecture qu'on pourra accéder à ce que Proust aurait eu a dire sur l'acte de lire. C'est assumer le problème résolu d'avance, puisqu'il

1. Voir « Proust prospectif » dans *Mesure de l'instant* (Paris, 1968) et *L'espace proustien* (Paris, 1963).
2. Par exemple, dans « Phénoménologie de la lecture », *La Conscience Critique* (Paris, 1971).

s'agit précisément de savoir si ce dont il est question dans un texte littéraire correspond à ce qui s'y trouve énoncé. Si, fut-ce à la limite d'une lecture idéale, le sens *lu* était destiné à correspondre à un sens *dit,* il n'y aurait en fait pas de problème. Nous n'aurions qu'à nous laisser renseigner sur cette lecture idéale en prenant Marcel comme modèle. Mais si la lecture est effectivement problématique, s'il existe une possibilité constitutive de non-coïncidence entre le sens énoncé et le sens interprété, alors les passages du roman traitant littéralement de l'acte de lire ne seraient pas à privilégier. On devrait peut-être aller chercher ailleurs, dans les expériences amoureuses, politiques, médicales ou mondaines de Marcel pour découvrir les structures distinctives de la lecture. Cette difficulté circulaire ne doit pourtant pas nous empêcher de questionner le passage sur la lecture littérale, ne fut-ce que pour savoir s'il peut nous renseigner sur sa propre valeur paradigmatique. Le soupçon qu'il puisse en être autrement provoque une certaine méfiance, mais comme le montre bien le récit des relations entre Marcel et Albertine, la méfiance déclenche bien plus qu'elle ne paralyse l'activité interprétante. Il semble bien que la lecture ne peut commencer que dans ce mélange instable de littéralisme et de vigilance.

Le texte sur la lecture dont nous proposons l'interprétation (*Du côté de chez Swann*, I, p. 82-88 [3]) se découpe très distinctement dans l'ensemble de « Combray ». Il fait immédiatement suite au récit de la visite du jeune Marcel à son oncle, véritable initiation rituelle aux complexités insondables des ambiguïtés morales. La scène se place elle-même dans une thématique du lieu clos et secret, le « temple de Vénus » qu'est l'antre de Françoise (p. 72), le cabinet de repos de l'oncle Adolphe à l'odeur « obscure et fraîche » (p. 72) (qui donnera naissance à une chaîne de souvenirs involontaires articulant toute la partie médiane de l'œuvre [4]), « l'obscure fraîcheur » de la chambre où Marcel se réfugie pour lire (p. 83, l. 28), la « petite guérite » où il se cache lorsque sa grand'mère l'aura forcé à sortir (p. 83, l. 42), tous finalement résumés dans l'image intériorisée de la pensée comme « crèche au fond de laquelle je sentais que je restais

3. Nous citons selon l'édition de la Pléiade de *A la recherche du temps perdu*. Les pages I, 82 à I, 88 ont été numérotées ligne par ligne. Comme dans toute analyse d'un passage spécifique, la lecture de l'essai est rendue moins malaisée si l'on a le texte original sous la main.

4. Par le relai du pavillon à la « fraîche odeur de renfermé » (I, 492) qui est également le lieu ou débutera la mort de la grand-mère.

enfoncé, même pour regarder ce qui se passait au-dehors ». (p. 84, l. 4-5). La première section du passage (p. 80, l. 18 à p. 82, l. 41) ne traite pas de la lecture ; ce n'est que trois pages plus loin que Marcel montera lire dans sa chambre (p. 83, l. 5) et ce n'est que lorsqu'il sera sorti lire dehors (p. 83, l. 41) que le développement central, très systématiquement structuré, se constituera (p. 84, l. 3 à p. 88, l. 16). Pourtant, cette première section est solidement reliée à la suivante par une transition centrée sur les personnages de Françoise et de la fille de cuisine (p. 82, l. 18), elle-même figure centrale de la première section : « Pendant que la fille de cuisine — faisant briller involontairement la supériorité de Françoise, comme l'Erreur, par le contraste, rend plus éclatant le triomphe de la Vérité — servait du café qui, selon maman, n'était que de l'eau chaude, et montait ensuite dans nos chambres de l'eau chaude qui était à peine tiède, je m'étais étendu sur mon lit, un livre à la main...[5] » La polarité allégorique Erreur Vérité surmonte et coiffe un passage qui sera particulièrement riche en polarités tournoyantes. Ici toutefois, dans ce contexte de comédie, la chaîne des substitutions ne conserve nullement l'intégrité de l'origine véridique et pure : l'eau tiède est une version dégradée de l'eau chaude, elle-même version dégradée du café. La fille de cuisine n'est que l'ombre falote de Françoise, l'erreur ne peut se substituer à la vérité sans dégrader celle-ci en un mouvement de chute qui risque de contaminer le passage tout entier. Toutes les polarités subséquentes vont se trouver sur la défensive lorsqu'on les place sous l'égide de l'erreur et de la vérité.

C'est ainsi que, dès le début du texte, la lecture est mise en scène dans une situation dramatique de menace et de défense: c'est une intériorité (antre, cabinet, chambre, crèche) qui doit se protéger contre la menace d'un monde extérieur, mais qui est, néanmoins forcée d'emprunter à ce dehors quelques-unes des propriétés qui la constituent. L'intériorité de la chambre « protège (...) en tremblant sa fraîcheur transparente contre le soleil... » (p. 83, l. 6). Le monde du dedans est privilégié sans ambiguïté sur le monde du dehors, et toute une série d'attributs désirables vont venir s'associer au bien-être du lieu clos : la *fraîcheur,* qualité souhaitable entre toutes dans ce roman du « mythe solaire » dans lequel le baromètre indique si souvent « beau fixe », elle-même liée à l'*obscurité* bienfaisante des ombres tamisées (Marcel n'étant jamais aussi heureux que lorsqu'il se trouve « à l'ombre » du végétal), le

5. 2 1/2 pages plus tôt (p. 80, l. 21) Françoise a dit : « Je vais laisser ma fille de cuisine servir le café et monter l'eau chaude... »

repos enfin sans lequel le temps nécessaire à la contemplation n'existerait pas. Marcel lecteur ne peut pourtant pas se satisfaire de ces seuls attributs positifs de la retraite sédentaire. La séduction véritable du passage ne commence que lorsque la réduction au monde privatif et partiel du refuge s'avérera être une tactique efficace pour récupérer tout ce dont on semblait avoir fait le sacrifice. Le passage affirme la possibilité de retrouver, par l'acte de la lecture, tout ce que la contemplation passive avait écarté comme menaçant, les antithèses de chacune des vertus associées à son bien-être : la *chaleur* du soleil, sa *luminosité* et surtout l'*activité* que l'immobilité du repos semblait bien exclure à jamais. Miraculeusement enrichie de ses attributs antithétiques, « l'obscure fraîcheur » de la chambre acquiert ainsi la clarté nécessaire « pour lire », « la présence effective, ambiante, immédiatement accessible » de la chaleur estivale et même « le choc et l'animation d'un torrent d'activité ». Le narrateur peut affirmer sans la moindre invraisemblance qu'en restant à lire dans sa chambre l'imagination de Marcel accède au « spectacle total de l'été » bien mieux que s'il avait été dehors en promenade, où il n'aurait connu l'été que « par morceaux ». Deux chaînes associatives de polarités se sont constituées, apparemment incompatibles entre elles : l'une, engendrée par la notion du « dedans » et régie par l' « imagination », possède les attributs de la fraîcheur, du repos, de la totalité ; l'autre, liée au « dehors » et régie par « les sens », les attributs contraires de la chaleur, de l'activité, de la fragmentation. Mais la possibilité d'un relais permet de mettre en circulation ces propriétés d'abord statiques, au point qu'elles puissent s'échanger, se substituer, se croiser entre elles, réconciliant les incompatibilités pourtant reconnues des mondes intérieurs et extérieurs. Proust peut avoir une telle confiance dans la valeur persuasive de son langage qu'il pousse la coquetterie du style jusqu'à énoncer la synthèse du jour et de la nuit dans le langage prétendument précis des relations numériques : « Cette obscure fraîcheur de ma chambre était au plein soleil de la rue ce que l'ombre est au rayon, c'est-à-dire aussi lumineuse que lui... » Dans une logique dominée par le jeu de l'erreur et de la vérité, l'équation est absurde, puisque c'est précisément la luminosité qui distingue l'ombre du rayon ; le « c'est-à-dire » dans la dernière citation est justement ce qui ne serait pas « dicible ». Mais la logique sensorielle et imaginative demeure pleinement satisfaite de la valeur de vérité du passage et n'a aucune difficulté à l'accepter comme légitime. Il faut se demander comment s'établit la cécité qui permet de faire tolérer un énoncé capable ainsi de renverser entièrement les attributs du vrai et du faux.

Ces mouvements de relais, de propriétés s'échangeant et se substituant l'une à l'autre, est caractéristique du monde rhétorique de la métaphore. Il n'est donc pas surprenant que cette introduction au passage sur la lecture, après s'être placée d'emblée sous l'égide de la polarité erreur/vérité, contienne aussitôt après l'esquisse d'une théorie de la métaphore explicitement située dans la polarité métaphore/métonymie [6]. Le passage médite sur le mode de présence de la lumière estivale dans la chambre obscure, présence qui a d'abord été représentée visuellement par la métaphore d'un « reflet de jour ayant... trouvé moyen de faire passer ses ailes jaunes (derrière (l)es volets), et restant immobile... comme un papillon posé », ensuite auditivement par la résonance des « coups frappés... contre les caisses poussiéreuses » dans la rue, enfin, toujours auditivement, par le bourdonnement des mouches généralisé jusqu'à devenir « la musique de chambre de l'été » (83, l. 20). Le croisement des attributs sensoriels dans la synesthesie n'est qu'un cas particulier d'une substitution plus générale commune à toute figure métaphorique. Elle est le corrélat d'une ressemblance, d'une co-présence tellement intime entre deux entités ou leurs attributs que la seconde peut se substituer à la première sans démasquer la différence nécessairement introduite par cette substitution. Le rapport relationnel est d'une telle solidité qu'il devient nécessaire : il ne pourrait y avoir de mouches sans été, ni d'été sans mouches. Le « lien plus nécessaire » qui unit l'été aux mouches est naturel, génétique, indissoluble ; les mouches ont beau n'être qu'une partie infime de l'été, elles n'en participent pas moins à son essence la plus spécifique. De ce fait, la synecdoque qui remplace le tout par la partie est en fait une métaphore [7], capable d'affirmer jus-

6. L'étude de cette polarité a été inaugurée de façon magistrale par Gérard Genette dans « Métonymie chez Proust ou la naissance du récit », *Poétique* 2 (Paris, 1970), p. 156-173. Proust lui-même utilise fréquemment des termes de rhétorique tels que métaphore, allitération, anacoluthe et d'autres mais ne parle jamais, à ma connaissance, de métonymie.

7. La rhétorique classique classe en général la synecdoque parmi les métonymies, ce qui est fort contestable. La relation de la partie au tout peut être comprise métaphoriquement, comme dans les métaphores organiques chères à Goethe et à Coleridge. Il s'agit d'une de ces figures-limites qui créent entre la métaphore et la métonymie une zone ambiguë qui permet de masquer la discontinuité du passage de l'une à l'autre.

qu'à la présence temporelle d'une invincible durée : « Née des beaux jours, ne renaissant qu'avec eux, contenant un peu de leur essence, elle n'en réveille pas seulement l'image dans notre mémoire, elle en certifie le retour, la présence effective, ambiante, immédiatement accessible. » En opposition à cette cohérence, le caractère contingent de la relation métonymique, fondée sur la simple proximité de deux entités qui pourraient parfaitement exister l'une sans l'autre, n'aurait aucune valeur poétique efficace. « L'air de musique humaine entendu par hasard à la belle saison... » peut automatiquement stimuler la mémoire, mais ne participe en rien à la stabilité du monde métaphorisé. La métonymie n'unit rien tandis que, grâce au papillon, au bruit des caisses et grâce surtout à la « musique de chambre » des mouches, nul ne peut douter de la présence de la chaleur et de la lumière dans la chambre. Sur le plan de la sensation, la métaphore peut réconcilier la nuit avec le jour en un clair-obscur parfaitement convaincant. Mais le passage s'est imposé une tâche plus considérable.

Car le bruit des mouches ne doit pas seulement amener dans l'intériorité de la chambre la lumière du dehors ; il faut encore que cette intériorité, pour pouvoir se totaliser, acquière la puissance d'une activité extérieure. L'acte mental de la lecture donne à l'intériorité un sens plus que physique : il s'agit bien, en effet, d'attribuer à une conscience l'efficacité phénoménale d'un acte dit réel. A cela, les métaphores lumineuses du clair-obscur ne peuvent suffire. Il faut qu'intervienne une action analogique centrée sur une propriété différente qui sera empruntée cette fois, non pas à la chaleur de la lumière mais à la fraîcheur de l'eau : « L'obscure fraîcheur de ma chambre... s'accordait bien à mon repos qui (grâce aux aventures racontées par mes livres et qui venaient l'émouvoir) supportait, pareil au repos d'une main immobile au milieu d'une eau courante, le choc et l'animation d'un torrent d'activité ». La force persuasive du texte se joue dans le double sens du verbe « supporter » qui doit pouvoir se lire au sens fort, impliquant que le repos est effectivement le fondement, le socle permettant à l'activité d'avoir lieu. Le repos devient actif au point que repos et activité sont liés par le « lien nécessaire » et métaphorique qui lie le socle à la colonne.

Sous les apparences innocentes d'un texte descriptif, l'enjeu moral est en fait suffisamment considérable pour mettre en branle une stratégie rhétorique complexe. Car il s'agit, entre autres choses, de disculper Marcel de son retrait hors de l'activité « réelle » du monde, d'innocenter les jouissances un peu troubles du solitaire en les faisant aboutir à une possession du monde au moins aussi totale et virile que celle du héros dont il lit les aventures. Contre l'impératif moral de la bonne conscience, représenté ici par la grand'mère qui « supplie Marcel de sortir », Marcel doit justifier son refus de « renoncer à la lecture » avec tout ce qu'elle comporte de joies secrètes. Il n'est pas tant question de plaisirs érotiques particuliers que de la culpabilité inhérente à tout plaisir mental, qui implique toujours un sacrifice des valeurs du dehors à celles du dedans. Le passage va donc s'efforcer de réconcilier l'imagination avec la sensation et d'aplanir le conflit d'ordre à la fois éthique et épistémologique qui se déclare entre elles. S'il était possible de réconcilier la lecture et l'action, de faire du contenu imaginatif de la lecture un contenant effectif auquel le lecteur pourrait participer, le désir se trouverait satisfait sans laisser de résidu de culpabilité. Un investissement psychologique et moral considérable se risque donc dans la réussite de la métaphore. Elle est liée au motif proustien central de la culpabilité et de la trahison, motif qui régit les rapports du narrateur avec lui-même et avec ceux qui lui sont attachés par des liens parentaux et érotiques, et qui s'associe constamment à l'acte de lire et d'écrire [8]. Le « lien nécessaire » entre la métaphore et la culpabilité est un des motifs par lesquels Proust s'apparente à Rousseau. On se gardera bien d'en conclure à une priorité du désir subjectif sur la structure des figures de langage : il n'est pas plus légitime de dire que l'intérêt du sujet détermine la stratégie des figures que de dire que les ressources rhétoriques du langage déterminent le choix des thèmes ; on ne peut pas trancher *a priori* si Proust a inventé des métaphores parce qu'il se sentait coupable ou qu'il s'est déclaré coupable pour pouvoir inventer des métaphores. Au contraire, puisque la seule « intention » irréductible du texte est celle de sa propre constitution, la deuxième hypothèse est en fait la moins invraisemblable. Nous n'avons pas ici à développer cette question. En suggérant que le narrateur pourrait avoir un certain intérêt à la réussite de ses métaphores, nous ne voulons qu'attirer l'attention sur leur redoutable efficacité opératoire et réveiller la vigilance qui questionne l'autorité logique d'un passage permettant de passer de la lecture à l'action par l'illusion médiatrice d'une métaphore.

Dans le texte en question, le transfert métaphorique s'ef-

---

8. Voir, par exemple, III, 902 où il est question de « la profanation de mes souvenirs par des lecteurs inconnus (que) j'avais consommée avant eux. »

fectue par l'entremise de l élément liquide : le repos supporte l activité « pareil au repos d'une main immobile au milieu d'une eau courante ». Dans l'ambiance estivale du passage, l'image est entièrement convaincante : rien de plus agréable que cette sensation de fraîcheur qui émane de l'eau vive. La fraîcheur, on s en souvient, est l'un des attributs caractéristiques du monde dit intérieur. L'image analogique n'effectue donc pas par elle-même le transfert vers le monde de l'activité. Le mouvement de l'eau apporte la fraîcheur, mais celle-ci appartient, dans la logique binaire du passage, au monde imaginaire de la lecture. Pour accéder à l'action, il faudrait pouvoir s'approprier un des attributs appartenant à la chaîne des propriétés antithétiques telle, par exemple, la chaleur. Il faudrait pouvoir réconcilier l'immobilité fraîche de la main avec la chaleur de l'action. Ce transfert est effectué, toujours dans la même phrase, lorsqu'il est dit du repos qu'il supporte « un torrent d'activité ». L'expression « torrent d'activté » n'est pas, ou plus, une métaphore mais un cliché, une métaphore morte ou endormie qui a perdu sa valeur suggestive littérale (en ce cas, la valeur suggestive du mot « torrent ») pour ne plus avoir qu'un sens propre [9]. « Torrent d'activité » signifie simplement « beaucoup d'activité », une quantité d'activité susceptible d'agiter quelqu'un au point de l'échauffer. La chaleur s'introduit ainsi subrepticement dans le texte, bouclant les polarités opposées en une chaîne continue et permettant l'échange des propriétés antithétiques : du moment où le repos peut être actif et chaud sans pourtant perdre sa qualité distinctive de repos, l'action d'abord fragmentée de la réalité peut devenir totale sans pour autant perdre sa qualité de réalité.

Le transfert est rendu vraisemblable et séduisant par un jeu bifide sur le cliché « torrent d'activité ». L'image voisine de l'eau vive « réveille », en quelque sorte, la métaphore endormie qui, dans l'expression consacrée, était devenue la simple proximité métonymique de deux termes jumelés par l usage et non plus par la nécessité du sens. « Torrent » fonctionne dans un double registre sémantique : dans son sens littéral réveillé, il transfère et relaie l'attribut de fraîcheur effectivement présent dans l'eau vive qui enveloppe la main,

9. La distinction entre le sens littéral et le sens propre d'une métaphore est bien connue des rhétoriciens. Quand Homère appelle Achille un lion, dans cette substitution métaphorique, le sens littéral de « lion » désigne un animal à crinière, habitant l'Afrique, etc., le sens figuré désigne Achille et le sens propre l'attribut de courage qu'Achille et le lion ont en commun et peuvent échanger.

tandis que dans son non-sens figuré il désigne une amplitude d'activité qui suggère la propriété contraire de la chaleur.

La structure rhétorique de ce bout de phrase (« le repos... supportait, pareil au repos d'une main immobile au milieu d'une eau courante, le choc et l'animation d'un torrent d'activité ») n'est donc pas celle d'une métaphore. Elle est doublement métonymique. D'abord parce que l'accouplement des termes, dans un cliché, n'est pas régi par le « lien nécessaire » d'une ressemblance fondée sur la présence de propriétés communes, mais qu'il est dicté par l'habitude de la proximité (dont Proust aura ailleurs tant de choses à dire [10]). Ensuite parce que la réanimation du terme métaphorique assoupi est effectuée par un énoncé qui se trouve dans son voisinage immédiat, mais sans que cette proximité soit due à une nécessité qui existerait au niveau des signifiés transcendantaux. Au contraire, nous avons vu que la propriété mise en évidence par le passage voisin n'est précisément pas la propriété ayant servi à l'invention de la métaphore originale maintenant dégradée : l'expression « torrent d'activité » est fondée sur l'amplitude et non sur la fraîcheur. Cette propriété fonctionne en fait à contre-sens de la propriété effectivement désirée par le texte.

Cette structure est complexe mais caractéristique du langage proustien. Dans un passage qui contient des métaphores réussies, c'est-à-dire séduisantes et « vraies » et qui par ailleurs affirme explicitement la supériorité poétique et épistémologique de la métaphore sur la métonymie, la conviction est emportée par un jeu de figures dans lequel une structure métonymique se déguise savamment en métaphore. La lecture littérale qui favorise la métaphore au dépens de la métonymie et qui promet la satisfaction d'un désir d'autant plus attirant qu'il est lui-même paradoxal, est déconstruite par une lecture qui consent à tenir compte de la réthoricité inhérente au texte littéraire.

*
* *

Le texte sur la lecture proprement dite va se développer sous l'égide de cette complication initiale. C'est un véritable morceau d'anthologie qui attire constamment l'attention sur le système de sa propre structure, au point d'inviter à la schématisation, au tableau synoptique. Nous ne pouvons en commenter ici qu'une section [11]. Le texte suit, en ses propres

---

10. Voir, par exemple, les passages sur l'habitude au début de la deuxième partie de *A l'ombre des jeunes filles en fleurs* (I, p. 643 seq.).

termes « du dedans au dehors les états simultanément juxtaposés dans (l)a conscience... » du lecteur (p. 87, l. 22). Il étale la complexité d'un seul instant sur un axe orienté d'un maximum d'intimité vers le monde extérieur des objets. La structure n'est donc pas à proprement parler temporelle, puisqu'en principe aucune durée ne devrait intervenir. L'aspect diachronique du passage qui se meut narrativement d'un centre vers une périphérie n'est en fait que la version spatiale d'une structure différentielle mais complémentaire, à l'intérieur même de l'instant. Pour un roman qui ne prétend être que l'étalage narratif d'un unique instant de mémoire, le passage a donc bien une valeur de paradigme. L'acte par lequel cette complication initiale du présent se laisse transformer en un récit consécutif coïnciderait avec l'acte d'écriture romanesque en tant que *récit* de l'instant. Et cet acte ne se séparerait pas de l'acte de lecture de soi par lequel l'écrivain comprend la totalité de son présent grâce à la version diachronique et génétique qu'il peut en donner, ni de l'acte corrélatif du lecteur d'*A la recherche du temps perdu* qui, par l'entremise du récit proustien, comprend la voix narrative comme le sens unifié d'une présence qui l'enveloppe [12]. Le moment et le récit seraient complémentaires et symétriques, reflets spéculaires qui pourraient se remplacer sans laisser de résidu. Par un acte de mémoire ou d'anticipation, le récit se substitue à l'expérience comme la lecture se substitue au récit. Nous nous retrouvons dans le monde totalisant de la métaphore. Le récit est la métaphore de l'instant comme la lecture est la métaphore de l'écriture.

Le passage s'ordonne, en effet, autour d'une métaphore centrale et puissamment unifiante, le « même et infléchissable jaillissement de toutes les forces de ma vie » dans lequel les différents niveaux de lecture pratiquent « des sections à des hauteurs différentes d'un jet d'eau irisé et en apparence immobile [13] » (p. 87, l. 18-19). L'image tente la réconciliation

11. La version intégrale de cette étude, extraite d'un travail en cours, traite plus complètement du passage sur la lecture, y compris la dernière section (p. 87, l. 22 à p. 88, l. 16) et y rattache un autre passage sur la métonymie (I, 168).

12. « En réalité, chaque lecteur est, quand il lit, le propre lecteur de soi-même » (III, 911) et les lignes qui suivent cette citation.

13. Dans *The Prelude,* Wordsworth évoque « The stationary blasts of waterfalls (VI, 626). Une version plus littérale et moins bienveillante du même jet d'eau fait son apparition dans *Sodome et Gomorrhe :* le jeu d'eau d'Hubert Robert (auquel Swann a fait allusion, I, 40) qui arrose Mme d'Arpajon à la grande joie du grand-duc Wladimir.

la plus difficile qui soit, celle du mouvement et de l'immobilité, du temps et de l'identité spatiale ; c'est bien de cette réconciliation qu'il s'agit dans une conception du récit comme métaphore diachronique d'un instant privilégié [14]. La continuité jaillissante du récit ne serait alors que la version sensorielle, perceptible et accessible à la compréhension, d'une immobilité foncière, à l'abri des sens et du temps, mais qui se laisserait représenter grâce à la différentiation de ses parties constituantes, exactement comme, dans ce passage, l'acte unique et hors du temps [15] de la lecture, se laisse diviser en zones successives. S'il s'agit, en effet, de parties dont l'ensemble constitue un tout, la complémentarité des deux modèles, l'un consistant en états verticalement juxtaposés, l'autre en états horizontalement étalés, ne peut faire aucun doute. Dans la structure narrative et horizontale, l'indice de cette complémentarité sera l'absence de brisures disjonctives, le caractère fondu (Genette [16]) ou soudé (Proust [17]) du récit. Cette continuité n'apparaît pas seulement dans le naturel des transitions ou dans la symétrie de la composition, mais aussi dans l'adhésion fidèle des énoncés aux structures. Ce passage semble en être un exemple convaincant : à la lecture s'affirmant comme un rapport harmonieux entre le dehors et le dedans vient correspondre un texte d'une ordonnance structurale particulièrement claire et subtile. Si, par contre, les parties différentes qui constituent l'instant n'étaient pas complémentaires, la continuité du récit et la cohérence des rapports entre les thèmes et les formes deviendrait mécanique et arbitraire.

La valeur de vérité du passage se joue dans la manière d'interpréter le chatoiement du jet d'eau à la fois immobile et « irisé ». L'image iridescente s'annonce dans la description, quelques pages plus tôt, de la conscience déployant simultanément une espèce d' « écran diapré » (p. 84, l. 13). Rencontre miraculeuse de l'eau et de la lumière dans la réfraction spectrale, l'arc-en-ciel se retrouve d'ailleurs à travers tout le

---

14. Dans le passage cité, il est question des rapports entre l'amour et le voyage et non des rapports entre l'instant et le récit. Cette différence sera développée à la page 242 de cette étude.

15. « ... l'intérêt de la lecture, magique comme un profond sommeil, ... avait effacé la cloche d'or sur la surface azurée du silence. » (p. 88, 11, 2-5).

16. Genette, *art. cit.* citant d'ailleurs Proust.

17. Par exemple : « ces deux interrogations si dissemblables, l'une brisant en courts appels une ligne continue et pure, l'autre ressoudant en une armature indivisible des fragments épars... » (III, 255). Il s'agit du septuor de Vinteuil.

roman, lié infailliblement à la thématique de la métaphore totalisante ; il serait facile d'en faire le relevé[18]. C'est bien l'analogon parfait de la complémentarité, la différence des parties absorbée dans l'unité du tout comme les couleurs du spectre sont absorbées dans la lumière blanche. Le mythe solaire de *A la recherche du temps perdu* se fixerait ainsi dans l'écharpe d'Iris, comme lorsqu'il est dit des métaphores florales associées aux personnages féminins qu'elles « s'élevaient aussitôt de chaque côté d'elle comme des couleurs complémentaires » (p. 86, l. 20). Le « lien nécessaire » entre la figure imaginaire et ses attributs sensoriels la rendent supérieure au paysage empirique et « réel » de Combray et font du paysage imaginaire « une part véritable de la Nature elle-même, digne d'être étudiée et approfondie » (p. 86, l. 34).

La supériorité de la relation métaphorique imaginaire sur la relation métonymique référentielle est réaffirmée en termes de hasard et de nécessité. A l'intérieur de la fiction, dans l'intra-textualité des signifiants, ce rapport est en effet régi par la nécessaire complémentarité du sens propre et du sens figuré dans la métaphore. Pourtant, le passage semble curieusement incapable de demeurer abrité dans le refuge de cette intra-textualité. Le rapport de complémentarité d'abord affirmé à propos des rapports entre le personnage et son paysage veut aussi s'étendre à une autre thématique binaire qui est celle de l' « amour » et du « voyage » : « Aussi, si j'imaginais toujours autour de la femme que j'aimais les lieux que je désirais le plus alors... ce n'était pas par le hasard d'une simple association de pensée ; non, c'est que mes rêves de voyage et d'amour n'étaient que des moments — que je sépare artificiellement aujourd'hui... — dans un même et infléchissable jaillissement de toutes les forces de ma vie » (p. 87, l. 11-21). Or, ce qui s'appelle ici « amour »

---

18. Voici quelques exemples parmi d'autres : l'atelier d'Elstir est comparé à « un bloc de cristal de roche, dont une face déjà taillée et polie, çà et là, luit comme un miroir et s'irise. » (I, 835) ; les fameuses asperges de Françoise « laissaient apercevoir en ces couleurs naissantes d'aurore, en ces ébauches d'arc-en-ciel... (leur) essence précieuse » (I, 121) ; le regard de la duchesse de Guermantes « si j'eusse pu en décomposer le prisme... m'eut peut-être révélé l'essence de la vie inconnue qui y apparaissait » (II, 53) ; « l'art d'un Vinteuil comme celui d'un Elstir fait apparaître (le caractère ineffable de l'individualité) extériorisant dans les couleurs du spectre la composition intime de ces mondes que nous appelons les individus... » (III, 258) ; « comme le spectre extériorise pour nous la composition de la lumière, l'harmonie d'un Wagner, la couleur d'un Elstir nous permettent de connaître cette essence qualitative des sensations d'un autre... » (III, 159).

et « voyage » ne sont pas, comme le personnage et le lieu, deux moments intra-textuels dans une fiction, mais précisément le mouvement irrésistible qui pousse tout texte hors de soi vers l'appropriation d'un référent extérieur. Ce mouvement coïncide avec l'appel vers une vérité du sens. Au début du passage sur la lecture, Marcel avait pourtant affirmé l'impossibilité pour toute conscience de sortir de soi, évoquant d'ailleurs cette immatérialité au moyen d'une métaphore analogique empruntée à la matérialité absolue d'un phénomène physique : « Quand je voyais un objet extérieur, la conscience que je le voyais restait entre moi et lui, le bordait d'un mince liséré spirituel qui m'empêchait de jamais toucher directement sa matière ; elle se volatilisait en quelque sorte avant que je prisse contact avec elle, comme un corps incandescent qu'on approche d'un objet mouillé ne touche pas son humidité parce qu'il se fait toujours précéder d'une zone d'évaporation » (p. 84, l. 5-13). Trois pages plus loin, il semble que le langage du moi ne peut demeurer ainsi enveloppé dans une conscience et que comme tant d'objets et de moments du récit proustien il veut à son tour devenir enveloppe[19]. « Car si on a la sensation d'être toujours entouré de son âme, ce n'est pas comme d'une prison immobile : plutôt on est comme emporté avec elle dans un perpétuel élan pour la dépasser, pour atteindre à l'extérieur... (p. 86, l. 39-42). La portée épistémologique de ce mouvement est clairement énoncée lorsqu'il est question, un peu plus haut, d'une « croyance centrale » qui « exécutait d'incessants mouvements du dedans au dehors, vers la découverte de la vérité » (p. 84, l. 36-37). Comme Albertine, la conscience refuse de demeurer prisonnière et doit fuir vers le dehors. Le retournement par lequel la complémentarité inter-textuelle choisit de se soumettre à l'épreuve de sa vérité est causé par « le jaillissement de toutes les forces de (l)a vie ».

Or le texte proustien ne laisse aucun doute sur l'échec de cette épreuve ; d'innombrables versions de cette déception

19. Sur la métonymie de l'enveloppé devenant enveloppant, c'est surtout la fin du passage (omise ici) qui est importante (p. 87, l. 22 à p. 88, l. 16). Il y est question des après-midi qui ont « peu à peu contournées et encloses... » les heures. Voir aussi le passage sur les carafes dans la Vivonne (I, 168) noté par Genette et dont l'analyse est reprise dans la version complète de cette étude. Le critique allemand Walter Benjamin avait bien vu l'importance cruciale de ce type de métonymie lorsqu'il compare la figure proustienne à une chaussette enroulée qui est sa propre enveloppe et qui, lorsqu'on la déroule, révèle un contenu nul. (*Illuminationen*, Zum Bilde Prousts, p. 358).

jalonnent le roman en son entier. Dans ce fragment-ci l'affirmation de l'échec est sans ambivalence aucune : « On cherche à retrouver dans les choses, devenues par là précieuses, le reflet que notre âme a projeté sur elles ; on est déçu en constatant qu'elles semblent dépourvues dans la nature du charme qu'elles devaient, dans notre pensée, au voisinage de certaines idées... » (p. 87, l. 2-7). Banale en soi, l'observation acquiert une force négative singulière quand on se souvient qu'elle se trouve au centre d'un passage dont elle détruit entièrement la stratégie thématique et rhétorique. Car si le « voisinage » entre l'idée et la chose dont il est question ici n'est pas capable de subir l'épreuve de la vérité, alors il ne possède pas le caractère complémentaire et totalisant de la métaphore mais se réduit au « hasard d'une simple association de pensée ». La nécessaire co-présence des mouvements intra-textuels et extra-textuels ne se dirige vers aucune réconciliation. Il semble que la relation sémiologique entre le sens propre et le sens figuré d'une figure de langage est toujours elle-même de nature métonymique, bien qu'elle soit constitutivement habitée du désir de se déguiser en métaphore.

L'image du jet d'eau irisé en est un bon exemple. Tout oriente le passage vers la séduction métaphorique : les énoncés, les figures, les analogons matériels, les tonalités passionnelles, tout y contribue. Du moment toutefois où l'on suit l'invitation de Proust lui-même de placer la lecture sous l'égide d'une problématique de l'erreur et de la vérité, des énoncés demeurés d'abord invisibles effectuent la déconstruction des métaphores. Le chatoiement du jet d'eau devient une différence beaucoup plus radicale, une vibration entre l'erreur et la vérité qui empêche les deux lectures de converger. Le décalage entre la lecture métaphorique et sa lecture déconstructive introduit dans le texte la dimension temporelle dont il prétendait pouvoir se passer. Le jet d'eau qui chatoie dans cette page n'est pas une métaphore ; ce n'est pas non plus, à proprement parler, une métonymie. La figure à laquelle il correspond serait plutôt l'oxymore ou, plus exactement, l'aporie. Il désigne la nécessité de deux lectures mutuellement exclusives. En d'autres termes, il affirme l'impossibilité de de toute lecture véridique, sur le plan des figures comme sur le plan des thèmes.

Il reste à savoir si, en laissant ainsi le texte déconstruire ses propres métaphores, nous avons capté le mouvement essentiel qui constitue le roman et esquissé en quelque sorte une thématique de la déconstruction qui serait son sens caché. Ce roman serait-il comme le récit allégorique de la lecture déconstructive ? C'est ce que semblent admettre certains des interprètes récents lorsqu'ils affirment, comme Deleuze, la « puissante unité » de la *Recherche* par delà la fragmentation reconnue comme telle ou, comme Genette, le « fondu » du passage de la métaphore a la métonymie comme constituant ce qu'il appelle la « solidité du texte [20] ».

C'est poser la possibilité de transformer les contradictions de l'acte de lecture en un récit qui les contiendrait en les enveloppant. Un tel récit devrait avoir le caractère universel d'une allégorie de la lecture. En tant que récit de l'interpénétration contradictoire de l'erreur et de la vérité dans l'acte de lire, l'allégorie échapperait, de ce fait même, à l'emprise destructive de cette complication. L'allégorie du jeu du vrai et du faux serait elle-même vraie et fonderait ainsi la solidité du texte.

Il faudrait dérouler tout l'enchevêtrement du mensonge et de la vraisemblance, de la méfiance et de l'attention, de la possession et de la fuite dans *A la recherche du temps perdu* pour décider si l'œuvre correspond effectivement à ce modèle. Le passage sur la lecture que nous avons choisi fournit une première indication de ce que pourrait être une telle démarche. Il est précédé d'une introduction (p. 80, l. 18 à p. 82, l. 24) qui traite, justement, de l'allégorie et qui peut servir d'avertissement à toute tentative de lecture allégorique du roman. Il s'agit de la méditation de Marcel sur le sobriquet « la Charité de Giotto » par lequel Swann a l'habitude de désigner la fille de cuisine persécutée avec tant d'acharnement par Françoise.

Esclave d'une esclave et emblème pathétique de la servitude, la fille de cuisine est d'abord présentée comme l'image de ce que, avec Goethe, on pourrait appeler la durée dans l'instant, *Dauer im Wechsel* ; elle est « une institution permanente à qui des attributions invariables assuraient une sorte de continuité et d'identité, à travers la succession des formes passagères en lesquelles elle s'incarnait... » (p. 80, l. 25-28). La valeur en quelque sorte emblématique de cette fille de cuisine particulière a été remarquée par Swann, créature métaphorique par excellence et doué par conséquent, d'un talent exceptionnel pour dépister les ressemblances. Elle porte en effet « l'humble corbeille » de sa grossesse, attribut qui lui appartient en propre mais qui, par sa ressemblance avec la houppelande des figures allégoriques de l'Arena de Padoue, révèle sa qualité universelle d'essence. Toute la misère et toute la servitude des filles de cuisine successives

20. Voir Gilles Deleuze, *Proust et les signes*, « Antilogos », et Genette, *art. cit.*

se trouvent résumées dans ce trait particulier de sa physionomie, élevé de ce fait à la dignité d'emblème. Un tel mode allégorique ne se distingue en rien de la métaphore, dont il est en fait la forme la plus générale. A travers ses incarnations particulières, c'est de cette même façon que la Métaphore assure l'identité de l'art comme « institution permanente ». Tout au plus pourrait-on être surpris que l'essence visée et atteinte par elle soit justement celle de la servitude. Et il est peut-être plus surprenant encore que la figure allégorique avec laquelle l'astuce de Swann a noté la ressemblance est présisément la Charité, vertu dont le rapport avec la Servitude n'est pas simplement un rapport de ressemblance. On dirait qu'en se généralisant en sa propre allégorie, processus auquel elle se prête volontiers, la métaphore déplace étrangement son sens propre.

Esprit plus littéraire — c'est-à-dire sémiologiquement moins naïf — que Swann, Marcel constate que la fille de cuisine et la Charité de Giotto se ressemblent encore « d'une autre manière » que par les attributs physiques. Leur ressemblance est aussi de caractère herméneutique, liée à la lecture et à l'interprétation, et comme telle elle est curieusement négative. La propriété commune entre la fille et la Charité est celle d'une non-compréhension, d'une dislexie à laquelle chacune d'elles semble être condamnée : toutes deux se singularisent par des attributs qu'elles affichent « sans avoir l'air d'en comprendre le sens ».

Le passage nous renseigne avec une grande précision sur cette non-lecture partagée. L'image ou l'icône allégorique possède, d'une part, une certaine valeur représentationnelle : la Charité représente une figure qui, par ses attributs physiques, suggère un certain sens. Ce qui plus est, elle esquisse des gestes (ou, dans le cas d'une icône non plus picturale mais verbale, elle fait un récit) lourdement chargés de sens. Ces figures doivent être douées d'une intensité sémantique qui se manifeste par une efficacité représentationnelle particulière. Il faut que l'icône allégorique attire l'attention et se fasse remarquer, que son importance sémantique soit dramatisée. Marcel insiste que c'est précisément par l'appel à l'attention du détail allégorique que la fille de cuisine et les fresques de Giotto se ressemblent : « l'attention de l'Envie — et la nôtre du même coup — (est) toute entière concentrée sur l'action de ses lèvres... » comme « chez la pauvre fille de cuisine, l'attention (est) sans cesse ramenée à son ventre par le poids qui le tirait... » Dans une métaphore, la substitution d'un sens figuré à un sens littéral engendre, par un processus de synthèse, un sens propre qui peut demeurer implicite, puisque c'est la figure elle-même qui le constitue. Mais dans l'allégorie, telle qu'elle est conçue ici, on dirait que l'artiste a perdu confiance dans l'efficacité substitutive des ressemblances : soit directement, soit par l'entremise d'une tradition intra-textuelle, il énonce explicitement un sens propre au moyen d'un signe littéral qui ne lui ressemble guère et, ce qui plus est, représente à son tour un sens qui lui est propre et qui ne coïncide pas avec le sens propre de l'allégorie. Les traits de la matrone « forte et homasse » peinte par Giotto n'ont rien de charitable et même lorsque, comme dans le cas du visage de l'Envie, on peut à la rigueur trouver une ressemblance entre l'image et l'idée de l'Envie, le détail de l'icône détourne aussitôt l'attention ailleurs et masque la ressemblance éventuelle.

Le rapport entre le sens propre de l'allégorie — que, par analogie avec « noème » ou « thème », on peut appeler « allégorème » — et son sens littéral — ou « allégorèse » — n'est pas simplement un rapport de non-coïncidence. La discordance sémantique va beaucoup plus loin. En concentrant l'attention qui contemple l'Envie sur les détails pittoresques de l'image, on n'a, dit Marcel, « guère de temps à donner à d'envieuses pensées ». C'est ce qui fait la vertu didactique de l'allégorie quand elle fait oublier les vices qu'elle a charge de représenter — un peu comme quand Rousseau justifie le théâtre parce qu'il distrait momentanément les séducteurs de leurs sinistres desseins[21]. Le fait est que, dans le cas de l'Envie, ce vers quoi l'esprit est détourné n'est pas moins inquiétant que le vice, puisqu'il s'agit en fait de la mort. Poursuivre cette indication nous mènerait trop loin ; sur le plan sémantique, il suffit de remarquer que la représentation allégorique conduit à un sens qui diverge du sens initial au point d'en bloquer la manifestation.

Dans le cas de l'allégorie de la Charité, les choses sont plus spécifiques encore, surtout si l'on tient compte des origines du passage. Proust ne part pas de la contemplation directe de l'œuvre de Giotto mais du commentaire qu'en a donné Ruskin dans le recueil de lettres intitulé *Fors Clavigera* illustré d'ailleurs des planches reproduisant les Vices et Vertus de Padoue. Le commentaire de Ruskin est curieux à bien des égards mais, dans ce contexte, il est intéressant surtout parce qu'il traite d'une erreur de lecture. Ruskin décrit le geste de la Charité brandissant, de sa main gauche, un objet qui ressemble à un cœur ; il avait d'abord cru que la scène représentait Dieu

21. *Préface à Narcisse*, II, 973 (Edition de la Pléiade).

offrant à la Charité son propre cœur charitable, mais dans une note plus tardive, il corrige cette lecture : « Je ne doute pas avoir mal lu cette action : elle *donne* son cœur à Dieu, tandis qu'elle fait des offrandes aux hommes [22]. » Ruskin parle également de la rhétorique ambiguë utilisée par le peintre qui est, dit-il, « nettement littérale par le sens quoique aussi figurative (quite litteral in his meaning as well as figurative) » ; décrivant le même geste, Proust admet la lecture rectifiée de Ruskin, mais déplace l'erreur au moyen d'une comparaison qui, à première vue, semble assez saugrenue : « elle tend à Dieu son cœur enflammé, disons mieux, elle le lui « passe » comme une cuisinière passe un tire-bouchon par le soupirail de son sous-sol à quelqu'un qui le lui demande à la fenêtre du rez-de-chaussée » (p. 81, l. 22-25). La comparaison ne semble être là que pour insister sur le caractère familier du geste mais elle a aussi comme effet de réintroduire dans le texte « la cuisinière », c'est-à-dire Françoise. La fille de cuisine ressemble à la Charité de Giotto mais il s'avère que le geste de cette dernière la fait à son tour ressembler à Françoise. La première ressemblance est encore plus ou moins vraisemblable : les souffrances de la fille suffisent pour inspirer un sentiment de pitié qu'il serait facile de confondre avec de la charité. Mais la deuxième ressemblance est bien plus difficile à comprendre : si l'image, en tant que représentation, suggère aussi Françoise, elle passe loin à côté de son objectif, car rien n'est moins charitable que Françoise, surtout dans ses rapports avec la fille de cuisine. Il n'est pas nécessaire d'insister en détail sur l'épisode voisin (p. 120-124) qui traite des relations entre Françoise et son esclave pour confirmer que le sens littéral de l'allégorie traite son sens propre d'une manière très peu charitable. L'intérêt sémiologique de l'épisode, dramatisé dans la scène tragi-comique où l'on voit Françoise sangloter de pitié à la lecture des symptômes qui exciteront sa férocité la plus sauvage lorsqu'elle les rencontre littéralement dans son infortunée esclave, réside dans le fait qu'une seule figure allégorique engendre deux sens, l'un littéral et représentationnel, l'autre propre et allégorique, et qu'entre ces deux sens le rapport est un rapport d'hostilité radicale. Le sens littéral oblitère le sens allégorique, avec la complicité de l'écrivain mystifié qui, de même que Marcel n'est nullement disposé à se passer des services matériels que Fran-

22. John Ruskin, *Fors Clavigera*, in *The Works of John Ruskin*, E.T. Cook and A. Wedderburn, éd. (Londres, 1907), vol. XXVII, p. 130.

çoise lui rend, n'est pas prêt à renoncer aux ressources descriptives et thématiques de la littéralité.

Dans l'ordre éthique des Vertus et des Vices, l'ambiguïté du signe allégorique conduit donc à une étrange confusion des valeurs. Si l'on se souvient en outre que, dans l'allégorie proustienne de la lecture, le couple fille de cuisine / Françoise lui rend, n'est pas prêt à renoncer aux ressources desment à une épistémologie de la lecture également troublante. Puisque tout texte narratif est avant tout l'allégorie de sa propre lecture, il se trouve pris dans une ambiguïté particulièrement énigmatique. Tant qu'il ne fait que traiter, sur un mode allégorique, d'un thème quelconque, il se réduira toujours à la confrontation de deux sens incompatibles entre lesquels il est impossible de trancher en termes d'erreur et de vérité. Si l'une des lectures est décrétée vraie, il sera toujours possible de déconstruire cette vérité au moyen de l'autre lecture ; si l'une est décrétée fausse, il sera toujours possible de montrer qu'elle énonce la vérité de son erreur. C'est encore à ce niveau que se situerait une interprétation d'*A la recherche du temps perdu* qui réduirait le livre à être le récit de sa propre déconstruction. Une telle interprétation rendrait compte de la cohérence textuelle et retrouverait, à la limite de ses négations, l'adéquation entre l'énoncé et la structure dont dépend la possibilité de toute lecture thématique exhaustive. Mais lorsqu'il ne s'agit plus d'allégoriser l'entrecroisement de deux modes de lecture, mais la Lecture en soi, la difficulté signalée par le passage sur la Charité de Giotto est beaucoup plus grave. Nous n'aurions jamais pu déduire d'une lecture littérale de la fresque de Giotto qu'elle signifie la Charité, puisque tous les attributs représentés pointent en une direction contraire. Nous ne connaissons le sens propre que parce que Giotto, passant de la représentation à l'écriture, a écrit en toutes lettres sur la partie supérieure de la fresque KARITAS. Nous avons accès au sens propre par un acte de lecture littéale, non par la lecture oblique de l'allégorie. Cette lecture littérale est possible parce que la notion de charité est une notion référentielle de caractère empirique qui n'appartient pas au monde des rapports intra-textuels. Mais il n'en va pas de même pour la représentation allégorique de la Lecture, telle qu'elle se produit dans tout texte littéraire. Tout ce qui se trouvera représenté dans une telle allégorie éloignera de l'acte de lire et bloquera l'accès à la compréhension correcte. L'allégorie de la lecture fait le récit de l'impossibilité de lire. Mais cette impossibilité de lire s'étend au terme même de Lecture, qui se trouve ainsi privé de tout sens référentiel. Proust aura beau écrire en toutes lettres LECTIO en tête de son tableau (et le roman multiplie les signes en cette direction), il s'agit en fait d'un signe occulté car, selon les lois mêmes de l'énoncé proustien, il nous est toujours impossible de lire la Lecture. Tout dans ce roman est signe allégorique et signifie autre chose qu'il ne représente ; qu'il s'agisse de l'amour, de la conscience, de la mondanité, de la politique, de la cuisine, de la stratégie — c'est toujours d'autre chose qu'il est question. On peut montrer que le meilleur terme pour désigner cette « autre chose » est : la Lecture. Mais on doit « comprendre » en même temps que ce mot barre à tout jamais l'accès à un sens qui ne peut pourtant jamais se résigner à ne pas être atteint.

La discordance entre le sens littéral et le sens propre déplaît d'abord au jeune Marcel, mais la maturité artistique de sa vocation est marquée par le moment où il apprend à l'admirer : « Plus tard j'ai compris que l'étrangeté saisissante, la beauté spéciale de ces fresques tenait à la grande place que le symbole y occupait, et que le fait qu'il fût représenté non comme un symbole puisque la pensée symbolisée n'était pas exprimée, mais comme réel, comme effectivement subi ou matériellement manié, donnait à la signification de l'œuvre quelque chose de plus littéral et de plus précis... » (p. 82, l. 7-14). Les lecteurs de la *Recherche* connaissent bien ce « plus tard, j'ai compris... » qui revient comme un leitmotif à travers tout le roman. La critique a interprété ce « plus tard » comme le moment de la réalisation de la vocation littéraire, le passage de l'expérience à l'écriture dans la convergence du narrateur Marcel et de l'auteur Proust. En fait, la divergence essentielle entre le narrateur, signe allégorique et par conséquent oblitérant de l'auteur, et Proust, c'est que le premier peut croire que ce « plus tard » puisse jamais se situer dans son propre passé. Marcel n'est jamais aussi éloigné de Proust que lorsque celui-ci lui fait dire : « Heureux ceux qui ont rencontré la vérité avant la mort, et pour qui, si proches qu'elles doivent être l'une de l'autre, l'heure de la vérité a sonné avant l'heure de la mort [23] ! » L'écrivain Proust, en tant qu'écrivain, sait bien que ce qui doit toujours être remis a plus tard, c'est précisément la vérité de la compréhension. *A la recherche du temps perdu* a beau être le roman par excellence de la fuite du sens, cela ne l'empêche pas d'être lui-même, incessamment, en fuite.

Paul de MAN.

23. III, 910.

NOTE SUR JACQUES RIVIERE
ET L'IDEE DE SINCERITE

I

Charles Du Bos remarquait en Rivière « un sentiment d'incessante responsabilité vis-à-vis de la totalité de son être intime [1] ». En d'autres termes : le besoin de s'assumer tout entier à chaque instant au regard de la conscience. Telle serait la condition de la sincérité, de la pureté : *vinum sincerum,* vin non coupé, sans mélange. Rivière insiste sur son « goût de la pureté, comme on dit que le vin est pur quand il n'y a pas d'eau dedans, goût de ce qui n'a qu'un goût et qu'une odeur, et qu'une couleur toute seule... [2] »

Il n'est pas de forme plus haute de la sincérité que la fidélité à son âme, si l'on fait de l'âme, pour chaque homme, le principe vital et spirituel d'unification de ses pouvoirs et de ses tendances. Je cite le traité *De la sincérité envers soi-même* : « au plus profond de moi une basse et continuelle méditation — et dont je ne saurai rien si je ne fais effort pour la connaître : c'est mon âme. Elle est faible et comme idéale ; elle existe à peine ; je la sens comme un monde possible et lointaine. Tout homme (...) est confusément averti de sa profondeur, vaguement occupé d'un soupçon secret. Il y a un arrière-goût d'insuffisance en tout ce qu'il éprouve... [3] ». Ce trésor à demi-enseveli qui gît en nous, et qui n'a le plus souvent qu'une existence virtuelle, il faudrait consentir à sa

1. Hommage à Jacques Rivière, *N.R.F.,* 1925, p. 580.
2. *Nouv. Etudes,* p. 260.
3. *De la sincérité... suivi de De la foi,* p. 23. La première lettre de Rivière à Fournier (janvier 1905) est une sorte d'introduction tâtonnante à ce *Traité* : « Je crois que je vais à la simplicité (...) C'est bien là qu'il faut en venir (...), si l'on est sincère. » « Tâchons

réalité et faire en sorte qu'il parvienne au maximum de sa vertu irradiante. Un travail nous attend donc, et ce travail est devant nous, ce perfectionnement spirituel ne peut s'accomplir que dans la durée à venir de notre vie. De cette âme, cependant, on dira aussi qu'elle nous précède, qu'elle est antérieure et plus ancienne que nous, puisqu'elle est un don qui nous a été fait dès l'origine. « L'âme d'où je suis déchu[4] », lit-on dans le Traité *De la foi*, « et que je ne sais que confusément imiter[5] ». Et sitôt après : « Il y a toujours entre nous-mêmes et notre âme une fine, une décourageante différence ». Cette insuffisance, cette différence sont la suite du péché originel. C'est lui qui est cause de la séparation. Par conséquent, la fidélité absolue à son âme est un désir qui ne sera pas satisfait, de même qu'est irréalisable, du moins peut-on l'induire de ce qui précède, la parfaite sincérité de l'homme à l'égard de son premier « modèle ». Sans doute y aurait-il l'exemple de Bach, de Moussorgski, de César Franck, de Cézanne peut-être[6]. Mais comment atteindre à ces hauteurs ?

D'où « la sensation d'une sorte d'échec[7] » (*De la Foi*). « Nous sommes ici-bas comme des gens qui tâchent de retrouver un nom très ancien et perdu. Tous nos mouvements sont pareils à ces vagues très pénibles de la mémoire qui viennent frapper l'oubli comme un mur. Et même lorsqu'il cède un peu, lorsque nous entrevoyons un peu ce qu'il cachait, lorsqu'enfin les consonnes du mot, sous tant d'insistance, commencent à réapparaître, même alors il reste quelque chose qui ne se laisse pas ressaisir : ce n'est jamais tout à fait ça ». Ce qui

---

de toute la force de nos âmes de rester simples et sincères envers nous-mêmes. » « Tant qu'on n'est pas *véritable...* »

L'important est qu'un homme « pense sincèrement, selon la ferme direction de son cœur et de son esprit ». « En suivant sa bonne petite vérité intérieure (...), l'on acquiert je ne sais quelle tranquillité d'âme... » « Etre selon soi-même. Etre selon soi-même et ne pas faire de littérature dans sa vie. » (*Corresp. Rivière-Fournier*, t. I, p. 10.)

Mais Rivière devra chercher toujours davantage la sincérité dans la complexité et dans la métamorphose.

4. Ailleurs, Rivière parle autrement : « Une mémoire tourmente l'âme déchue », lit-on dans son étude sur *Baudelaire* (*Etudes*, p. 24). Idée peu « orthodoxe ».

5. *De la sincérité...*, p. 84.

6. La musique de Bach, dans *La Passion selon saint Jean*, celle de Moussorgski, dans *Boris*, sont assimilées à la prière, celle de la contrition et celle de l'humilité (*Etudes*, p. 136, 107). De la musique de César Franck, Rivière dit qu' « une âme se chante avec fidélité » (*id.*, p. 143).

7. *Ibid.*, p. 84.

nous hante, peut-être à notre insu, c'est cette nostalgie, c'est le regret de ce qui a été perdu. Le chemin de la fidélité, de la sincérité remonte jusqu'à notre âme, et plus loin jusqu'à Dieu, s'il est vrai que nous ne sommes authentiquement nous-mêmes que devant Dieu. « La vue de Dieu », dit Rivière lorsqu'il envoie sa première lettre à Claudel, « donnerait « la sincérité » à mon élan [8] » ; la vue de Dieu, à qui s'adresserait une prière dans laquelle il s'engagerait sans rien réserver, avec la certitude d'avoir rejoint son âme. Les guillements sont de lui, et il parle de *la* sincérité, comme d'un mouvement pur, qui conférerait à son être intime à la fois son unité parfaite et son identité initiale.

II

Pourtant, dans le traité *De la sincérité envers soi-même,* déjà, le mot âme n'a pas toujours le sens théologique ou métaphysique que nous venons de lui attribuer, conformément à la pensée de Jacques Rivière. L'aura religieuse du texte se dissipe pour laisser place à un sentiment d'étonnement qui est défini ailleurs : « l'admiration toute pure et telle que l'entendait Descartes [9] ». C'est bien le pressentiment de l'âme qui éveille cet étonnement, mais l'âme dont il s'agit alors est en quelque sorte diversifiée en sensations, en sentiments, dont les plus cachés sont les plus attirants. Ce sont eux d'abord qu'il faut connaître, et dépister comme « un fin chasseur », et capter comme un financier « plein de calculs [10] ». Un principe de dédoublement est apparu. Tantôt l'âme, ou les sentiments, « regardent avec ironie » le chercheur et le mettent au défi, tantôt c'est celui-ci, soit sa conscience intellectuelle, qui mène le jeu. L'âme est pareille à un vase aux parois poreuses, impossibles à palper, et dont le contenu ne sera jamais dénombré ; car, notons-le bien : « être sincère, c'est avoir toutes les pensées ».

Il n'est plus question ici d'une sincérité qui serait l'expression globale de l'âme en sa pureté. Cette seconde sincérité, moins ambitieuse ou ambitieuse d'autre façon, n'est que relative ou partielle ou parcellaire. Nous sommes passés au plan de la psychologie, nous sommes descendus de l'un au multiple. « Toutes les pensées » dit Rivière, y compris les moins avouables (il en apporte des exemples), cela est posé par lui

8. *Corresp. Rivière-Fournier,* t. III, p. 42.
9. *De la sincérité...,* p. 97.
10. *Ibid.,* p. 25.

explicitement ; et il ajoute que « l'homme sincère (...) construit son âme à neuf pour chaque occasion[11] », comme s'il était libre de se refaire une âme un peu différente face à toute rencontre, à tout événement, à toute pensée ; comme s'il devenait le démiurge de lui-même. Cette espèce de création de soi par soi, et qui se renouvelle, n'exclut pas, d'ailleurs, une « nécessité mystérieuse ». Il semble alors que nous soyons appelés à devenir celui que nous sommes, suivant le mot de Goethe repris par Nietzsche. Mais l'accent est placé, dans tous les cas, sur la faculté d'expansion qui est en nous et sur notre désir d'étendre le plus qu'il se pourra notre champ d'expérience.

Voilà donc le grand empêchement, dans tout essai de rejoindre son âme pour lui demeurer, une fois pour toutes, fidèle : « pour chaque sentiment qui paraît en mon âme, trop d'étonnement, trop d'attention, trop de délices s'empare de moi[12] ». Il y a là une pente qui s'offre de tous côtés et à laquelle il est impossible de ne pas céder : « C'est la passion de la connaissance qui m'anime, la seule qui soit vraiment impie[13] ». Connaissance, et aussi complaisance à soi-même. Un plaisir, dit Rivière, et un plaisir si profond, si naturel, qu'on tenterait en vain de résister à son appel. Revenant à son traité *De la Foi* dans une longue lettre à Gide (le 3 janvier 1913), il écrit : « Ils ne comprennent pas, parce qu'ils ne sont pas psychologues. Je voudrais redire tout ce que j'ai esquissé dans ce chapitre en en décuplant l'intensité, décrire cette sorte de joie qui me prend en face de moi-même (...) N'être pas chrétien, c'est trouver à cette vie une raison suffisante. Cette raison suffisante pour moi, c'est la connaissance de moi-même (...) Peu à peu une sorte de lumière et de transport s'empare de moi, et à mesure que je vois mieux, que j'entre dans un détail plus fin, mon bonheur tourne à l'exaltation. Ça me soulève, ça me ravit. « Y voir clair... [14] ».

Jacques Rivière est l'homme des options, il s'applique à établir la topographie des lieux et des carrefours où les chemins divergent, entre lesquels le choix s'impose. Longtemps, il a fait le compte des raisons, ou des impulsions de son être profond, qui l'invitaient à croire ou à ne pas croire, et il se convainc que l'obstacle majeur à sa « conversion » est qu'il en est venu « à ne pouvoir souhaiter d'être différent[15] ». Or, dans

---

11. *Ibid.*, p. 25.
12. *Ibid.*, p. 93.
13. *Ibid.*, p. 95.
14. Hommage cité p. 778.
15. *De la sincérité*... p. 43.

le traité *De la sincérité envers soi-même,* il semble admettre que la totale acceptation de soi est une condition ou une conséquence de la sincérité [16]. Ainsi, la pratique de la sincérité, de celle que j'appelle seconde ou aussi descendante, — par opposition à la sincérité pure qui nous invite à imiter notre âme — détournerait de la vie religieuse, qui implique la volonté de se réformer. Elle nous commande de nous accomplir, en dépit de tout, envers et contre tout. « Aller jusqu'au bout de soi-même », « aimer ses conflits jusqu'au bout [17] », n'était-ce pas la leçon de *la Jeune Fille Violaine* et d'abord de Mara, qui s'entêtait farouchement dans le mal ?

Le 5 juillet 1907, alors qu'il a décidé de s'éloigner de Claudel, Rivière tente de sonder son cœur : « J'ai eu une crise sincère, je me suis senti très désemparé, et alors j'ai crié. Mais maintenant c'est fini. Je me suis retrouvé : je n'accepterai rien du dehors, je ferai tout seul mon salut... [18] ». Puis se lève en lui le regret de ce qu'il a perdu : « Tant de joies promises, une paix si certaine, la communion de tous les jours avec l'homme le plus grand ici-bas. Voyez, mon Dieu, c'est tout cela que je refuse, pour me garder à vous, pour vivre pur ». Mouvement étrange : s'il a renoncé au catholicisme, et à une grande amitié (ne serait-il pas juste d'accorder à celle-ci l'antécédence ?), c'est pour se conserver à Dieu (à quel Dieu ?) et pour « vivre pur », soit pour demeurer entièrement fidèle à lui-même. Nous savons que Rivière, en 1906, en 1907, est porté à se regarder comme étant de la même essence qu'un Dieu assimilable au monde. Cette « pureté » n'est alors que la conscience qu'il peut avoir de la destination « divine » de son être, dans un univers « divin ». A moins que... Je cite le paragraphe qui suit : « Je n'ai qu'une peur. C'est que l'héroïsme de *cela* ne me soit un motif. Alors... Oh ! où est donc la sincérité ? Pourquoi n'ai-je pas été condamné à ne voir jamais qu'une face des choses ? » Ce « motif », s'il a pesé sur sa détermination, a introduit en lui un facteur de division, donc d'impureté, d'insincérité. Il ne sait plus si le non qu'il a dit à Claudel est bien l'expression de son être intime ou s'il a cédé à un désir de gloire. D'où il résulte qu'il est chimérique de se vouloir en toute chose d'une sincérité globale. La sincérité, décidément, ne peut être que relative, partielle, multilatérale. Elle ne peut être que « la suite des aveux peut-être contradictoires de toute une vie [19] ».

---

16. *Ibid.,* p. 32.
17. *Théâtre,* Mercure, t. III, p. 338, 316.
18. *Corresp.,* t. III, p. 180.
19. *Ibid.,* t. IV, p. 46.

III

S'il est vrai que Rivière, selon Du Bos, éprouvait le sentiment intense de sa responsabilité vis-à-vis de la totalité de lui-même, il était trop clairvoyant pour ne pas s'apercevoir qu'à chaque instant cette totalité le fuyait. Naturellement complexe, avec de plus le goût de la complication, et le désir d' « avoir toutes les pensées », pour les opposer les unes aux autres, pour fixer l'étendue, en lui, de ce qu'il nommait ses « compossibles » — composant même une sorte de roman philosophique où il eût renvoyé dos à dos toutes les « vérités », également valables et vaines — il percevait en lui une polyphonie discordante, prenant toujours appui sur une base harmonique. La sincérité ne pouvait cesser pour lui de faire problème. Il la définissait devant Gide avec un soupçon de pédantisme (qu'il avoue) comme un jeu subtil se jouant à plusieurs niveaux, sur plusieurs réseaux, et qui exige une intelligence constamment en alerte : « La sincérité est à l'opposé de ce qu'on entend d'habitude par ce mot. Elle consiste à ne jamais s'exprimer franchement d'une seule fois, de façon définitive, elle est le respect de la complexité de l'âme, le refus de se donner totalement en une phrase. Je ne dis jamais ce que je pense, parce que je ne pense jamais une chose, une unité. Mais chaque pensée est en moi un mouvement en plusieurs sens, une combinaison et un équilibre de forces qui s'appuie sur leur propre contrariété [20]. » Cette sincérité, qui se refuse à toute affirmation péremptoire et globale, est le fruit du scrupule et d'un besoin jamais las d'exactitude dans l'expression des réalités intérieures.

Elle a aussi partie liée avec une insatiable curiosité. Rivière n'est jamais las de s'avancer à la découverte de lui-même. Dans le grand article de 1913 sur *le Roman d'aventure*, où il se réclame des romanciers anglais et de Dostoiewsky, il s'intéresse moins à la rencontre extérieure qui modifie un comportement qu'au face à face d'un sujet avec ce qui lui advient d'imprévisible dans l'ordre du sentiment. A cet égard, il y avait en Rivière quelque chose du *Versucher*, de l'expérimentateur de soi, au sens nietzschéen. Si le mot paraît teinté de démonie, disons que l'attribut du psychologue, à ses yeux, était d'explorer sans trêve, avec autant d'avidité que d'intrépidité, les replis de son être et de mettre à l'épreuve tous ses ressorts de manière à composer de soi une image

20. *Hommage*, p. 762 (du 12 mars 1909).

inattendue et plus riche. Le triomphe est alors de se voir différent de ce qu'on croyait être. Il y a là une sorte de griserie où entre un élément de vertige ; on perd pied en soi-même : « L'émotion de découvrir sur moi-même des choses que je ne soupçonnais pas est l'émotion la plus puissante que je connaisse jusqu'ici. » Je n'affirmerai pas qu'on ne voie se dessiner dans cette phrase l'ombre tentatrice d'André Gide. La sincérité réside ici dans un pouvoir d'accueil et de pure adhésion à ce qui paraît.

Dans *Aimée*, François, qui est très proche de l'auteur, s'engage dans une aventure amoureuse avec « une folle curiosité[21] » doublée d'un intense plaisir. « J'aurai voulu ne rien ignorer de ce dont l'âme humaine est capable[22]. » Mais il ne suffit pas d'y voir clair, il faut dire à l'autre, au partenaire (tous deux se ressemblent), le moindre détail de ce que l'on ressent et de ce que l'on découvre en soi ; la sincérité est ce pourchas indéfini, soutenu par les provocations qu'on s'adresse à soi-même. Et il est significatif de voir François, bien persuadé de « la symétrie secrète[23] » de son âme et de l'âme de celle qu'il aime, lui demander d'abord « d'être elle-même bien sincèrement, bien entièrement », mais pour observer sitôt après, en elle comme en lui, « le goût effrené du sentiment et de ses modulations, *le besoin d'être sans cesse un autre*, l'abandon sans réserve ni repentir à la main secrète qui dispose toujours nouvellement notre cœur ». La fonction de la « sincérité » est ici comparable à celle d'un appareil délicat qui enregistrerait les plus légers mouvements de la conscience, de préférence ceux qui conduisent face à l'inconnu. Aux dernières pages du livre, celles du renoncement, où François réclame de lui un « changement d'âme[24] » qui touche « à l'impossible », l'auteur ne peut s'empêcher de nous le montrer attendant « avec curiosité » le tour nouveau que va prendre son âme. Mais le mot âme retrouve alors son sens élevé, s'il est juste, comme je le crois, de proposer une interprétation religieuse (discrète) du « désespoir actif » où entre François, dont l'âme est « enfin retournée jusqu'à l'extinction de ses moindres germes d'amour-propre ».

Le roman de *Florence*, en sa forme inachevée, est le récit d'une entreprise de dénaturation. Voici Pierre, fait pour souffrir, pour s'attacher à la vérité, pour aimer Dieu « et toutes ces idées d'infini, de perfection... ». Mais l'amour-propre est

21. *Aimée*, p. 37.
22. La phrase est d'*Aimée*, p. 214.
23. *Aimée*, p. 120.
24. *Ibid.*, p. 204.

le plus fort, et le besoin d'être un autre. Il va donc se refuser à la souffrance, apprendre à mentir, se détourner de Dieu « avec une rage de rénégat[25] », céder à un esprit de perversité, corrompre (il se dupe, elle l'était déjà) une femme qu'il n'aime pas (ou peut-être l'aime-t-il ?), tenter d'adopter en toutes choses, pour se prouver sa puissance, des conduites doubles, et cela jusqu'au point extrême où, à force de s'être contrefait, il ne sera « plus habité que d'un grand malaise orgueilleux[26] ». L'aventure de Pierre, dans *Florence,* est l'équivalent d'une contre-épreuve. François, dans *Aimée,* se partageait entre le désir d'être soi et celui de se changer. Pierre, lui, s'est engagé délibérément dans la voie du changement, qui est aussi une voie d'égarement. Il s'y retrouve enfin, mais comme dépossédé de lui-même, l'expérience faite, et manquée, privé des repères qui lui permettaient de se reconnaître, en train de s'interroger sur son âme, sur sa durée, sa persistance[27], comme si elle était l'âme intermittente, l'âme-événement dont parle Valéry. Le mot de sincérité ne figure pas dans le lexique de *Florence,* qui est l'histoire d'un homme qui s'efforce de se décharger de toute responsabilité vis-à-vis de son être intime. Divisé contre lui-même, il a pris le parti de transformer les sentiments qu'il éprouvait spontanément, il les tient à distance, pour leur faire violence et les soumettre à un continuel dressage. Mais c'est vivre dans l'impureté.

Jacques Rivière travaillait à *Florence* pendant la dernière année de sa vie. Douze ans plus tôt, déjà, dans le Traité *De la Sincérité envers soi-même,* il décrivait les dangers auxquels expose le souci de sincérité. Le premier est qu'un exercice de la conscience claire trop constamment poursuivi, et qui a tourné en habitude, ou en vocation, risque de m'ôter « toute foi en mes sentiments[28] ». D'avance connus, ils se détachent sur un fond de lumière et se décontenancent. « Contre l'ignorance on peut combattre ; mais comment s'empêcher de savoir ? » Aucun mouvement en moi dont je ne discerne trop bien la cause et l'effet. « La conscience est quelque chose qui revient toujours. » La sincérité se confond alors avec une soif insatiable d'exactitude qui me sépare toujours de moi-même, puisque je ne puis jamais voir que tel ou tel *objet* de conscience.

---

25. *Florence,* p. 159.
26. *Ibid.,* p. 298.
27. *Ibid.,* p. 237 et 319.
28. *De la sincérité,* p. 26.

L'autre danger est celui de « l'intégrité de soi », peut-être mal nommé, car il consiste moins à s'assumer en son entier qu'à se dépasser. En accueillant « toutes les pensées », même les plus basses, en s'arrêtant à elles, on les féconde par le regard, on leur donne une importance qu'elles n'ont pas, qu'elles n'étaient pas destinées à avoir, et on les fait basculer dans le royaume illimité de l'imaginaire. La sincérité, dit Rivière, « les protège contre leur fugitivité [29] ». Leur essence était « de passer en un clin d'œil », mais il leur a été communiqué « une sorte de consécration ». Ces remarques vont loin et il n'est pas sûr que Rivière ait aperçu d'emblée toute leur portée. De même qu'en microphysique la lumière projetée sur un corpuscule modifie sa direction, en psychologie, semble-t-il, on ne peut détacher un élément de la masse du psychisme sans lui conférer une existence ; et celle-ci va s'intensifier si, par chance, quelque vocable vient la douer de réalité.

La conscience est donc capable de susciter des chimères et des monstres. De la masse extraordinairement instable de mon psychisme, elle tire une figure, puis une autre figure, et toutes ensemble composent mon histoire. En sorte que (la remarque est de Rivière, qui se réfère à Stendhal, « qui s'est attaché comme confident à sa propre personne [30] »), je puis en arriver à me déformer « par l'exercice même de (la) sincérité ». C'est que la conscience n'est pas une lentille morte, elle est intéressée à la grande dérive qui se poursuit en moi. Il n'en demeure pas moins que « la conversion introspective me place dans une attitude qui n'est plus celle de la vie [31] », et que la sincérité (si le mot a encore un sens) est à chaque instant exposée à se retourner contre elle-même.

Jacques Rivière se veut psychologue, et non moraliste. Ce projet a toujours été le sien (je ferai plus loin une réserve unique) et il s'accorde aussi bien avec celui de se connaître qu'avec celui d'être sincère envers soi-même. La moralité, note-t-il, « consiste à ne pas tenir compte de certains sentiments, à ne pas les apercevoir : elle passe, elle laisse de côté, elle sait ce qu'il faut craindre ; elle est une perspicace ignorance ; elle pressent, avant que la conscience ne les atteigne, nos mauvaises pensées et nous en détourne. L'honnête homme est celui qui ne voit pas le mal dont il est capable [32]. »

29. *Ibid.*, p. 31.
30. *Ibid.*, p. 32.
31. Yvon Bélaval, *Le souci de sincérité*, p. 50.
32. *De la sincérité...*, p. 28.

C'est donc une fausse honnêteté que celle qui me conduit à préjuger de ce que j'éprouve, ou de ce que je vais éprouver, à l'évaluer d'emblée, afin de me retirer en lieu sûr, dans un monde où je ne suivrai que des chemins tout tracés. La question : qui suis-je ? perd alors toute espèce de sens. Tout se passe comme si j'avais renoncé à savoir qui je suis vraiment. Je ne me saisirai en ma nudité que si je fais d'abord table rase, par ce geste de déblayer qui me permettra de prendre un contact frais avec moi-même.

L'initiateur, le guide de Rivière vers ce psychologisme radical est, plus encore que Gide, l'auteur de *La Généalogie de la morale*. Mais peut-être faut-il introduire ici une distinction que Rivière n'a pas faite entre la morale en son acception large, ou l'éthique, qui relève de l'expérience, et le moralisme ou la moralité, qui se présente d'abord comme un ensemble de normes et de défenses. Ce qui l'a inquiété, depuis son enfance, autant que le désir de la vérité, c'est le sentiment des interdits. Une idée de la répression intérieure était insérée en lui profondément, qui l'empêchait de voir clair, l'empêchait de savoir, mais aussi d'admettre l'existence d'un instinct moral, ou d'une exigence éthique. Rivière, a écrit Ramon Fernandez, « allait au bien d'un mouvement naturel et qu'il jugeait suspect. Pourquoi ? Parce que tout sentiment moral lui paraissait factice, opaque, étant *postérieur* à notre réalité initiale [33] ». Il se voulait amoral — c'est à cette notion qu'il s'arrête dans ses lettres à Fournier — afin de rejoindre le plus authentique de lui-même, sans s'apercevoir que sa méfiance, qui s'étendait, croyait-il, au seul domaine d'une moralité conventionnelle, enveloppait aussi des mouvements spontanés, constitutifs de son être intime. De sorte qu'en théorie il eût pu lui arriver de ne pas voir le bien dont il était capable. De sa droiture, il disait quelquefois qu'elle était absurde, de sa franchise qu'elle était une manie [34], et il ne se lassait pas d'exercer contre lui-même une manière de cruauté intellectuelle qui satisfaisait une orgueilleuse modestie.

La lecture de Proust — « le révélateur le plus effrayant que je pouvais rencontrer sur moi-même [35] », jointe à la lecture (probable) de ce que l'on connaissait de Freud, à Paris, dans les années 20, devait porter à l'idée de sincérité un coup

33. *Moralisme et littérature*, préface.
34. *Hommage*, p. 402, 717.
35. *Quelques progrès dans l'étude du cœur humain*, 1926, 3e p., Marcel Proust et l'esprit positif. Ses idées sur l'amour, p. 36.

sensible. Voici où en était la pensée de Rivière au début de 1924 : « Il y a ce qu'on appelle la sincérité. Mais c'est une attitude morale [36]. » Entendons que la sincérité n'est qu'un faux-semblant : « L'homme sincère tout de suite mêle la religion à l'examen qu'il entreprend de lui-même ; tout de suite il s'accuse, ce qui revient à dire qu'il se voit sous le jour de la perfectibilité ; tout naturellement il prolonge ses sentiments ; s'ils sont bas il leur trace une sorte d'avenir où ils se purifieront ; il entrevoit une sorte de rachat, ou de réfection de lui-même (...) ; il croit que la conscience est traversée, est dirigée par des courants moraux ; les voies où l'engage son caractère, il croit y être poussé par d'invisibles puissances ». Et Rivière conclut, se référant à Auguste Comte, que « l'homme sincère est animé, dans l'étude de lui-même, par l'esprit métaphysique ». On perçoit dans ces lignes comme une sourde irritation : celle de l'homme qui se persuade qu'il a été dupe, et qui se libère enfin, se jugeant capable désormais de vivre sans aide, et de laisser venir à lui « le chaos que notre âme envoie à notre rencontre » — une âme qui n'est pas autre chose que l'inconscient.

La découverte de *Du côté de chez Swann* par Rivière date des premiers mois de 1914. Tout de suite il a compris qu'il était en présence d'une œuvre architecturée, ce que bien peu soupçonnaient, mais la mort l'a empêché de voir se dessiner la ligne générale de l'édifice. Ce qui importe est qu'il a été fasciné, plus que par la poésie de Combray, par la psychologie d'*Un amour de Swann* [37]. Il en est resté ainsi à l'idée d'un Proust entièrement dépourvu d'esprit métaphysique, absolument étranger au sentiment que « d'invisibles puissances » pourraient orienter le psychisme humain, éliminant de la vie « tout facteur dynamique [38] » pour s'abandonner à ses impressions et aux images de la mémoire, mais capable de prendre ses distances à l'égard de son objet et de trouver la force, par un admirable exercice de l'intelligence, de formuler les grandes lois de la psychologie.

Instruit par ceux qu'on appelle les moralistes classiques, Montaigne, La Rochefoucauld, La Bruyère, Marivaux, Laclos, Constant, et par Racine, relu en captivité, tous portés à la méfiance à l'égard des aveux que l'homme est conduit à faire sur lui-même, Rivière est amené à partager « l'immensité du soupçon [39] » de Proust face à tout ce qui affleure à la con-

36. *Ibid.*, p. 52.
37. Conférence faite à Monaco.
38. *Quelques progrès...*, p. 8.
39. *Ibid.*, p. 56.

science. Proust, dit-il, est le premier à avoir rendu à l'homme « son hétérogénéité naturelle [40] », mais il se refuse, au contraire de ce que faisait Dostoïewsky, à le dépeindre en proie au combat du bien et du mal. C'est sur un plan de pure horizontalité que se disposent les « séries différentes [41] » auxquelles se rattachent les lignes de force d'un psychisme qui ne peut être saisi et analysé que parties par parties. Le jeune Rivière avait parlé de sa plasticité, de son polymorphisme. Il trouvait maintenant une confirmation éclatante de ses intuitions. Mais une autre idée s'imposait à lui à la lecture de Proust, éclairé par Freud, celle d'une « activité mensongère [42] » continuellement à l'œuvre en nous, la conscience étant par nature hypocrite, soit très exactement comédienne, et toujours occupée à tisser, aidée par l'artifice du langage, la trame d'une autre vie. « Au contact de Proust, on se rendait compte combien l'homme est artiste à se tromper sur lui-même, et chacun voyait apparaître peu à peu, décollée de sa propre âme, cette image toute fantaisiste qu'il s'en faisait instinctivement [43] ». Et encore : « en étendant plutôt qu'en appauvrissant les ressources de l'âme, (Proust) montre simplement en plus l'illusion qui soutient notre vie ».

Ainsi nous ne cessons de nous imaginer autres que nous ne sommes (n'est-ce pas, à peu de chose près, ce que Jules de Gaultier nommait le bovarysme ?). Et Rivière, suivant son besoin d'une formulation extrême, en vient à poser que « tous nos sentiments sont des rêves », que « tout amour est hallucinatoire [44] ». Un être condamné à se méconnaître, bien plus, à basculer, comme je l'ai dit plus haut, dans l'imaginaire par l'activité d'une conscience fabulatrice, tel lui apparaît désormais l'homme. C'est la recherche de la vérité qui conduit l'analyste à découvrir que nous ne sommes « soutenus » que par le mensonge. C'est elle encore qui semble devoir mettre définitivement en question, ou mieux en accusation, l'idée de sincérité. Car si l'être est toujours en train de se décomposer, ne laissant jamais émerger que la figure instantanée d'un kaléïdoscope, si la conscience mène son jeu à part, son « objet » n'étant qu'image, fumée, toute tentative pour se rejoindre et s'unir à soi est promise à l'échec. L'honnêteté, ou la « pureté » ne sera plus que dans le regard, elle ne résidera plus que dans l'essai d'arrêter l'évanescent, de peser l'impon-

40. *Ibid.*, p. 46.
41. *Ibid.*, p. 47.
42. *Ibid.*, p. 59.
43. *Proust et l'esprit positif*, dans *Nouv. Etudes*, p. 208.
44. *Quelques progrès...*, p. 14 et 21.

dérable, dans un travail presque scientifique pour saisir et dire avec la plus fine exactitude. C'est là que la « sincérité » cherchera refuge.

Dans le traité *De la sincérité envers soi-même,* la sincérité était présentée comme « une vertu dangereuse [45] », le contraire d'un laisser-aller, d'un abandon. Maintenant, frôlant le paradoxe, Rivière prétend qu' « il ne faut plus que ce soit une vertu, à laquelle on s'efforce, il faut que ce soit un vice, auquel on s'abandonne [46] ». Ce qui est évidemment sous-jacent à cette formule provocante, c'est une certaine interprétation de l'attitude proustienne. En d'autres termes, « la sincérité est donc le contraire exactement de la vie [47] ». Un choix nous est proposé — une de ces alternatives dont Rivière fixait les termes avec tant d'attention — entre suivre la vie, qui est mélange et fluctuance, ou « entrer dans la conscience », comme on dirait d'une existence ascétique, à condition de faire cette fois-ci de la conscience (curieux « vice » !) la vigie ardente que rien ne détournera de la vérité.

V

Mais Rivière était-il, sans déchirement, homme à séparer la vie de la conscience, et aussi de la recherche de la vérité ?

Déjà, aux dernières pages du *Traité de la sincérité envers soi-même,* nous le voyons s'achopper à l'exemple de Stendhal, qu'il admire, mais auquel il reproche son immobilité, sa passivité intérieure, sa façon d'abdiquer « tout empire sur ce que lui propose son âme », de perdre « communication avec les événements », de ne prendre d'eux que « le psychologique [48] ». En bref, son tort serait de se vouer tout entier à l'introspection.

Après quoi, le dernier paragraphe du *Traité* débute par un redressement qui ressemble à un commencement absolu : « Mais moi, je n'estime rien au-dessus de vivre, et ce dont d'abord je ne veux rien laisser échapper, c'est de vivre. » Voilà bien une constante, sinon dans la conduite de Rivière, du moins dans son désir, qui ne fut qu'assourdi durant l'ère proustienne. Et il s'explique (dans le *Traité*), se refusant à « s'amuser au foisonnement » de son cœur, mais s'appliquant « à le pencher exactement », ce qui signifie, dans le langage

---

45. *De la sincérité...,* p. 22.
46. *Quelques progrès...,* p. 56.
47. *Ibid.*
48. *De la sincérité...,* p. 32.

de la *NRF,* lui trouver sa pente. Immédiatement ou non, c'est l'agir qui le préoccupe, c'est l'idée de l'agir qui aimante ses sentiments ; « ils se joignent pour faire un élan uni, un seul désir ». Et l'homme qu'il voudrait être « veut répondre au coup qui le frappe par un cri pur, juste et surpris ». Le mot de sincérité ne se lit pas dans cette page. Pourtant, parler de pureté, de justesse, d'unité dans l'élan et dans le désir, de cette façon comme instantanée de correspondre à l'événement, n'est-ce pas disposer les éléments d'une description de la sincérité ? Il est vain de se demander si « la totalité de son être intime » (Du Bos) est bien engagée dans ce mouvement qui pousse l'homme à agir ou à réagir à l'appel ou à la provocation de la vie. Il suffit qu'il le croie, du moins dans le très bref moment où son être se rassemble. Une synthèse provisoire de sa pensée et de son affectivité s'est constituée. Il s'est retrouvé et s'est posé lui-même.

Douze ans après la composition du *Traité de la sincérité envers soi-même,* dans les derniers mois de 1924, alors que le raz-de-marée proustien était en lui en décroissance et qu'il était ébranlé par les observations de Fernandez sur Meredith, Rivière était en train de reviser son point de vue sur les rapports de la psychologie et de la morale, sur la nature de celle-ci et sa fonction dans la création littéraire. Certes, il continuait de s'élever contre « l'immense habitude (...) de concevoir la morale comme un schème abstrait, et de partir de ses qualifications pour explorer la matière psychologique[49] ». Mais, après avoir constaté que Proust méconnaît « tout transfert (d'un être) à l'autre, tout don et toute prise[50] », il en venait à affirmer, deux mois avant sa mort, au cours de son débat avec Fernandez, que sa « grande insuffisance » est d'avoir « ignoré, ou nié, tout ce qu'un être vivant, du fait qu'il vit, fait sans cesse pour se construire ou pour se rejoindre[51] ». C'était se replacer dans la perspective qu'il avait ouverte à la fin de son *Traité.*

Sa concession, ou sa conversion allait jusqu'à ce point qu'il admettait, suivant Fernandez, que le moralisme ou l'instinct

---

49. *Lettre à Henri Massis sur les bons et les mauvais sentiments,* dans *Nouv. Etudes,* p. 228.
50. *Quelques progrès,* p. 80.
51. *Moralisme et littérature,* p. 152. En octobre 1924, déjà, il disait à Henri Massis : « Je conviens qu'on peut souffrir parfois, en lisant Proust, d'un certain manque de repaires moraux, qui donne parfois l'impression du naufrage » (*Lettre à Henri Massis, Nouvelles Etudes,* p. 230.)

moral, disait-il préférablement peu après [52], est un élément essentiel de la vérité psychologique. L'opposition de la psychologie et de la morale, celle-ci considérée désormais en sa teneur existentielle, n'était donc plus irréductible. L'exemple de Rousseau, en lequel, tout d'abord, Rivière avait souligné l'impureté d'un mouvement qui le fait à la fois narrateur et juge de lui-même, l'amenait à penser que, depuis l'apparition de ses livres, « l'angoisse morale est à tout jamais mélangée à la création psychologique [53] ». L'œuvre d'art, disait-il admirablement (non sans se référer à lui-même) « est un arrangement que tente avec le monde une sensibilité ou maltraitée, ou confuse et inexperte. Il y a donc un élément moral à sa racine même [54] ». Et il faisait de l'âme humaine, en une image empruntée à l'anatomie, un organe spirituel ou psychologique « contractile », permettant à l'homme de devenir un autre lui-même, en tout cas de l'essayer, « par gonflement, par tension, ou par extase [55] ».

« Il n'y a de sincérité, comme il n'y a de vérité, que pour une conscience réflexive. Il faut se tourner vers soi-même. » Sur le plan de la connaissance intellectuelle, qui postule la dualité du sujet connaissant et de l'objet connu, cette assertion d'Yvon Belaval [56] semble incontestable. Mais sur le plan du vécu ? J'ai noté, à la dernière page du *Traité,* cet appel de la vie, à laquelle l'âme vient répondre, et qui ressemble à s'y méprendre à un appel à la sincérité. C'est « un cri pur, juste et surpris » qui atteste ma présence à l'événement. A la limite, même si le cri dont il s'agit n'est que métaphorique, on dira qu'il y a occultation du miroir. La conscience n'est plus conscience réflexive, le sujet et l'objet ne font qu'un. Peut-être y a-t-il une forme de sincérité où il est nécessaire de se détourner de soi-même pour se sentir en accord avec soi-même. Le besoin de sincérité cesse alors d'être en contradiction avec le mouvement de la vie. Contraint de s'ajuster à l'événement, l'être s'unifie.

Lorsqu'il se remémore les circonstances qui l'ont amené à écrire à Claudel, Rivière use de la même image du cri, en ce cas à peine une image : « J'ai eu une crise sincère, je me suis senti très désemparé, et alors j'ai crié [57]. » Dans la demande de secours, la conscience ne transcende plus le courant du

52. *Ibid.*, p. 153, 170.
53. *Ibid.*, p. 186.
54. *Ibid.*, p. 189.
55. *Ibid.*, p. 152.
56. *Le souci de sincérité,* p. 33.
57. *Corresp.*, t. III, p. 180 (cité plus haut).

psychisme. On a parfois l'impression que Rivière a eu l'idée confuse d'un langage qui serait plus vrai par le seul fait qu'il ne serait pas surveillé, qu'il faudrait l'écouter comme une voix secrète, le recueillir comme un témoignage qui viendrait de loin, peut-être de l'âme (en son sens religieux ou métaphysique). Ayant avoué à Gide, sans détour, par exemple, l'amitié qu'il ressent pour lui, le voici qui se regarde et s'interrompt : « Ce n'est bon à dire qu'aussi longtemps que je ne prends pas conscience de ce que je dis [58]. » Prisonnier en Allemagne, il se surprend à composer par l'imagination, au détour de ses ratiocinations et de ses rêveries, l'attitude qui serait la sienne s'il revoyait les siens, il se demande comment se manifesterait sa sincérité. Mais c'est la tuer dans l'œuf, et il en souffre ; c'est n'être plus que l'acteur de soi-même. Sitôt que je ne vis plus spontanément mon sentiment, je verse dans le faux. L'orgueil est chevillé dans le moi ; « le moi est mensonge » (Fénelon), et la sincérité n'est elle-même, dit Rivière, que « pure et brûlante [59] ».

Il y aurait la prière. La prière ne retombe-t-elle pas sur moi, si je me vois prier ? « Divisé, comment prier ? », se demandait Valéry. Le 24 août 1914, jour de la bataille de Lorraine où il fut fait prisonnier, après s'être donné à Dieu, en un geste de confiance fanatique (ce sont ses paroles [60]), Rivière eut le sentiment de retrouver d'autres états du même genre dont il avait déjà fait l'expérience, et qu'il appelle des états de complète submersion. Il les définit par un phénomène de « simplification de la conscience », qui se caractérise sans doute en ceci que le miroir, pendant un moment, s'obscurcit, en sorte que le souvenir de ces états reste confus et difficile à ranimer. C'est remonter au stade de ce qu'on a nommé le préréflexif. Qu'ajoute-t-il ? « C'est comme si j'avais été privé du spectateur intime qui ne me lâche jamais, comme si je m'étais trouvé un instant tout seul avec moi-même, sans secrétaire, sans le greffier qui tient mes mémoires. A certains égards ce sont mes plus parfaits moments de sincérité [61]. » Sincérité où l'on entre par accident, non voulue ni désirée, où l'on se voit privé de l'appareil intellectuel qui permettrait de se construire, où l'on s'abandonne au contraire à son être le plus intime, à son âme, qui est naturellement faible et pauvre.

---

58. *Hommage*, p. 780.
59. *De la sincérité...*, que suivent des pages d'un journal de captivité, p. 115 et 170.
60. *Carnets de guerre*, août-septembre 1914, éd. de La Belle Page, 1929.
61. *De la sincérité*, p. 108.

Toutes les remarques qui précèdent trouvent un appui en ces quelques lignes écrites pour Claudel [62] : « Oh ! puissé-je enfin pousser un cri sincère, un cri où se condense tout mon être, un cri si fort, si pur, éclatant, que je m'en sente régénéré, ce cri du petit Tintagiles réveillé, qui se délivre des puissances mauvaises. Oh ! cette exultation de Cébès, quand il conquiert enfin la paix, quand il se sent si doucement dissoudre dans la joie ! Oh ! que ma prière triomphe de moi, que toutes mes constructions s'effondrent, que je sois nu devant Dieu, enfin ! » Etre soi et ne plus être soi. Se replier en soi, mais pour un dénouement, une délivrance. Il ne s'agit plus ici de se construire. Le moi est dépassé par la prière, submergé, réduit à n'être plus que l'âme toute nue. Mais Jacques Rivière dit : puissé-je... L'invocation est un vœu.

Marcel RAYMOND.

62. Jacques Rivière et Paul Claudel, *Correspondance*, p. 41.

SOMNOLENCE ET REVEIL CHEZ ANDRE GIDE

« En vain cherché-je dans ce passé quelque lueur qui pût permettre d'espérer quoi que ce fût de l'enfant obtus que j'étais », nous dit André Gide à propos de son enfance dans *Si le grain ne meurt,* et il continue : « Autour de moi, en moi, *rien que ténèbres.* J'ai déjà raconté ma maladresse à reconnaître la sollicitude d'Anna. Un autre souvenir de la même époque peindra mieux encore *l'état larvaire* où je traînais[1]. » Dans la rétrospective gidienne l'enfance de l'auteur apparaît comme une époque dépourvue de lumière, appartenant au domaine de la nuit ; comme une période plongée dans cette demi-somnolence qu'on imagine caractériser la vie embryonnaire des êtres. Et notons que ce passage n'est pas exceptionnel dans l'ouvrage en question, mais qu'il s'y trouve à côté de toute une série de jugements semblables, où les années de jeunesse d'André Gide se présentent tantôt comme une « épaisse nuit où (la) puérilité s'attardait[2] », tantôt comme un « état de demi-sommeil et d'imbécillité[3] », et où l'enfant, encore endormi, se trouve « cuisiné par l'ombre[4] » et « pareil à ce qui n'est pas encore né[5] ». Rien donc de plus crépusculaire, voire de plus nocturne que l'image que l'auteur lui-même nous peint de sa propre enfance.

Or, si la critique gidienne a depuis toujours insisté sur la transformation profonde que la pensée de notre auteur a subie à partir de cette nuit enfantine, si elle n'a cessé de mettre en relief le revirement qui, après un puritanisme juvénile sous le signe d'un déterminisme extérieur très rigoureux, a conduit André Gide vers la liberté, vers une liberté qui cepen-

---

1. *Si le grain ne meurt,* p. 62 (Paris, Gallimard, 1955).
2. *Ibid.,* p. 36.
3. *Ibid.,* p. 65.
4. *Ibid.,* p. 118.
5. *Ibid.,* p. 64.

dant ne pouvait se soustraire à un certain déterminisme intérieur, ajoutons que jusqu'ici cette critique a trop peu mis l'accent sur quelques aspects fort révélateurs des palinodies gidiennes. Ainsi par exemple n'a-t-on pas souligné assez souvent l'aspect nocturne de la pensée gidienne à ses origines et l'effort que font les héros des œuvres juvéniles pour se dégager du royaume des ténèbres ; effort qui accompagne fidèlement l'éclosion gidienne et qui devient à proprement parler le mouvement de la libération gidienne, l'acte par lequel le héros gidien s'élève vers lui-même en se débarrassant des anciennes servitudes. Aussi voulons-nous, dans les analyses qui suivent, porter toute notre attention sur le royaume des ténèbres, le domaine de la nuit, les multiples valeurs symboliques qu'ils assument, et enfin sur le besoin de plus en plus pressant qui pousse les héros du jeune Gide à chercher de leurs yeux les lueurs de l'aurore.

Si pour l'auteur de *Si le grain ne meurt* sa propre enfance se présente comme une période marquée essentiellement par les ténèbres, l'œuvre juvénile d'André Gide semble soutenir, dès ses premières manifestations, la justesse de cette vision. Les premières pages des *Cahiers d'André Walter* déjà, nous plongent dans une atmosphère où l'irréalité du rêve se mêle à l'obscurité de la nuit, et du début à la fin de son journal le héros gidien ne réussit pas à se soustraire à une mélancolie sombre et ténébreuse qui, nous rappelant par moments certaines pages du *Werther* goethéen, et évoquant plus encore certains passages du journal de *Iacopo Ortis,* a quelque chose de nettement ossianique. « Il te faudra prier bien sagement ce soir, » se dit André Walter pour encourager son âme, « et que tu croies. Cela te reste qui ne te sera pas ôté. Tu diras : *Le Seigneur est ma part et mon héritage ; quand tous m'abandonneraient, tu ne me laisseras pas orphelin* [6]. / Et puis tu dormiras, — car ne réfléchis pas encore ; les jours amers ne sont pas assez loin. / Endors le souvenir au gré des rêves. / Repose [7]. » Bien loin des lueurs de l'aurore, André Walter est quelqu'un qui vit dans la proximité du soir et dans l'attente de la nuit ; aux antipodes des clartés et des découvertes du réveil, il est celui qui cherche le sommeil et qui aspire aux ténèbres de l'oubli. Et notons que soir, sommeil et oubli sont ici les symboles du sacrifice de soi-même et du renoncement aux forces actives de l'être ; les signes d'un abandon à la passivité. La prière, les mains

6. Gide souligne.

7. *Les cahiers et les poésies d'André Walter*, p. 17 (Paris, Gallimard, 1952).

jointes du croyant qui implore Dieu et se confie à la protection divine, sont l'aveu d'une défaite personnelle, un aveu d'impuissance de l'être qui, dépourvu de toute force intérieure et ne trouvant plus en lui-même la moindre arête où s'accrocher, se laisse envahir et posséder par une présence étrangère. André Walter, incapable de réflexion ou la refusant, incapable de tout mouvement personnel actif et prospectif, et renonçant même à cette activité mentale diminuée que constituent les souvenirs, est un être qui, dans son état d'orphelin, a constamment besoin de la grâce divine. Aussi sa prière, son appel à la bonté divine, ont-ils quelque chose de dramatique, disons même de tragique et de profondément émouvant pour cela. Rien de moins naturel et spontané, rien de plus douloureux que cette prière d'André Walter qui est en même temps celle d'André Gide. L'âme doit s'y forcer ; « il te faudra prier », se dit André « et que tu croies ». Au besoin de protection, au mouvement de l'âme qui se réfugie, se mêle douloureusement la conscience d'une perte, la conscience de ce à quoi l'on renonce. Rien d'étonnant à cela d'ailleurs, puisque pour André Walter il s'agit de renoncer à soi-même, à son propre bonheur, et de lui préférer le bonheur d'autrui. « L'aimes-tu assez pour préférer son bonheur au tien[8] ? » est la question dramatique que sa mère lui pose sur son lit de mort à propos d'Emmanuèle et à laquelle André ne saura répondre que positivement. La foi d'André se trouve donc dès le début sous le signe du renoncement, et sa prière vespérale, son mouvement vers les ténèbres de la nuit et de l'oubli, sont en quelque sorte l'expression de son désespoir. C'est pourquoi le « oui » qu'il adresse à sa mère comporte quelque chose de volontaire, mais aussi un sentiment d'incompréhension et de profonde désorientation, qui s'exprime clairement dans les lignes suivantes : « J'étais épuisé par les épreuves récentes ; j'ai dit : “ Oui mère ”, *sans comprendre* et parce que je voulais aller jusqu'au bout — avec seulement *le sentiment de me jeter dans une nuit obscure*[9]. » Avec plus d'évidence que tout à l'heure, la nuit — et par son truchement la prière nocturne qui est étroitement liée à elle — devient ainsi une valeur nettement négative, le symbole d'une défaite. Et ne nous y trompons pas : même si, par l'oubli qu'elle nous concède, elle a quelque chose de bienfaisant, de reposant et d'apparemment positif, elle n'en reste pas moins qu'un pis-aller, qu'un remplacement de ce qu'on aurait aimé avoir, du bonheur qu'on a, à moitié volontairement, refusé. En tirant

8. *Ibid.*, p. 20.
9. *Ibid.*

les dernières conclusions. nous sommes tentés de dire que la divinité gidienne, elle aussi, n'est en définitive et dès les premiers mouvements de la pensée gidienne qu'un pis-aller, qu'une sorte d'*Ersatz* pour la vie et le bonheur auxquels on renonce. Etroitement liée à la nuit, surtout dans *Les cahiers d'André Walter,* mais aussi plus tard et jusque dans le « Journal d'Alissa » — cette âme apparemment si limpide —, elle a on ne sait quoi d'une *divinité nocturne.* « Seigneur ! », s'écrie Alissa dans ce journal qui nous révèle le déchirement réel d'une âme qui auparavant nous semblait être portée par une foi sereine et sublime ; « Seigneur ! Je crie à vous de toutes mes forces. *Je suis dans la nuit* ; j'attends l'aube. Je crie à Vous jusqu'à mourir. Venez désaltérer mon cœur. De ce bonheur j'ai soif aussitôt... [10] Ou dois-je me persuader de l'avoir ? Et comme l'impatient oiseau qui crie par-devant l'aurore, appelant plus qu'annonçant le jour, dois-je n'attendre pas le pâlissement de la nuit pour chanter [11] ? » Même le dieu d'Alissa est donc un dieu des ténèbres, un dieu qu'on n'entrevoit et qui ne prend toute sa réalité qu'à travers la nuit du doute. Résultat d'une constellation intérieure négative, d'un trouble et d'un déséquilibre psychiques, le dieu gidien s'installe là où le bonheur est mis en doute, où il se termine et où le renoncement commence. Et l'on peut dire qu'il est à proprement parler une création des temps faibles de la personnalité gidienne, des moments où l'être se sent menacé et dépossédé de lui-même. Aussi ce dieu se sent-il constamment menacé par l'être même qui le crée, par le blasphème qui surgit à l'intérieur même de l'âme qui l'implore, mais qui de temps en temps s'inquiète et se révolte. Et c'est encore chez Alissa, cette âme pure, chez qui on l'attend le moins, que nous allons surprendre la tentation du blasphème. « Ce matin », écrit-elle à la fin de son journal, « une crise de vomissements m'a brisée. Je me suis sentie, sitôt après, si faible qu'un instant j'ai pu espérer de mourir. Mais non ; il s'est d'abord fait dans tout mon être un grand calme ; puis une angoisse s'est emparée de moi, un frisson de la chair et de l'âme ; c'était comme *l'éclaircissement* [12] brusque et désenchanté de ma vie. Il me semblait que je voyais pour la première fois les murs atrocement nus de ma chambre. J'ai pris peur. A présent encore j'écris pour me rassurer, me calmer.

---

10. Gide met les points de suspension.
11. *La porte étroite,* dans *Romans, Récits et Soties — Œuvres Lyriques,* p. 595 (Paris, Gallimard, 1958, Bibliothèque de la Pléiade).
12. Gide souligne.

O Seigneur ! puissé-je atteindre jusqu'au bout sans blasphème[13]. » Ce passage nous suggère que le dieu gidien est constamment menacé par le drame même qui se joue dans l'âme du croyant — « C'est ici que ma foi chancelle[14] », écrit Alissa à un autre endroit de son journal et André Walter d'ajouter d'une voix pleine de doute et de désespoir : « Eternel ! mon Seigneur ! ah ! faites-vous connaître[15] ! » —, mais ce passage nous montre autre chose encore. On dirait, — et cela, tout en étant profondément paradoxal, nous révèle le fond même de la pensée gidienne — on dirait que ce qui menace l'existence de Dieu c'est précisément la lumière, cet « *éclaircissement* brusque et désenchanté de (la) vie » que Gide lui-même souligne. Dieu s'arrêtant là où la lumière commence, là où la réalité se présente dans le désenchantement de ses contours nus et précis, la divinité gidienne semble donc une fois de plus s'installer dans le domaine de la nuit, voire s'y limiter. Et la peur d'Alissa, l'angoisse du croyant gidien naît à proprement parler d'une confrontation entre la lumière et les ténèbres.

Mais avant de passer au domaine de la lumière, avant de passer au réveil et à tout ce qu'il implique, examinons encore quelques autres aspects du prélude nocturne. Si la nuit gidienne est le domaine de l'oubli de soi-même, si elle est le royaume du dieu des ascètes, d'une divinité des privations, elle est en même temps le lieu où le héros gidien se trouve plongé dans les abstractions de ses lectures, où, par le truchement du rêve et des constructions irréelles, il se soustrait à l'emprise de la réalité extérieure ; mais elle est aussi le lieu où l'être tourmenté par la réalité présente veut, par le souvenir, se réfugier dans l'irréalité du passé et où par moments il va jusqu'à vouloir s'évader du temps ; et elle est enfin le temps de la claustration, où, dans un mouvement compensatoire, un rétrécissement de l'espace réel répond au déploiement de l'univers imaginaire des rêves. La nuit est en somme dans l'œuvre juvénile d'André Gide le symbole de tout ce qui nie la vie réelle, la réalité extérieure, ou alors qui ne les fait apparaître que subtilisées et comme en filigrane. « Je ne sortirai pas, » lit-on dans une note qu'André Walter a rédigée à minuit, « je m'enfermerai dans ma chambre ; je lirai, je prierai, jusqu'à ce que le sommeil vienne[16]. » Claustration, prière, lecture sont ici des attributs de la nuit et, nous prépa-

13. *Ibid.*
14. *Ibid.*
15. *Op. cit.*, p. 144.
16. *Ibid.*, p. 107.

rant au sommeil, tiennent lieu de somnifères. Sorte d'avant-postes de l'âme, de carapace interposée entre l'âme et la réalité extérieure, elles protègent l'être contre les influences du dehors. Aussi la lecture du jeune Gide a-t-elle toujours quelque chose d'édifiant ou d'abstrait, et se présente-t-elle par instants comme un entraînement direct et volontaire à l'ascèse. « J'ai repris ma grammaire grecque et mon algèbre ; » nous dit André Walter, « — contre ces ardeurs importunes, les mathématiques sont un souverain remède. Il faut s'absorber tout entier dans l'étude pour que les appels du dehors ne puissent vous distraire. » Et d'ajouter ce vers faustien exorcisant et symbolique : « *Sei ruhig Pudel ! renne nicht hin und wider*[17] [18] ! » Mieux encore que les livres de piété, que les philosophes ou la Bible, le contenu désincarné et squelettique d'une grammaire ou d'un livre d'algèbre nous donne l'impression d'être à l'abri de l'univers des réalités matérielles. Or, si la lecture et la prière remplissent des fonctions d'endormeuses, notons que la musique est plus soporifique encore. « La nuit », dit André Walter, « — très faiblement, une mélodie douce et comme ensommeillée berce la rêverie — se *la*[17] figurer présente — oublier les choses — rêver[19]. » La mélodie n'est pas seulement endormeuse ici, elle est elle-même endormie, ce qui semble encore nuancer son caractère de fille de la nuit. Mais précisons que, si par là elle nous fait « oublier les choses » et abolit en quelque sorte l'univers réel, elle n'en devient pas moins la génératrice d'un nouvel univers, du royaume des rêves et des chimères. Lorsque pour André Walter il s'agit de « perdre le sentiment de son rapport avec les choses[20] », lorsqu'il s'agit de ne plus avoir « un seul regard pour les réalités ambiantes » et de pénétrer dans les pays des rêves, « il faut que la musique intervienne », nous dit-il, et il continue : « Hier soir, j'ai joué, longtemps, jusqu'aux heures silencieuses où seules les cordes frémissantes faisaient tressaillir l'air tranquille. Peu à peu, sans y penser, je m'enivrais d'extase et la nuit s'éclairait devant mon œil visionnaire. " *Ici chimère ; arrête-toi*[21] *!* " / La musique est évocatrice ; c'est la souveraine enchanteresse ; elle soutient l'essor du rêve[22]. » Tout en abolissant les « réalités ambiantes », la musique crée donc son propre univers ; tout en relevant du

17. Gide souligne.
18. *Ibid.*, p. 103.
19. *Ibid.*, p. 101.
20. *Ibid.*, p. 117.
21. Gide souligne.
22. *Ibid.*

domaine de la nuit elle reste un centre à partir duquel la nuit s'éclaire. Et c'est là son rôle particulier. Mais prenons bien garde, la lumière qu'elle engendre n'est nullement comparable au feu du soleil africain ; c'est plutôt cette lueur qui illumine les paysages intérieurs, oniriques, qui n'ont jamais connu les soleils. Comparable au feu qui éclaire le paysage du « Rêve parisien » de Baudelaire, elle est cette lueur pâle, froide et spirituelle que les poètes visionnaires projettent dans la nuit de leur solitude. La lumière — quasi paradoxalement — n'est donc nullement étrangère à la nuit du jeune Gide ; mais ce paradoxe s'évanouit au moment même où nous constatons que cette lumière est tout à fait spéciale, qu'elle est artificielle et véritablement nocturne : c'est la lumière symbolisée par « la lueur des lampes [23] » et du flambeau ; de ces lampes qui « ne font pas beaucoup de clarté [24] », comme André Walter le dira dans ses poésies, et de ce « faible flambeau » qui à tout moment risque d'être soufflé par « le vent tiède » du dehors [25]. En rapport avec l'univers réel, mais créatrices de leur propre réalité, à la manière de ces éclairs qui la nuit soudainement déchirent les ténèbres et nous situent dans un paysage irréel et plein de mystères, la musique gidienne et la lumière qu'elle engendre deviennent ainsi médiatrices entre la réalité de l'univers extérieur et ces images idéalement transformées qu'on entrevoit dans les rêves. S'inspirant de la réalité du dehors mais l'abolissant en faveur d'une réalité intérieure, elles essaient d'établir une relation entre l'univers des apparences et celui des essences, entre les créatures et le Créateur, mais préférant toujours celui-ci à celles-là, elles deviennent l'expression fidèle de ce mouvement qui portait le jeune Gide à forcer les portes de l'eden des idées platoniques. Car, à l'instar d'André Walter, le jeune Gide était persuadé que les apparences ne sont que les signes imparfaits d'une perfection divine. « Les phénomènes sont le langage divin », nous dit-il. « La variété des phénomènes n'est qu'apparente ; leur succession dans le temps et l'espace n'existe que pour notre raison. Au-delà de leur multiplicité transitoire paraissent les vérités qui, par eux, s'expliquent et se développent [26]. » Or, c'est exactement une de ces vérités qu'une mélodie nocturne laisse entrevoir à André Walter dans le passage suivant. « Je rêvais des nuits d'amour devant l'orgue ; » dit-il, « la mélodie m'apparaissait, presque palpable fiction,

---

23. *Ibid.*, p. 189.
24. *Ibid.*, p. 191.
25. *Ibid.*, p. 195.
26. *Ibid.*, p. 132.

comme une Béatrice nuageuse, *fior gittando sopra e d'interno,* comme une Dame élue, immatériellement pure, à la robe traînante aux reflets de saphir, aux replis profonds azurés, aux lueurs pâles, aux formes lentes, musicales [27]. » L'écho dantesque [28], le choix du vocabulaire et de l'image célestement pure, nous permettent de dire que nous nous mouvons ici dans le ciel des vérités divines.

A côté de l'aspect franchement dramatique que nous lui avons découvert, la nuit, par moments, semble donc aussi être plus tranquille et bercer le héros gidien dans un calme limpide et serein. Mais ne tardons pas à constater que le plus souvent l'inquiétude, le doute, la question s'introduisent au sein même de ce calme, comme semble le suggérer le passage suivant que nous trouvons vers la fin des *Cahiers d'André Walter* :

> Oh ! quand viendra la nuit ? une nuit qui fait trêve
> Au tourment de penser et de se souvenir,
> Une nuit sans lune, une nuit sans rêve.
>
> Oh ! quand viendra la nuit, la nuit pacifiante
> Où je m'endormirai — qu'elle soit aussi lente
> A me bercer qu'elle est lente à venir.
>
> Quand la nuit viendra — viendra m'endormir.

Et André d'ajouter : « *Et qui me dit que l'âme, alors, ne regrette pas la vie* [29] *?* » Si les vers d'André réussissent à nous bercer dans le calme d'une nuit pacifiante qui évoque la mort et à nous endormir, la question terminale nous montre qu'en définitive cette paix est toujours factice et que le doute guette toujours le héros trop désireux de sommeil. Aussi est-ce au doute que nous voulons maintenant prêter toute notre attention, et plus précisément au besoin qui entraîne le héros gidien vers la vie, vers la lumière réelle, vers le réveil en somme ; besoin qui dès la deuxième partie des *Cahiers* se fait de plus en plus urgent et qui dans *Les poésies d'André Walter* devient une véritable obsession.

---

27. *Ibid.*, p. 43-44.
28. Notons entre parenthèses que Gide a sans doute cité de mémoire ce vers de Dante qui se trouve dans le trentième chant du « Purgatoire », puisque quelques fautes s'y sont glissées. Textuellement le vers est : « e fior gittando di sopra e dintorno » et en plus il ne se rapporte pas à Béatrice mais aux anges qui en l'honneur de son apparition sèment des fleurs partout.
29. *Ibid.*, p. 178-179.

Si auparavant nous avons constaté que la nuit s'installe dès la première page des *Cahiers*, nous sommes, après coup, étonnés de voir que le réveil lui aussi se manifeste dès le début. « Que la nuit est silencieuse », écrit André Walter. « J'ai presque peur à m'endormir. On est seul. La pensée se projette comme sur un fond noir... », et un peu plus loin il continue : « Il ne faut pas que l'âme s'alanguisse en ses rêveries mélancoliques — mais *qu'elle se réveille enfin et recommence à vivre*[30]. » Encore une fois et en accord avec les découvertes précédentes, la nuit se présente comme une source d'inquiétudes ; mais ce qui nous intéresse davantage maintenant, c'est que dès le début le réveil apparaît comme une libération non seulement de la nuit mais des troubles nocturnes. A partir de sa première apparition et se distinguant profondément du réveil baudelairien par exemple, — nous n'avons pour cela qu'à penser à « La chambre double » ou encore au « Rêve parisien » — le réveil gidien s'avère être une expérience positive et semble porter en lui, en germe, tous les éléments qui l'opposent aux multiples traits négatifs de la nuit. Pourtant ici nous sommes encore bien loin de ce que nous voulons appeler « le réveil gidien », qui est essentiellement un réveil des sens, une lente découverte de la réalité extérieure, perceptible par les sens. Pour le moment ceux-ci n'entrent pas encore en cause. Le réveil se limite à l'âme, qui, stagnant dans un état de mélancolie, aspire vers la joie. C'est qu'André Walter ne s'est pas encore rendu compte qu'il y a à côté de l'âme autre chose qui importe. Aussi le voit-on par la suite insister sur cet aspect essentiellement intérieur et spirituel du réveil. « Plus tôt levés que les autres, » nous dit-il en parlant de lui-même et d'Emmanuèle, « nous courions vite au bois, quand le temps était clair. Il frissonnait sous la rosée fraîche. L'herbe étincelait aux rayons obliques ; dans la vallée que des brumes encore faisaient plus profonde et comme irréelle, c'était un ravissement. Tout s'éveillait, chantait aux heures nouvelles : l'âme adorait confusément[31]. » Au premier abord on pourrait juger que ce passage est mal choisi, puisque nous y trouvons un réveil de la nature, de l'univers visible. Notons cependant que ce réveil, malgré la fraîcheur et la luminosité des choses, se présente ici avant tout comme une expérience de l'âme : « l'âme adorait confusément » nous dit Gide, et les brumes qui rendaient la vallée « plus profonde et comme irréelle » semblent souligner l'aspect spiritualisé du réveil. On

30. *Ibid.*, p. 18.
31. *Ibid.*, p. 34.

pourrait donc dire que le réveil, comportant seulement un petit nombre des traits qui le caractériseront plus tard, commence par être chez le jeune Gide comme un entraînement à ce qu'il sera ensuite, comme le banc d'essai du véritable réveil. L'antagonisme avec la nuit s'y trouvant, comme aussi le besoin de se détacher d'un état de trouble inquiétant, ce qui manque c'est la conscience d'un univers palpable, indispensable au bonheur de l'homme. André Walter commence par croire aux seules aurores intérieures et aux saluts qui s'acquièrent dans les seuls domaines de l'âme. De là ce besoin perpétuel de macération et d'auto-châtiment chez lui, pour parvenir, par la mortification de la chair, à des extases purement spirituelles. « Je voudrais », nous dit-il, « une cellule nue : coucher sur une planche, un oreiller de crin sous la tête... et dans l'insomnie, trouver des extases violentes, éperdument penché sur un verset, dans la nuit enveloppante, effrayante [32]. » Nous revoici dans le domaine de la nuit et des livres, des extases volontaires, artificielles et purement cérébrales ; et aux antipodes exactement des « *nourritures terrestres* ». Ce n'est que vers la fin de la première partie des *Cahiers* que l'idée d' « aube » et d' « aurore » se mêle plus nettement à l'idée du « dehors ». « Je saute des pages — », écrit André, « la transition sera trop brusque, mais je suis las de tout redire. / Je voudrais des choses nouvelles — et j'en vois de si radieuses... [33] / J'étais triste alors... [33] Que cet " alors " est loin ! Dehors, c'est le printemps qui va naître — et je voudrais chanter :

Puisque l'aube grandit, puisque voici l'aurore [34]. » [35]

En effet, ici quelque chose a changé ; et la lassitude de reprendre les choses anciennes, le besoin d'une transition brusque et d'une rupture avec un passé triste et déjà lointain, qu'on veut remplacer par des choses nouvelles et radieuses, nous permettent de croire que le dehors, l'aube, le printemps vers lesquels le héros aspire, lui paraissent désormais désirables pour eux-mêmes. Aussi le voit-on par la suite de plus en plus sensible au langage du dehors et plus enclin aussi à faire la part du corps, quoique cela n'arrive le plus souvent qu'à regret et presque toujours sous le signe d'une tension dramatique. — Jusqu'à la fin des *Cahiers* André Gide laisse

32. *Ibid.*, p. 42.
33. Gide met les points de suspension.
34. Gide souligne.
35. *Ibid.*, p. 78.

évoluer son héros dans une atmosphère de lutte et de dichotomie émouvantes. — Mais cela ne peut nous distraire du progrès réel qu'André Walter accomplit et qui s'exprime, entre autres, par le fait que « les moindres perceptions du dehors ébranlent en (lui) des systèmes compliqués à l'infini de vibrations qui se répondent au physique comme dans l'âme, — qui réveillent des conceptions dormantes, latentes, et dont l'écho longtemps résonne au travers des émotions nouvelles...[36][37] » D'une seule haleine André nomme ici corps et âme, comme s'il s'agissait de deux choses équivalentes, ayant la même importance. Cette juxtaposition, il est vrai, engendrera encore des luttes, mais elle n'en est pas moins réelle pour autant et annonce le progrès du physique ; progrès qui bientôt, chez Gide, ira même se transformer en une domination très nette. A cela s'ajoute que dans ce passage les perceptions du dehors sont considérées comme source d'un enrichissement de l'être, par le fait qu'indirectement elles réveillent des conceptions dormantes ou latentes ; par là elles se mettent ostensiblement sous un signe positif, et en même temps s'intègrent dans le domaine du réveil et de la lumière. La réalité extérieure, qu'ailleurs on fuyait et que par moments on fuit encore, en est revalorisée. Le processus de revalorisation de l'univers réel est mis en évidence d'une manière plus frappante encore, quoique indirectement, par le doute d'André Walter à l'égard de sa retraite dans la nuit de sa spiritualité ; doute qui se manifeste avec une singulière insistance dans certains passages du « Cahier noir » surtout, et qui prend une allure prophétique dans des textes comme le suivant, où il plonge le héros dans un découragement profond. « *L'œuvre de chacun sera manifestée* », annonce André en citant la Bible, et de s'écrier : « *L'œuvre de chacun*[38] *!* — malheur à moi ! / Que fais-je ici ? enfoui dans cette solitude, absorbé dans la contemplation de mon rêve, — je me consume moi-même ; il n'en surgira rien. / Stériles, les grands espoirs ! stériles, les pensers, les recherches et les travaux qui font que le front se relève... / Stérile aussi ma chair, stérile volontairement, péniblement, dans la poursuite d'une chasteté vaine. / Inutile — tout entier ; n'avoir rien fait — ne rien faire...[39] ô les ambitions d'autrefois ! — toujours le rêve des choses sublimes et la réalisation d'aucune. / Et maintenant des désespoirs ; c'est ça — des regrets lâches ! / *Réveille-toi ! toi qui dors et te relève*

36. Gide met les points de suspension.
37. *Ibid.*, p. 106.
38. Gide souligne.
39. Gide met les points de suspension.

d'entre les morts ! [40] [41] » Quel désenchantement ! Quelle profonde désillusion que ce bilan négatif de son existence, que ce passé qui se vide de son sens. Cela nous prouve bien que depuis le moment où la fuite dans la nuit, dans le rêve, était son salut — « J'aime mieux mon rêve, Seigneur ! j'aime mieux mon rêve [42] », s'exclamait-il — André a évolué, et que, si son désespoir est resté le même, sa clairvoyance a augmenté. On dirait que l'énergie qu'autrefois il employait à se réfugier dans le rêve, lui sert maintenant à l'attaquer et à revendiquer les droits de la chair. Et il n'y a pas le moindre doute que l'impératif qu'il s'adresse à lui-même est tout autant un refus de la stérilité nocturne qu'une exhortation pour cette partie de l'être qui jusque-là a été condamnée au sommeil et à une stérilité volontaire. Mais il y a plus encore. Il est extrêmement révélateur que le bilan négatif de son existence nocturne est pour André une prise de conscience négative de soi : le vers de la Bible l'incitant à rendre compte devant lui-même de l'emploi de son temps, de son apport personnel au contenu positif du monde, il s'aperçoit que son temps a été perdu — de là son désespoir — ; il s'aperçoit que la fuite dans la nuit a été une fuite devant lui-même, une étape marquée par la *stérilité du moi.* Aussi la période nocturne apparaît-elle à la lumière de ce passage comme une sorte de triomphe d'un *non-moi* et par là elle nous suggère que le moi se trouve ailleurs, du côté de la clarté. Dès ce moment le moi gidien s'annonce donc comme identique au réveil, à l'émancipation de la chair, des sens et de ce que les sens nous transmettent.

L'effondrement de l'univers nocturne des rêves est tout aussi sensible dans un autre texte, bien différent de celui-ci, où André entrevoit dans un rêve l'image idéalisée d'Emmanuèle. « Elle m'est apparue, très belle, » dit-il, « vêtue d'une robe d'orfroi qui jusqu'à ses pieds tombait sans plis comme une étole... » Mais voici tout à coup que l'image se transforme à l'approche d'un singe qui soulève le beau vêtement : « Sous la robe, il n'y avait rien ; c'était noir, noir comme un trou ; je sanglotais de désespoir. Alors, de ses deux mains, elle a saisi le bas de sa robe et puis l'a rejetée jusque par-dessus sa figure. Elle s'est retournée comme un sac. Et je n'ai plus rien vu ; la nuit s'est refermée sur elle... [43] [44] » Rien de plus révélateur que cette démystification de la réalité nocturne. Dans

---

40. Gide souligne.
41. *Ibid.*, p. 126-127.
42. *Ibid.*, p. 39.
43. Gide met les points de suspension.
44. *Ibid.*, p. 179.

une vision onirique qui rappelle la « Danse macabre » baudelairienne, et qui, par certains côtés, évoque aussi l'expérience de ce pauvre Nerval qui, poursuivant une beauté féminine dans *Aurélia,* la voit entourer de son bras une rose trémière, puis se confondre avec tout un jardin et se perdre dans les espaces célestes, pour enfin la retrouver comme buste de femme au bas d'un mur [45], dans une vision onirique, disions-nous, André Gide nous présente une image symbolique de l'anéantissement de cet univers nocturne où l'âme s'était retirée. Tout concourt donc, dirait-on, vers la fin des *Cahiers,* à une révolte contre la nuit, à s'en débarrasser, pour parvenir enfin au réveil ; — et cependant le vrai réveil n'a pas lieu. Malgré son effort continuel vers l'aurore, vers la lumière, vers le réveil, André Walter ne réussit pas à se dégager entièrement du domaine de l'âme et de la nuit et reste essentiellement un héros nocturne ; c'est que pour lui l'hégémonie de l'âme reste, ou plutôt *veut* rester inébranlable. Aussi voit-on se manifester dans le domaine du rêve ses désirs les plus osés et les plus proches du réveil, comme dans le passage suivant où il reprend dans sa solitude les visions d'un rêve. « Je jouissais douloureusement de ma solitude ; je la peuplais d'êtres aimés ; — devant mes yeux se balançaient, d'abord indécises, les formes souples des enfants qui jouaient sur la plage et dont la beauté me poursuit ; j'aurais voulu me baigner aussi, près d'eux, et, de mes mains, sentir la douceur des peaux brunes. Mais j'étais tout seul ; alors un grand frisson m'a pris, et j'ai pleuré la fuite insaisissable du rêve... [46] [47] » Nous voici déjà bien près du Gide des *Nourritures terrestres* et de *L'immoraliste,* mais ajoutons qu'ici le besoin des nourritures de la terre reste encore pris dans l'irréalité du rêve et de la nuit. Il en va un peu de même dans les deux phrases suivantes. « *Traitez durement votre chair* [48]. / Les crins du cilice et de la haire chatouillent voluptueusement l'âme [49] », dit André Walter, sans s'apercevoir, dirait-on, qu'il accorde à l'âme des « plaisirs » dont il prive la chair, à cette âme qu'il « chatouille voluptueusement ». Aspirant de toutes ses forces vers le réveil, vers les nourritures terrestres et les plaisirs de la chair, André n'ose cependant pas encore disputer sa place à l'âme, il n'ose pas encore avouer ses besoins tels quels, et préfère diminuer la force de son aveu par l'irréalité du rêve.

---

45. Voir Gérard de Nerval, *Œuvres,* t. I, p. 773 (Paris, Garnier, s.d.).
46. Gide met les points de suspension.
47. *Ibid.,* p. 165.
48. Gide souligne.
49. *Ibid.,* p. 137.

Et c'est là aussi, croyons-nous, la raison profonde de sa mort et de la folie d'Allain, le héros de l'œuvre qu'il allait écrire. André Gide, dans *Les cahiers d'André Walter* n'a pas pu ou n'a pas voulu passer des extases de l'âme aux extases des sens, il n'a pas osé passer des ténèbres de la nuit aux lumières du réveil ; c'est pourquoi il a préféré laisser mourir son héros, en laissant ainsi le réveil en suspens. Par la mort d'André l'âme est pour ainsi dire sauvée *in extremis.*

Or, ce qui étonne après l'expérience d'André Walter, où le réveil s'annonce pourtant déjà avec tant d'insistance, c'est qu'il faille attendre *Les nourritures terrestres* pour que la lumière l'emporte entièrement sur les ténèbres. Ni dans *Le voyage d'Urien* ni dans *Paludes* Gide n'ose accéder à la pleine lumière. Après un départ plein de promesses — « De quel obscur sommeil me suis-je éveillé... de quelle tombe [50] ? » se demande un des personnages au début de l'ouvrage — *Le voyage d'Urien* s'enfonce de plus en plus dans la nuit, et nous ne sommes nullement étonnés de ce que Gide dans l' « envoi » constate :

> Ce voyage n'est que mon rêve,
> nous ne sommes jamais sortis
> de la chambre de nos pensées, —
> et nous avons passé la vie
> sans la voir. Nous lisions.
> ....
> Un jour pourtant, vous le savez,
> j'ai voulu regarder la vie ;
> nous nous penchâmes vers les choses.
> Mais je les ai comprises alors
> si sérieuses, si terribles,
> si responsables de toutes parts,
> que je n'ai pas osé les dire ;
> je m'en suis détourné — ah ! Madame — pardon ;
> j'ai préféré dire un mensonge.
> J'avais peur de crier trop fort
> et d'abîmer la poésie
> si j'avais dit la Vérité,
> la Vérité qu'il faut entendre ;
> préférant de mentir encore
> et d'attendre, — d'attendre, d'attendre... [51] [52]

Le voyage d'Urien est donc, et Gide l'a très bien vu, le

---

50. *Le voyage d'Urien,* dans *Romans, Récits et Soties — Œuvres Lyriques,* p. 18.
51. Gide met les points de suspension.
52. *Ibid.,* p. 66-67.

voyage de celui qui se retire dans la nuit, qui s'enferme dans son rêve, dans la chambre de ses pensées, parce qu'il a peur de trop voir, parce qu'il a *encore* peur de trop voir et de trop comprendre ; c'est en somme le récit de l'attente, de l'attente du courage et de l'attente du réveil. Il n'en va pas autrement de *Paludes* où le héros, sentant en lui « toutes les angoisses d'un poitrinaire dans une chambre trop petite, d'un mineur qui veut remonter vers le jour, et du pêcheur de perles qui sent peser sur lui tout le poids des sombres ondes de la mer [53] », ne réussit cependant pas à se débarrasser de ces angoisses et à satisfaire ses besoins d'air, de lumière et de liberté. Aussi glissons-nous rapidement sur ces deux ouvrages pour arriver enfin au véritable réveil et aux *Nourritures terrestres*, qui se situent d'emblée sous le signe du réveil par ce vers d'Hafiz que Gide a mis en épigraphe du premier livre : « Mon paresseux bonheur qui longtemps sommeilla / S'éveille [54]. » Or, cette fois-ci il ne s'agit plus d'une simple promesse. Bien au contraire, ce vers devient à proprement parler un *leitmotiv* qui parcourt l'ouvrage d'un bout à l'autre et, dans son sillage, le réveil, fort d'une énergie qui s'est longuement accumulée, atteint sa pleine mesure en faisant miroiter les mille aspects de ses richesses : réveil de l'odorat, réveil du goût, de la vue et surtout du toucher ; réveil de tous les sens et des moindres nuances sensitives face aux manifestations multiples de la nature ; mais réveil aussi de l'infinité des phénomènes extérieurs face à la disponibilité des sens ; surgissement définitif d'une lumière omniprésente ; re-naissance du monde à la virginité des sens ; réveil en plus du courage et de la volonté d'être soi-même — « *Oser être soi* [55]. Il faut le souligner aussi dans ma tête [56] », nous dit Gide dans son *Journal* — et réveil enfin que nous quittons à l'aube même de son apparition en nous arrêtant sur ces phrases aussi belles que révélatrices : « Nathanaël, il y a d'admirables préparatifs au sommeil ; il y a d'admirables réveils ; mais il n'y a pas d'admirables sommeils, et je n'aime le rêve que tant que je le crois réalité.

> Car le plus beau sommeil ne vaut pas
> le moment où l'on se réveille [57]. »

Leonardo Fasciati.

53. *Paludes, ibid.*, p. 143.
54. *Les nourritures terrestres, ibid.*, p. 154.
55. Gide souligne.
56. *Journal*, 1889-1939, p. 20 (Paris, Gallimard, 1951, Bibliothèque de la Pléiade).
57. *Les nourritures terrestres*, dans *op. cit.*, p. 221-222.

LUIS CERNUDA ET LE REFLET

Telle une conjonction du marbre et de la lumière surgissait dans *Oda*[1] un dieu. Visitation, incarnation peut-être d'un rayonnement de midi. Mais déjà le poète s'interroge : cet être né d'un *mouvement* qui tend à la présence, n'est-il pas l'homme plutôt, dont la « forme » même révèle un « mundo eternamente *presentido* » (35) ? Si, pour l'homme, la présence n'est en effet jamais que pressentie, la créature quasi divine de ce poème de jeunesse « déclare » encore la plénitude et l'harmonie — « Claramente se guía/ Con potencia admirable, libre y vivo » (35). La perfection qui se suffit à elle-même s'ébauche un instant au niveau de l'homme dans une liberté sans désir, et l'incandescence d'une Andalousie grecque dessine un mirage édénique, le mariage antique de la pierre et du feu en lequel se sculpte la forme humaine.

Immobile dans la splendeur de midi, cet homme « divin » toutefois se place bientôt sous le signe du *reflet,* car la créature parfaite qui vient de surgir n'est point sa propre origine mais l'*écho* d'un dieu. La réalité rayonnante n'est donc pas, comme le suggère d'abord Cernuda, plénitude première, mais réalité rejetée aussitôt vers sa soif, « realidad » que dévore son propre « deseo ». A peine le dieu se dessinait-il que le cercle d'une beauté reposant en elle-même se dénoue déjà et que l'homme, empruntant les contours divins, pénètre dans le champ magnétique d'un passage, dans l'intervalle *entre* cette

---

1. Œuvre de jeunesse, la « trilogie » *Egloga, Elegía, Oda,* a été composée autour de 1927. Elle se trouve dans *LA REALIDAD Y EL DESEO* (Ed. Tezontle, Fondo de Cultura Económica, México, 1965). Cernuda a inclus successivement ses différents recueils de poèmes dans ce livre, qui comprend ainsi l'ensemble de son œuvre poétique et aux pages duquel se réfèrent les chiffres mis entre parenthèses.

réalité et ce désir qui gouvernent sa vie, et sous lesquels se place toute l'œuvre poétique de Cernuda : LA REALIDAD Y EL DESEO. A peine proclamé, l'accord originel s'ouvre sur la perspective de ses ombres et de ses échos en une mélodie qui, à la poursuite d'une présence première, n'aura plus de fin — « Con un gesto de muda melodía, / Que luego, suspendido, no perece » (35).

Reflet lui-même, écho des dieux, l'homme se penche aussitôt sur son propre reflet, car dans cet espace de midi coule une eau qui le divise — « Idéntica a sí misma y fugitiva » (37) — se creuse un *fleuve*. L'acte libre où se manifestait d'abord la souveraineté humaine devient un *acte d'amour* qui tend à restituer la plénitude perdue. Ainsi, par delà l'écoulement des eaux et du temps, l'homme désire se rejoindre « autre » et s'élance vers son reflet — « La forma tras su extraña imagen *salta* » (36) — en un acte où s'annonce également le désir de se fondre aux mouvements du temps, puisqu'il faut pour rejoindre l'image prisonnière des eaux s'abandonner à leur fuite. Identique à celui du nageur, le défi du poète sera de s'accomplir à l'intérieur et à l'encontre d'un mouvement qui l'efface ; ce sera « *Contra el tiempo, en el tiempo* » (240) qu'il désirera la plénitude, l'union du visage et de son reflet, la coïncidence de la réalité et de la soif. Au contraire du dieu qui, immobile, se rejoint toujours, la plénitude humaine exige le mouvement, le geste d'amour perpétuellement ouvert en l'écoulement du temps. Et c'est dans ce geste passionné vers un reflet en voie de disparition que l'homme, « nuevo dios » (37), se distingue des dieux antiques et que s'inscrit l'œuvre du poète.

Dans les temps de l'âge d'or, le mouvement qui allait de l'être à son reflet inclinait aussi les dieux à se porter vers l'homme, et celui-ci (125), « rejoint » par le désir de la divinité, retrouvait de la sorte l'éternité perdue : « Eterno es ya lo que los dioses miran » (186). Alors nous voyions à la visitation succéder la réintégration, le retour de Ganymède (185) répondre à l'incarnation divine. Dans l'union de l'instant fugitif et de l'éternité, de l'homme et du dieu, se réalisait ce règne de beauté et de plénitude auquel le poète se sent toujours appelé — « Fijar una existencia/ Con tregua eterna y breve, tal la rosa ;/ El dios y el hombre unirlos :/ En obras de la tierra lo divino olvidado,/ Lo terreno probado en el fuego celeste. » (237) Lieu de rencontre entre l'homme et le dieu (lieu agissant et doué de puissance magnétique), entre l'éternel et l'éphémère, la *beauté* se révélait seuil de toute *métamorphose.*

Mais les dieux sont morts et leur regard est aveugle (125),

surface lisse d'un miroir éteint. Echo retranché de la voix originelle, destiné à se creuser lui-même les couloirs de ses échos futurs, l'homme solitaire se retrouve incapable de remonter du reflet à l'objet reflété, à la présence originelle.

Si dans *Oda* la créature humaine se précipite aussitôt vers son image, c'est vers son « *extraña* imagen » qu'elle s'élance, vers son image étrangère, vers un autre qu'elle appelle et veut rejoindre afin de former « un solo ser de dos impulsos,/ Como al pájaro solo hacen dos alas » (238). Au contraire de l'unité immobile « inhumaine » du marbre et de la lumière, celle dont se compose cet « oiseau humain » est unité toujours en mouvement, conjonction de rythmes. De plus, les deux ailes de l'oiseau battront toujours à la surface du fleuve. L'eau courante, la temporalité, n'est pas seulement ce miroir où se penchait Narcisse, mais un ruissellement continu qui divise le vol de l'oiseau et le brise en mille nouveaux reflets ; l'aile alors se couvre des miroitements des plumes du paon.

L'image de l'oiseau est d'ailleurs encore trop « symétrique », et le double battement harmonieux des ailes qu'elle comprend par trop soustrait à la fuite du temps. Ainsi ce battement fera place au crépitement de la *flamme*. Lorsque l'oiseau vole pour ainsi dire à la pointe du feu, qu'il se maintient au niveau de sa destruction, qu'il devient flamme, son reflet sera enfin la vivante métamorphose d'une vie incessamment reprise.

Pur passage, amour embrassant infiniment un « otro deseo » (241), celui qui veut se rejoindre dans le temps doit se dépasser sans cesse vers lui-même, se retrouver « en forma extraña » (241), se recomposer à l'intérieur de ses ruines. Et ce dépassement ne comprend pas la coïncidence, mais le *décalage* irrémédiable qui finalement empêche de se reconnaître ; alors le visage qui s'offre dans le miroir est « Tal la presencia ajena » (242). Le rapport entre l'être et son reflet devient souffrance. Entre la question et la réponse il n'y a plus qu'étrangeté, malentendu, aliénation. Les deux mains qui se tendent par-dessus le courant des eaux ne se rejoignent jamais, le visage qui se penche ne retrouve que le passage du temps : « Irías, y verías/ Todo igual, cambiado todo,/ Así como tú eres/ El mismo y otro » (273). Ombres incessantes de nous-mêmes, creusés par nous-mêmes, nos reflets futurs nous enchantent encore (301), tel un mirage lointain, de sorte que nous nous voyons de plus en plus réduits à l'état de « faille », renvoyés au seul intervalle, au mot « *casi* » en lequel se révèle notre absence continuelle : « También tú igual me pareces,/ O casi igual, al que antes eras :/ En el casi sólo consiste,/ De ayer a hoy, la diferencia » (301). Parfois le rejet vers notre ombre, la conscience de notre déchirure s'exaspère, alors Je n'est plus seulement l'Autre, mais il est aussi l'intrus, et Cernuda avoue : « Hoy este intruso eres tú mismo » (242). A l'espoir d'une plénitude retrouvée fait suite la définition même de l'exil et de l'aliénation. Lorsque notre ombre qui nous guide vers nous-mêmes nous éloigne à la fois de l'origine et de notre être, le « casi », le décalage, la faille est devenu abîme : « Para llegar al que no eres,/ Quien no eres te guía » (242).

Dans l'effort de se rejoindre dans le temps, Cernuda finit par perdre pied. Imperceptiblement il dérive vers l'autre bord du fleuve, et s'il rejoint son reflet, les eaux entre temps ont creusé son visage ; s'il reconnaît son image, il n'en sait plus l'origine : « ¿ Yo ? El instrumento dulce y animado,/ Un eco aquí de las tristezas nuestras » (291). Image lui-même, placé en face d'une *autre* image, d'un portrait peint par Le Greco, Cernuda mesure les degrés de leurs deux exils, de leurs « semblables absences ». Or il se reconnaît lui-même plus nié que l'image du portrait, car alors qu'il s'efface lui-même dans la grisaille d'un monde de plus en plus spectral, le portrait demeure singulièrement présent au temps et au lieu qui ne cessent de le fonder. Le regard de Fray Paravicino en effet rejoint, par delà l'éloignement temporel et spatial, les paysages immuables du Siglo de Oro espagnol, la gloire violente et pure de laquelle il est à jamais image fidèle.

Plus encore, le désir lui-même est à son tour dévoré par son ombre et se résorbe en reflet. Puissance magnétique jadis, ouverture d'un appel magique, le désir devient regard-témoin qui se referme tel un sceau sur une réalité déclarée irréparable : « Pues el mirar es sólo/ La forma en que persiste/ El antiguo deseo » (273). Entre le déploiement immense du possible dans l'éventail du « deseo » et la vue de l'irréparable, il n'y a que l'instant d'un écoulement, que le ruissellement du même fleuve.

Compris dans ce mouvement précipité vers nulle part, exilé même de son désir, Cernuda ne recherche finalement plus que la seule « fidélité » salvatrice du reflet, un décalque presque de la vie. Si nous sommes condamnés à n'être que reflets, que notre image, du moins, sache encore nous traduire ! Si nous ne « possédons » rien, que ce rien, du moins, accuse nos contours : « Vida.../ Donde placer y pena/ No sean accidentes encontrados,/ Sino faces del alma/ Que refleja el destino/ Con la fidelidad trasmutadora/ De la imagen brotando en aguas quietas » (248). Or ce retour sur soi sans dépassement ni projection exigerait aussitôt l'apaisement des eaux. Car la *fidélité vivante* du reflet est de l'ordre édénique, où l'eau se résorbe en lumière, où le face à face d'une présence sans perspective annonce la résolution d'un passé repris en « presente eterno » (249). Alors les ailes de l'oiseau cessent de battre ; immobile, l'oiseau plane dans un ciel sans profondeur où tout lieu se résume en présence, où le désir s'absorbe dans l'identité.

Pourtant il semble parfois que l'homme parvienne à se rejoindre vraiment, à « ser quien eres » (287). Mais il ne s'agit là encore que d'une « fausse » coïncidence masquant la perte, car elle n'est qu'une pure abstraction, une fixation mortelle de l'être, sa coquille vide. Collée à son objet, en effet, refermée sur lui, l'image le dilue et le cerne à la fois, elle le nie tout en le confirmant. Ce que nous rejoignons alors ne nous instaure nullement dans un règne de plénitude. Comme une silhouette exacte et creuse, notre image accentue encore les contours de notre solitude. Ainsi le retour à nous-mêmes que promettait cette « fausse » coïncidence annonce-t-elle plutôt, par delà l'origine désirée, la terre fade et sans couleurs des ombres, ces limbes qui, avant la naissance déjà, préfigurent toujours l'exil : « Y piensas/ Que así vuelves/ Donde estabas al comienzo/ Del soliloquio : contigo/ Y sin nadie » (288). Tout dialogue retombe dans un monologue premier où « contigo » et « sin nadie » se rapprochent dangereusement ; il renvoie au royaume spectral où le poète parle à un lui-même toujours absent. La coïncidence n'a-t-elle donc lieu jamais qu'aux dépens de la vie ?

De plus en plus l'angoisse se précise. Le visage ne peut rejoindre le reflet qu'au prix d'une *perte essentielle*, celle précisément de cette eau, de ce passage continu du temps qu'il s'agit de traverser en le préservant. Il faudrait donc pouvoir sauver non seulement les êtres et les objets, mais encore leur vulnérabilité, ce qui précisément semble ne pouvoir être sauvé. Peut-être Cernuda s'est-il trompé ? Peut-être le reflet dérive-t-il d'un désir de l'eau ? Peut-être la plénitude se nomme-t-elle en vérité passage ? De plus en plus l'attention du poète se porte sur la seule fragilité. Ce qui dure vraiment, ce qui est digne de durer encore c'est la part *vivante* du reflet, cette part toujours hors d'atteinte, vouée au fleuve, nouée au temps et qu'il importe seul de rejoindre. Nous devons saisir non pas notre reflet mais son effacement. L'image précieuse de nous-mêmes qui saurait nous accorder la plénitude serait donc un *mouvement d'image*. Odeur, pure fragilité de la présence-absence : « Un olor de azahar,/ Aire, ¿Hubo algo más? » (303).

L'Eden se composerait de la voix (suspendue) du temps, d'un écoulement infini de l'instant.

Toujours à nouveau, la « extrana imagen » attire Cernuda. Et c'est elle qu'il reconnaît encore dans l'*être aimé,* vers lequel il tend et qui se révèle être placé lui aussi sous le signe du reflet. Image étrangère de lui-même, l'être aimé offre tout d'abord le bonheur et l'assise d'une différence. Mais bientôt sa réalité se dilue dans sa « réflexion ». « Prétexte », « motif » d'amour, il n'est plus qu'une ombre, « sombra perfecta/ De aquel afán, que es del amante, mío » (314). S'élançant vers cet autre, ce n'est point l'autre que Cernuda retrouve en fin de compte, mais un être qu'il crée lui-même au long des mouvements de son amour et qu'il contemple comme les dieux contempleraient leurs créatures (316) : « Bien sé yo que esta imagen/ Fija siempre en la mente/ No eres tú, sino sombra/ Del amor que en mí existe » (306). Objet de son désir, l'autre n'est qu'une forme du songe et de la pensée : « Conozco que tú no existes/ Fuera de mi pensamiento » (310). Le poète ne peut que se retrouver lui-même ou plutôt l'ombre de lui-même, sa « créature ». Tragiquement c'est l'intensité du désir qui transforme l'autre en image et reflet, qui le réduit à l'état de songe et qui, par cette transformation, retranche à jamais l'amant de ce qui comble ce désir. C'est donc la force de l'amour même qui crée la solitude ?

De son côté, le reflet *agit* en retour sur l'objet reflété, et l'amant s'efface dans l' « inexistence » de l'être aimé comme celui qui, après avoir retrouvé son image, voyait son visage disparaître dans les eaux. L'oiseau où s'accordaient l'amant et l'être aimé (cf. p. 287) se résorbe ainsi dans le double mouvement de réverbération de ses ailes. Cette « disparition » de l'amant dans l'être aimé s'ouvre d'ailleurs non pas sur une union, mais sur un autre « mode » du reflet. Entre les ombres aimantes s'annonce aussitôt un nouvel écart signalé par la *conscience* de l'amant. Seul l'amant, en effet, reconnaît l'autre comme image, seul celui qui aime se sait fondé par un reflet, seul il peut comprendre le double jeu, les feintes et les pièges de sa propre solitude. Jusqu'à la fin de sa vie, Cernuda se verra rejeté de la sorte vers la « paradoja lamentale/ ... Conocer lo que no conoce,/ Desear lo que no desea » (363). Prisonnier de ses propres miroitements, l'amant est réduit finalement à la conscience douloureuse de son amour et de sa solitude, conscience d'un désir qui, sans fin et sans *possibilité* d'objet, se crée et se dévore lui-même dans la trame toujours nouée et dénouée du même fleuve. La conscience de l'amant finit par se confondre avec celle du temps.

Toutefois, au moment où l'amant se voit rejeté vers un jeu de renvois, où il a perdu l'espoir de se retrouver lui-même ou de retrouver l'être aimé, une possibilité de salut s'offre à lui dans le *corps* de l'être aimé. Au milieu de l'éblouissement des reflets, ce corps devient présence irréductible (315). Ainsi l'autre a beau n'être qu'un « prétexte » d'amour, qu'une créature projetée par le désir, son corps n'en a pas moins une existence objective. Ce sera donc à ce corps que s'adressera maintenant la reconnaissance de l'amant, puisque c'est lui qui peut le sauver du royaume des ombres. A la limite, tout se renverse, et Cernuda retrouve en l'être aimé non plus son ombre, sa créature, mais ce qui le fonde et le réconcilie avec le monde ; il retrouve en lui un dieu perdu. Alors l'amour n'est plus ce qui nous livre aux tourments du songe mais ce qui nous rend au mythe : « Mas mi amor nada puede/ Sin que tu cuerpo acceda :/ El sólo informa un mito/ En tu hermosa materia » (316).

Ce mouvement qui tend à la présence à la fois indivise et double, à l'émergence d'une réalité tangible que notre amour puisse « informer », d'un monde entièrement « autre » et pourtant entièrement illuminé par nous, est celui-là même qui fait naître *l'œuvre d'art*. A la limite, celle-ci accomplirait, dans sa réalisation suprême, une entière réconciliation et deviendrait « temple », lieu vivant où se rencontrent l'homme et la divinité. En elle se confondraient et se résorberaient le créateur et ce qu'il a créé, le songe y prendrait corps et le corps y serait encore regard, car dans l'obscurité du temple brillent toujours « clarividentes los ojos de un espejo » (213). Née dans le temps, elle s'en dégagerait comme d'un propre mouvement et le moindre fragment de ses ruines serait encore plénitude (214).

Or, en vue de cette perfection « quasi divine », l'œuvre d'art ne saurait se borner à vouloir la « coïncidence » du visage et de son reflet. Ce n'est point en deux lieux qu'elle s'appuie. La réconciliation et la plénitude qu'elle poursuit exigent la « présence » de l'espace et du temps qui vont du visage au reflet, le mouvement même à travers lequel *s'accomplit* la félicité tel un *dénouement*. Si, dans son désir de l'autre, Cernuda se voyait toujours rejeté vers les reflets, vers l'ombre de lui-même ou vers un lui-même devenu ombre, l'œuvre d'art lui promet la réconciliation désirée : « Cuando en ella un momento se unifican,/ Tal uno son amante, amor y amado,/ *Los tres complementarios* luego y antes dispersos :/ El deseo, la rosa y la mirada » (253). Dans le champ magnétique du désir et de sa réflexion éclot la « rosa del mundo » (252), c'est-à-dire une « réalité » parfaite. Ni projetée par le désir ni résorbée par le reflet, elle émerge dans cet intervalle qu'elle fonde en même temps telle une nouvelle distance qui se compose du mouvement du désir et de l'instant de sa fixation dans le « corps » de la réalité. Distance nouvelle qui n'est plus déchirure mais plénitude de rose, bonheur précieux et tangible que frangent et prolongent nos miroitements, que sollicitent les remous vertigineux de notre appel.

Pour Cernuda, la structure de l'œuvre d'art ne diffère pas de celle de l'extase où passé et futur se confondent « en un presente immóvil » (253). Extase qui se compose elle aussi de « trois complémentaires » : l'âme — la beauté — la mort (la beauté figurant cette « rose » comprise dans l'enceinte de l'âme et de la mort qu'elle comprend à son tour). Lieu de rencontre de l'homme et de la divinité jadis, seuil vivant de toute métamorphose (cf. p. 286), la *beauté* se situe maintenant *au carrefour de l'âme et de la mort* ; elle devient le lieu double d'une convergence et d'une ouverture. Le « presente inmóvil » et extasié auquel nous accédons dans l'œuvre d'art n'est plus celui que nous avions vu se cristalliser dans *Oda*, il n'est plus pétrification de la lumière, mais il inclut dans le faisceau de son rayonnement le mouvement du passage. De nouveau le poète se sert d'une figure sculptée pour marquer l'extase de la présence, mais l'alliance que la statue révèle maintenant est celle du *marbre* et de la *musique*, de la pierre et de la fluidité du temps, car la musique se découvre être l'âme même du fleuve, la mélodie ininterrompue du temps : « La hermosura que el haber vivido / Pudo ser, unirá al alma / La muerte así, en un presente inmóvil, / Como el fauno en su mármol extasiado / Es uno con la música » (253).

Plus énigmatique que celle du « dieu », plus osée, plus généreuse peut-être, la conjonction qui s'offre dans la création artistique se révèle être plénitude ouverte sur la mort, où le ruissellement même du temps est sans cesse repris telle une gerbe en sa source. Ainsi l'œuvre d'art avance-t-elle et recule-t-elle jusqu'au plus obscur de l'abandon en suivant les méandres de cette musique qui l'entoure comme un lierre et qui la compose en étant son « frémissement » ; elle conduit jusqu'à cette mort, en laquelle en même temps elle s'appuie puisque la mort est l'un des « trois complémentaires » qui la creusent et l'informent. A travers l'œuvre d'art, la réalité désirée et reconnue éternelle est ainsi affirmée dans le champ même de la mort ; au cœur de l'absence, le visage s'apaise en son reflet : « E iremos por el prado a las aguas, donde olvido, / Sin gesto el gozo, muda la palabra, / Vendrá desde tu labio hasta mi labio, / Fundirá en una sombra nuestras sombras » (254).

L'état de perfection extatique qui désigne l'œuvre d'art, où l'éternité s'enlace aux mouvements du temps, se perçoit déjà dans l'œuvre encore *inachevée,* dans la figure surprise à même le roc : « Por el dintel suspenso / De su propia existencia, / Se mira ensimismado / Y a sí se desconoce » (269). Mais si dans l'œuvre achevée le désir rejoint le reflet en la rose, dans l'œuvre inachevée c'est *sans retour* et sans réflexion que le désir s'ouvre sur la rose. Bien que tourné vers lui-même — « Entornados los ojos » —, le regard *ne se rejoint pas.* Le « cercle » demeure esquissé. Sans prolongements, le désir et la rose coïncident et se confondent dans un présent opaque, celui de la nature même, celui du roc auquel la figure appartient encore à moitié. C'est depuis l'extérieur pour ainsi dire que le désir et le regard doivent maintenant s'ajouter à cette œuvre ; ils doivent ainsi la « complémenter », lui rendre cette vie nourrie d'un échange perpétuel entre les « trois complémentaires », cette circulation dont elle s'était retirée en s'enfonçant jusqu'à la matière sans voix. Ainsi l'œuvre inachevée indique-t-elle un en-deçà et un au-delà de sa réconciliation.

« *Desolación de la Quimera* », le dernier recueil de poèmes inclus dans LA REALIDAD Y EL DESEO, reprend encore une fois la recherche du sens de l'œuvre d'art et de l'acte créateur. En s'ouvrant sur un hommage au génie de Mozart, ce recueil se place sous le double signe de la *musique* et du *mythe* car, pour Cernuda, Mozart incarne la *voix mythique* de la Grèce antique. Son œuvre, « arquitectura deshelada, formas liquidas » (320), est du règne heureux d'un ordre toujours vivant, où triomphe une « éternité éphémère ». Dans l'alliance de la durée et de la fluidité, elle renoue en quelque sorte avec l'image du faune de marbre.

Mais l'œuvre d'art n'est plus seulement considérée en elle-même, dans l'équilibre respiratoire de ses « trois complémentaires », sinon dans ses rapports avec l'univers dans lequel elle se situe. Fragile, imparfait, celui-ci se voit repris par elle — plus exactement par la musique en elle, car toute création artistique traduit un ordre musical, une harmonie, un rythme en lesquels elle s'inscrit. Ainsi non seulement l'œuvre d'art se révèle plénitude réconciliée, mais elle *agit* aussi dans le sens d'une réconciliation ; elle transporte et métamorphose la réalité, vers laquelle elle tend avec la force de l'ancien « deseo ».

Si jadis, dans *Oda,* la creature « divine » surgissait dans son mouvement d'incarnation en passant du « sueno remoto » à la « fuerza suprema » (34), le mouvement qui fait naître l'œuvre d'art va du *non-être* au *songe* : « Desde el no ser, al sueño » (270). C'est-à-dire, ici encore, il s'agit d'un mouvement de recul à travers lequel la création artistique s'enracine en une absence première. Songe humain venu du plus profond de cette absence, l'œuvre d'art *s'appuie* maintenant sur une *réalité* qu'elle « informe » (comme l'amour s'était appuyé jadis sur le corps aimé) et qu'elle entraîne vers une nouvelle réconciliation. Alors s'opère le passage du corps à sa « *forme mythique* », et nous pouvons reprendre au compte du pouvoir artistique ce que le poète disait de celui de la force érotique : « El... informa un mito / En tu... materia » (cf. p. 291).

L'entreprise dernière de Cernuda sera la tentative d'une « *rédemption* » à travers le pouvoir artistique. Mozart lui-même portera les traits du Christ, il sera le Sauveur d'un monde déchu :

> Si de manos de Dios informe salió el mundo,
> ... Si la vida es abyecta y ruin el hombre,
> Da esta música al mundo forma, orden, justicia,
> Nobleza y hermosura. Su *salvador* entonces,
> ¿ Quién es ? Su *redentor,* ¿ quién es entonces ?
> Ningún pecado en él, ni martirio, ni sangre. (320-321)

Ainsi non seulement la création artistique va du non-être au songe, précédant l'émergence de la créature « divine », mais elle naît aussi sur les bords de la ruine et de la mort des dieux, lorsque ceux-ci ont abandonné définitivement le monde à sa misère : « Sí, el hombre pasa, pero su voz perdura, / Nocturno ruiseñor o alondra mañanera, / Sonando en las ruinas del cielo de los dioses » (321). Aube *précédant* les dieux et nuit qui leur *succède,* traduisant le règne impossible de la présence, l'œuvre d'art se trouve toujours *en marge de* la divinité. Située au centre de toute rencontre, elle est paradoxalement cet extrême bord où tout se résorbe. Lieu de la réconciliation, elle manifeste la limite et par là encore la séparation. Pouvoir ultime enfin, elle rachète le monde abandonné et dévasté. Elle le sauve au moyen de la musique qui lui est propre, de la voix pure du temps, en le rendant au mythe, où à l'intérieur de la faille se réconcilient le visage et ses ombres.

Le pouvoir rédempteur de l'œuvre d'art, qui se manifeste dans le temps de la croissance et de la décroissance des dieux, dans l'instant de leur éclipse, annonce dans le poème *Luis de Baviera escucha Lohengrin* le passage d'une solitude initiale à la réconciliation dans l' « unité mythique ». Comme dans une biographie « extraña » de lui-même (les prénoms identiques du roi et du poète accentuent dès l'abord la ressemblance), Cernuda suit le double mouvement du roi de Bavière, que fascinent *à la fois* le songe et la beauté « réelle ». Plongé dans l'extase où le monde intérieur et le monde extérieur se confondent, livré au fleuve intarissable de la musique de Wagner, le roi voit la nostalgie d'une beauté humaine s'opposer à la tentation du rêve. Comment unir cette beauté qui le tourmente à la mélodie des songes ? Comment joindre l'éphémère à la présence dans l'écoulement du temps ? Un miracle semble s'accomplir. A la forme humaine s'ajoute soudain une forme nouvelle : le corps humain et sa beauté fragile sont portés au mythe. Mais afin que ce miracle eût lieu, il avait fallu qu'une première transformation essentielle s'accomplît d'abord : celle qui se dessinait dans la figure du faune, qui s'incarnait dans le génie de Mozart, celle qui préside enfin au dernier recueil de Cernuda : la transformation du fleuve du temps, son absorption en musique.

Dans *Oda,* la figure « divine » naissait de la lumière. La créature mythique par contre, Lohengrin, est don du fleuve. Dans l'œuvre d'art, le temps lui-même finit par accorder ce qui sauve et ce qui est sauvé, par nous rendre à nous-mêmes. Ce n'est plus « Contra el tiempo, en el tiempo » (cf. p. 286) que la figure radieuse émerge tel un reflet vivant, mais « por el tiempo ». Comme Narcisse sur les eaux, le roi s'incline sur la musique maintenant, temps toujours retrouvé, en lequel il demeure incessamment « autre » et « identique » dans la durée éternelle du passage — « ¿ Magia o espejismo ? / ¿ Es posible a la música dar forma, ser forma de mortal alguno ? » (340). Qui sommes-nous alors ? Sommes-nous celui qui rêve ou plutôt ce rêve de nous-mêmes qu'apporte et que compose sans cesse la musique ? — « Flotando sobre música el sueño ahora se encarna » (340).

Semblable au reflet jadis, la « extraña imagen » surgit et se révèle être maintenant un reflet incarné, un *double* qui attire et appelle à se confondre en lui : « ¿ Cuál de los dos es él, o no es él, acaso, ambos ? »

El rey no puede, ni aun pudiendo quiere dividirse a sí del otro
Sobre la música inclinado, como *extraño* contempla
Con emoción *gemela* su imagen *desdoblada*
Y en éxtasis de amor y melodía queda suspenso.
El es el otro, desconocido hermano cuyo existir jamás creyera
Ver algún dia (340)

Mais la rencontre de cet autre nous-même recueilli dans le temps et par le temps n'est pas seulement une rencontre fortuite. La réconciliation qu'elle offre est fatale. Qui voit son double est condamné à mourir, car si nous nous reconnaissons entièrement dans notre double, c'est que, sans le savoir, le fleuve vient d'être traversé et que nous sommes pour toujours sur l'autre rive. Jadis, croyant retrouver l'image, Cernuda avait vu le visage s'effacer dans les eaux. La dérive, l'absorption dans le reflet, désormais « incarné », se révèle être mouvement de mort. Et le poète reconnaît ce mouvement dans la « cristallisation » de son « reflet incarné », de son œuvre poétique.

Prix de la réconciliation entre la figure et le reflet, *l'aliénation et la mort* pourtant — comme en témoigne le destin du roi de Bavière — ne sont encore qu'un *autre* nom pour la *vraie* connaissance de soi et pour la *vie* éternelle. Lorsque l'homme se contemple non seulement dans les eaux du temps, mais dans celles de sa musique, la mort qui se prononce dans le jeu de ses reflets réconciliés devient vie sans fin. Sur les bords du fleuve retentit maintenant le « double » chant du roi et de la créature mythique. Mais qui chante encore ? Les voix se mêlent et se confondent et ne sont peut-être en définitive que le seul chant du *cygne*, mélodie double d'amour et de mort qui s'élève simultanément des deux rives du fleuve, qui se noue et se dénoue dans les plis du temps :

Ahora el rey está ahi...
Existiendo en el sueño imposible de *una vida*
Que queda sólo en música y que es como música,
Fundido con el mito al contemplarlo, forma ya de ese mito
De pureza rebelde que tierra apenas toca,
Del éter huésped desterrado. *La melodía le ayuda a conocerse,*
A enamorarse de lo que él mismo es. *Y para siempre en la música*
[*vive.* (341)

Miroir et rideau tout à la fois, les eaux musiciennes qui nous révèlent à nous-mêmes, nous proclament « autres » à jamais, mais elles nous montrent aussi comme « traversés » d'une origine inépuisable et jamais ressaisie, comme « blessés » d'une blancheur absente. A l'aigle divin qui avait porté jadis Ganymède en son lieu mythique vient de succéder, tel un songe du temps, dans les ruissellements mêmes de sa voix, le cygne de Lohengrin.

Dans l'un de ses derniers poèmes, Cernuda tente encore de nommer sa propre « réconciliation ». Comme Louis de Bavière rejoignait Lohengrin, il rejoint à son tour, dans le « tiempo sin tiempo / Del niño » (359), son *double-enfant,* son « image » incorruptible recueillie à sa source. Encore une fois les deux rives s'unissent dans un arc qui s'élargit en perspectives jusqu'à ces « vastes portiques » dont parlait Baudelaire, et auxquels Cernuda retourne, porté par la « double voix » comme par le chant du cygne, sur les eaux claires d'un temps mythique. Au cœur de l'origine même, Cernuda ne retrouve qu'un *écho*. Et pourtant il s'agit paradoxalement d'un *écho réconcilié*. Si l'origine se dérobe en son image, l'image se maintient dans le frémissement de sa musique comme à sa propre source, au niveau de sa puissance mythique. Ayant oublié les dieux qu'elle précède et suit, l'image ne poursuit plus rien au-delà d'elle-même, mais s'affirme et s'enfonce dans sa propre transparence. Alors, devenu mythe, *le reflet*, l'image, se déclare enfin *patrie* :

Eco

Que, a la doble distancia,
Generoso hoy te vuelve,
En leyenda, a tu origen.
Et in Arcadia ego.

Maya SCHAERER.

POESIE ET MANTIQUE CHEZ SAINT-JOHN PERSE

Si pour Saint-John Perse le poème est la facture qu'il présente alors qu'il l'acquitte ou, pour tout dire, puisqu'il s'agit de l'auteur d'*Eloges,* qu'il honore, d'une poétique, c'est dans *Vents* sans doute que, malgré le tour épique, la demande est la plus explicite d'un retour des droits de la parole. Aux deux montées d'un « arbre du langage » qui, élevant un « peuple d'oracles », resterait l'union de feuilles avec le souffle ou, comme livre, contraire à ceux qui ont séché une sève dans les nécropoles d'une bibliothèque [1], *Vents* occupe dans l'œuvre un nœud entre de nouvelles « anabases » (d'un Hermès, cette fois, de l'Amérique) et la mystique que le titre suivant *Amers* désignerait encore de repères, mais au large de leur perte. *Vents* représente surtout l'hymne de la théorie voulant que le poème soit la promesse qu'il tient : « Parler en maître, dit l'Ecoutant » (II, 15). L'exemple antérieur, dans *Exil,* de l'équation : « O vestiges, ô prémisses » (I, 170), ou, dans *Neiges,* de la fiction de « langues dravidiennes qui n'eurent pas de mots distincts pour *hier* et pour *demain* » (I, 221) y est reconduit sous toutes les malédictions que la science peut partager avec l'histoire quand elle n'est pas cette « prémonition », d'une « mémoire », la « reconnaissance », qui nous « devancerait » (II, 99). L'illustration s'y augmente aussi dans le sens d'une vision circulaire, comme l'œil même, soleil roué dans la pierre, ou — pour conjurer un tournesol de l'abîme — « lisière » où « se prend à tourner la rose obscène du poème » (I, 192). Toutes images auxquelles *Chronique* n'aura plus à ajouter, pour la différence d'un homme avec son âge, que la coupe que l'amphithéâtre fait d'une hauteur de ses degrés. Mais dans *Vents* le poème de l'écriture tend à se préciser sur un modèle plus singulier, triangulaire, comme la

1. *Œuvres poétiques,* Gallimard, t. II, p. 21 sq.

langue, de plusieurs versions pour un avis ou de plusieurs versants pour un sommet. Ou c'est la langue qui est double et le plan, « dièdre » (II, 62) : « O Poète, ô bilingue, entre toutes choses bisaiguës, et toi-même litige entre toutes choses litigieuses (...), homme parlant dans l'équivoque... ». Comme l'oracle, en effet.

Dès le début (II, 15), la faveur est appelée d'un dieu du poème dont le « Narrateur » serait l'augure. La profession couvre l'œuvre entière. Personne depuis Pindare qui reste l'un des principes que cet helléniste a le plus observés d'une métrique « appuyée sur deux ancres », ou d'un « gnomon » (II, 101) que l'homme projette, devant lui, de son ombre, n'avait plus forcément associé la parole à la prédiction. Chez lui tout rite, mystère, sacrifice, tout sacre est convenu pour office de l'avenir, et c'est l'Etranger, l'Emissaire, plus véridique d'être double, ici et là, le poète qui l'exerce : homme au visage coupé — entre le profil qu'il *montre* et la face dont il *regarde* les régions cachées. « Aux forceries du vent », la prophétie est par elle-même poétique : seconde vue d'un objet, vision de prodiges, ou revue, plus prodigieuse, de son énoncé. *Vates* put recouvrir *poeta* parce que les maximes du futur étaient rythmées. Basse époque quand Apollon répondit en prose ! Ce fut, selon Plutarque, la mort des oracles. Et Fontenelle constate qu'on n'en rendait point en pays plat, ni avant le soir (cf. *Vents,* II, 15). Si donc le poème a besoin d'une extériorité de son orateur, d'un héros, sa connivence avec lui-même se symbolise dans un personnage de l'Interprète, « prince », « sur la chaussée des hommes », d'une nomenclature des choses sous l'angle où leur inquiétude fait de chacune le présage d'une autre. Militant pour une égalité du rêve avec l'insomnie, le rappel : « Secret du monde, va devant ! » (II, 163) méprise assurément tout contenu de sorts virgiliens ou d'horoscopes d'apocalypses. Prophéties perpétuelles ! D'un « an de paille » honorer l'aire, c'était absolument vanter l'enchère (« déceler, desceller ») d'un départ formel ; ne parler d'un site que pour la « piste » ; ou ne célébrer de la frappe d'un talon que la démarque d'un rythme. Quand la préface de Léon-Paul Fargue a, comme la réplique d'un Prix Nobel, répété que « prescience et transgression sont le fait du poète » (p. 15), le pressentiment porte uniquement sur une profondeur du « songe réel » (p. 12). Dieux ne sont que pour réveiller des hommes plus éclipsés par leurs routines (II, 109-114) que l'avance que le monde fait de lui-même. En reprenant la divination sur des motifs de Braque, le poème *Oiseaux* fut cause aussi de dire que si l'aile est, comme le bec ou le cri, l'avertissement qu'elle chasse d'un territoire, c'est celui-ci toutefois qui la contient quand elle le domine, ou qui mesure tout ce qu'elle en dépasse. C'est vers lui-même que l'homme est « d'outre-mort » (II, 324-325). La mort ? un « fonds de pâtes mauves » (II, 60), d'ivoires, la trahison d'un « arbre jaune » (II, 92), ou — sous le nom d'Eâ, dieu de l'abîme (II, 92) — le trou d'un masque sans acteur ; un mot, le mot d'impasse, « capsule » d'un néant qui ne serait rien sans le suicide d'une bouche (II, 101). Le poème est, au contraire, sujet à celles des choses qui, comme les êtres qui les relèvent et qui, partant, les personnifient, sont transitives, porteuses d'un Legs dont elles soustraient le schisme ou dont par prolepse elles augmentent les sommes.

Le lyrisme, chez Saint-John Perse, des grandes successions du Signe commence, comme dans le *De Divinatione* de Cicéron, par en maintenir l'antique. A la connaissance inductive des corps par leurs entrailles (herméneutique modernisée vers nos briseurs de l'atome ou des « bouges » de la vie), un degré s'ajoute toujours dans le registre nocturne ; car, après tout, si d'argile fut l'homme, il sut en faire une lampe (discours Nobel ; *Poésie*). Ce degré d'une mantique plus proprement dite, *a furore,* qui crie avant de les entendre les dictées de l'Ombre, paraît chez Saint-John Perse « délienne » plutôt que romantique, ou, dans son attirance intérieure (chtônienne ou marine), agitée par une inspiration féminine, liée à des figures — en noir et rouge comme les vases — de Pythies ou Sibylles donneuses de crinières plus érotiques dans la Vierge que dans l'Enfer d'une bibliothèque (II, 25-6, 82), et dans la vague que dans l'étalon, si celui-ci n'est pas le « poulain » (I, 123), de bronze encore, dans *Amers,* d'une étrave ; ou la mâle comparaison que les *Vents* fouettent d'un visage comme rostre, ou de l'étoile qu'éperonne un banni plus vaste que toute laisse : le Conquérant.

Celui-ci, dès avant le poète se concertant — de s'en aller, de « s'en aller ! Parole de vivant » (II, 36) — n'était plus ivre que d'avoir « renié l'ivresse » (II, 20, 27), l' « éthyle », la « résine » et même les « prophétesses noires ». Il déchiffrait le tiers idéal d'une mantique du sol par le rejet, par l'enjambement, par le pied qui le creuse ou par la serre qui le brûle — mantique exercée par les hommes d'action, c'est-à-dire d'exaction. Une telle prévenance à nos dommages par l'entreprise était tout aussi contraire aux autopsies de la science qu'aux narco-analyses d'un ventre, plus chevelu que leur masque, des Tragédiennes (II, 171-172). Hors de tout refrain, de « stances » (II, 25) ou de remords, un grade ainsi prenait l'espace, de signes fournis comme instances, dans le dos de guides à leurs seules rênes, ou sous la charge, purement, de leur marche comme trace de futurs châtiments. Le cortège se suivait donc vers celui qui l'avait ouvert : le poète.

Plus savant que l'aruspice ou le « maître d'astres », ou plus « gagné par l'infection divine » (II, 87) qu'une insanité de la mer, ou plus vorace, de transhumances, que ces trop grands oiseaux qui, lorsqu'ils nous passent, nous voilent la face (I, 147), le poète débouchait bien de ses ressemblances, mais sur la limite, préfixe, d'un autre acte, du sien, de la carte ou charte de son inscription : de la branche à plusieurs rames d'une « stèle fautive » ou capable de réaliser, dans son édit, le vœu de « fourvoiements nouveaux ». On était poète, assurément, d'évoquer l'homme, comme l'aigle dans le foie, par les personnages de sa préséance, par une péréquation, encore grecque vers l'Orient ou vers des Indes plus occidentales, de ses officiers, prêtres, pâtres ou prédicateurs de « terres par là-bas ». Mais seule l'indication serait en elle-même prophète, d'un texte assez poétique pour créer simultanément à l'œil, au son, à la mémoire ou dans l'éminente logique d'une parité de tous ses éventuels contresens, le retour d'un même départ. Une parole plus accordante de tous ses bons de méprise sort, comme le monde, du but qu'elle compose et, sortant de lui, le précède. Un décor de devins s'effaçait donc, par alibi de ce rôle, dans une chresmologie intérieure du poème, laquelle, en exerçant sur un premier reçu des choses, l'auto-prophétisme du langage, rejoignait la vie même, si l'espace et le discours se répondent, de plusieurs blés sur une tige ou, comme aux « relais d'un plus haut verbe », de plusieurs brises pour une graine.

Au lieu-dit d'une « mantique du poème » (II, 15), *Vents* ne découvrait donc pas seulement, dans sa prise de quart, la poétique d'un livre, mais la racine de toute l'œuvre, sur l'image d'une entente à deux parcours ou d'une écoute pour d'autres similitudes. La première audition, passive, d'une péroraison de l'orant, nous sera toujours recouverte sous l'état plus « prodigue » à notre audience, d'une majoration des échos. Quand le lecteur demande : « Où avez-vous pris cela ? », le preneur, celui qui donne lecture s'honore d'avoir, en percevant la chose, doublé la mise , augmenté de mots à « deux versants » chacun des plats de la lumière (II, 62). Une autre page (II, 86) dans *Vents* confirme que « l'écriture du poète » n'est plus le fac-similé d'une assignation de la réalité, mais la rentrée que de nouvelles démultiplications de la « copie » traitée comme forme opèrent d'autres auspices du même objet — la reprise « en son vif et dans son tout » du dieu qui « foisonnait » dans l'original. Certes, le procès-verbal était déjà poétique puisqu'il se modelait sur le monde et que celui-ci, dans chacune des parts ou des sorties qui l'étendent, dit l'avenir d'une autre. L'univers est allégorique puisque chacun de ses mobiles décrit une altercation avec les retenues qui l'hébergent ou qui, dans son obéissance à un site, voudraient le désarmer comme signe, alors qu'il est, dans son essence par contumace, son manque d'une métaphore. Tel le symbole est plus présent comme espoir (de le rassembler) quand deux hôtes, en se quittant, s'unissent pour le rompre. On peut donc fort bien souligner les pouvoirs de l'alliance chez Saint-John Perse pourvu que l'on en crédite par excellence la négation, l'antiphrase, la désignation indirecte et bref le « reniement ». C'est ainsi que chez le physicien le plus suivi par ce poète, chez Empédocle, l'Un s'augmente de sa division. Saint-John Perse semble un défi par l'emphase. Mais on observe trop peu que l'éloge est, dans ses hymnes, moins dérivé de l'adulation que de son paradoxe. Comme l'excès d'un culte par le viol, il résulte surtout de son ironie. Une attestation par blasphème jouit, entre les lignes, de deux moyens. Ou comme des roses cravachées par l'orage, c'est sous l'outrage que les honneur délivrent leur paroxysme. Ou, pour meilleur acquit d'une dette forcée dans sa répulsion, c'est, comme dans tout rite de sacrilège, la souillure qui revêt le sacre. Dans les deux cas, d'un accord par recul ou d'une querelle par hommage, l'intervalle reste, comme le sujet qui s'y acharne, prophétique. Fier ou coupable d'ambivalence, le prophète ne peut être, « parmi » les hommes, que plus insolent, ou lapidé.

Mais, dans ce propre nom, le poète et si « langage il fut » (II, 191), c'est non comme « scribe » seulement de l'une des émigrations de Lettres que les débris d'une matière comparent à l'écart d'un esprit, mais comme « grammairien » d'erreurs qui pourraient devenir, sous la cause des mots, la correction d'un rond-point, tourné dans le monde, de l'exclusivité d'une perspective. Prenant souci des « accidents de phonétique » (I, 184), mais pour en fomenter des « érosions » plus suggestives, le poète est, « généalogiste sur la place », celui qui nomme les fontaines (I, 157), mais par leurs mythes, et pour créer, à chaque source, des duplicités plus généreuses que les traites, sur la mer, des « fleuves équivoques ». L'étude ainsi demanderait par sollicitude des confrontations de la « rhétorique » de Saint-John Perse avec des psychanalyses du lapsus, du mot d'esprit, du quiproquo, de l'étymologie parabolique, ou de la paronymie. *Nomen, omen, homo, numen, lumen*... — Hugo qui avait extrait du calembour des chiffres de foudre compterait aussi, par précursion, pour un très grand chapitre que les vents tiennent dans les *Travailleurs de la Mer*. Le procès qui consiste chez Saint-John Perse à ménager sous chaque coupe la différence d'un cratère voudrait l'applique littérale. Le détail, ici, serait maître pour preuve, par exemple, d'une « grande chose ourlienne » dans *Vents* (II, 113), qui peut prendre, entre les Oreillons de Voltaire (*Candide,* chap. XVI) ou de Garcilaso, toute l'analogie médicale de « trompes » de l'ouïe sur des fronces d'orchites ou d'ovaires qui, suivant le mythe d'une pousse de l'air vers les Incas, comme sur l'ourlet que l'Equateur excède d'un globe, recroise aussi bien l'enflure du plus haut des volcanismes de la terre. C'est ainsi qu'une voyelle « irritée » de plus de consonnes que n'en syllaberait la prose, produit, d'égale à la foudre, le retournement de la feuille, comme pointe, vers le sol.

Quand ainsi la fourche de l'éclair se substitue à celle de l'arbre ou, quand se démesurant d'être double, l'amour, « l'amour en mer brûle ses vaisseaux » (II, 238), alors, au retrait des caps ou d'un « détroit » de deux cornes, ou d'une chicane, tout à la fois, du sens et de « l'insinuation », alors c'est le réel qui rejaillit, devient son afflux, pléthore et nullité mystique, son jubilé, sa « jubilation ». Telle par excellence la mer « à son affront de mer » — « et quelle et quelle encore ? inqualifiable » — n'est plus que « de mer ivre » (II, 302) : un pur soulèvement, contre elle-même, d'une extase de son nom. « Abluée des encres du copiste », la chose n'a plus besoin qu'on lui dise son fait, ni de « degrés du drame », ni d'interprètes, ni d'invocateurs. C'est elle qui s'acclame, se surnature, promulgue une éternité de son accident. Il ne reste des mots que leur rentrée dans son corps. Rapport qui échappe à toute syntaxe : « ... te récitant toi-même, le récit, voici que nous te devenons toi-même, le récit » (II, 308).

A ce stade, ou sur le seuil sortant, prophylactique, où le signe est lavé (*Pluies*), ou recouvert (*Neiges*), ou chassé (*Vents ; Oiseaux*), ou noyé (*Amers*), ou « *ramené* » (*Chronique*, 7), le message est démis, qui n'avait mission que d'être « délébile » (I, 176). L'alliance conclue, c'est l'holocauste du poète, ou l'index replié. D'une écriture qui se frayait comme prédiction, seule la marge remonte quand l'univers s'en accomplit. Entre la clausule mallarméenne de *Neiges* : « Désormais, cette page où plus rien ne s'inscrit » (I, 222) et l'immense atermoiement, dans *Amers,* d'une satisfaction que les chiffres demandent de leur immersion, la grande fronde éolienne d'une plus grande face des souffles montrait que le but du poème est son « aphasie » (II, 82), devant « la chose même », totale ou reformée : « Je t'interroge, plénitude ! — et c'est un tel mutisme ! » (II, 47), un silence enfin plus « ébloui de présence », qui correspond chez le voyant à sa cécité : « l'aiguille d'or au grésillement de la rétine », ou la paupière, cousue d'épines, de « l'appelant » (II, 82). Pré-entendant de l'arbre ce qui en « tressaille », le poète nous en a, dans *Vents,* percé une feuille de Braille, de Dodone ou de Tirésias, si, sous un doigt plus lumineux que le parchemin, l' « abeillage » d'un catéchisme licenciait aussi, comme une colère de l'essaim, la « teneur à son comble » (II, 35) d'un « murmurant murmure d'aveugle-né dans les quinconces du savoir » (II, 13).

Georges BLIN

LA FLEUR DOUBLE, LA SENTE ETROITE

I

Quel appel, dès le commencement de la *Sente étroite* ! « Mois et jours sont passants perpétuels, les ans qui se relaient sont pareillement voyageurs. Celui qui sur une barque vogue sa vie entière, celui qui la main au mors d'un cheval s'en va au devant de la vieillesse, jour après jour voyage, du voyage fait son gîte. » Bashô ajoute : « Moi-même, depuis je ne sais quelle année, lambeau de nuage cédant à l'invite du vent, je n'ai cessé de nourrir des pensers vagabonds. » Il dit ainsi, avec discrétion, qu'il s'est délivré de bien des entraves, mais déjà il fait plus, car il suggère des voies, ébauche en nous un travail par l'efficace de mots où se dissipent des ombres. L'image de l'universelle nuée, dans ce récit d'un voyage : mais aussi l'écriture comme nuée, où des vies, des choses, des étendues qui ont paru, ont étincelé un instant, sont restées même, là-bas, dans l'espace mouvant et clair — glissent pourtant, tournent, se font transparentes, se creusent. Et c'est bientôt, de hasards en hasards, sans philosophie exprimée, sans leçons de détachement, une mise en question du « moi » comme jamais voyageur d'Occident n'en semble avoir fait l'expérience.

Car on peut certes penser, lisant Bashô, à Chateaubriand ou Nerval, à Hölderlin, chez lesquels il y a aussi une lumière qui monte, foudroie les lieux, ourle et accuse les existences. Mais si elle se dit ainsi la réalité dernière, qui fait justice des espérances naïves, c'est un fait qu'elle ne pénètre rien jusqu'au fond, ne dénoue aucune dualité dans les témoins de son unité lointaine et va finir par se perdre, à l'horizon derrière eux sur le chemin du retour, comme d'abord une énigme. « Je vois aujourd'hui dans ma mémoire la Grèce comme un de ces cercles éclatants qu'on aperçoit quelquefois en fermant les yeux », écrit Chateaubriand après la fin du voyage. Il était sans doute allé *aux limites*. Mais il y avait cherché le souvenir de la raison grecque et de la révélation judaïque, deux façons de prendre au sérieux l'être de l'homme. Si l'unité a paru, consumation solaire des ambitions, des convictions illusoires, s'est éveillée aussi une résistance qui à la fin en triomphe puisqu'elle en fait — ténèbre aussi bien qu'éclat, *soleil noir* — ce disque qui a pour champ l'espace encore intérieur, subjectif, où se reforment nos rêves. Et l'écriture, pour cette forme-ci de conscience, semble se maintenir comme une insistance inspirée à contre-jour de l'expérience du vide. « Sur cette phosphorescence mystérieuse, dit encore Chateaubriand, se dessinent les ruines d'une architecture fine et admirable, le tout rendu plus resplendissant encore par je ne sais quelle autre clarté des muses. » Il est allé au désert, a contemplé les vestiges des civilisations les plus orgueilleuses, a perçu la relativité des signes, entendu le silence des inscriptions, mais il n'en conclut pas que le bâtisseur toujours déjoué n'est qu'un lambeau de nuage.

Etrange méthode, d'ailleurs, bien ambiguë, que le départ au désert ou la visite des ruines pour qui voudrait méditer le néant de sa condition. Car rappeler comme les ruines le font, que des sociétés ne sont plus, c'est établir, tout aussi bien, qu'elles furent, avec déjà ce désir de fonder et cette foi dans le signe qui ont survécu à tant de langues et d'alphabets. Et c'est donc affermir autant que combattre une idée de l'homme comme présence, c'est-à-dire conscient de soi comme une origine autant que courbé puis vaincu par l'indifférence de la matière. Que l'être humain, malgré ses défaites, ses dispersions, aie — ailleurs, peut-être dans l'invisible — une dimension d'absolu, ce n'est pas le spectacle de la mort, même à l'échelle des peuples, qui peut empêcher de le croire : et c'est même dans cette dissipation des espérances primaires que les grands rêves se forment. N'est-ce pas à des sommets rocailleux, devant un horizon nu, que sont accueillies les révélations, renouvelées les alliances ? La parole, cette invention, n'a-t-elle pas été, après la matière déserte, l'instauration d'un temps où une fin se profile ? Ne sommes-nous pas en chemin ? Déniée comme dépassement de l'humain, la lumière est comprise alors comme sa profondeur virtuelle encore, sa métamorphose prochaine... Mais c'est à ce moment aussi que tout devient noir, bien que traversé d'incessants orages, dans ces préparatifs de l'esprit. Car où chercher la voie, hors de la simple nature ? Comment interpréter, dans la faillite de tant de signes ? Le voyageur est entré dans un labyrinthe. Le désert lui est comme un seuil, mais qu'il n'en finit pas de franchir.

II

Pas de désert chez Bashô, pas de ruines, jamais même la moindre faille dans le réseau des sollicitations qui le pressent, des évidences qui le conduisent : ce n'est pas de la frustration ou du doute que se nourrit sa pensée de l'illusion. Il est parti vers les provinces les plus lointaines de son pays, au « bout du monde », mais là encore la moindre chose a un nom, chaque lieu sa figure affirmée et sa tradition active, chaque vie son avenir déjà bruissant où se déploie en mille reflets la joie qu'elle éprouve à être elle-même. Et passée la première impression de brume, accoutumé le regard à la ténuité des détails, on voit de toute part des paysans, des moines, des soldats, des courtisanes en pèlerinage, des philosophes dans leurs petites retraites, des enfants ici ou là, et les fleurs et les animaux sans nombre, poursuivre dans cette trame, par l'effet de rencontres gracieuses suivies de conversations, de visites de sanctuaires, d'échanges de souvenirs et de vœux, et dans un mouvement de soleils, de lunes, de sommeils, de départs à l'aube, de poèmes improvisés, offerts, abandonnés mais soigneusement recueillis par des protagonistes furtifs, un jeu de présence à présence qui sait prendre à ses dialectiques infimes même les rives désertes, même les rigueurs de la mer nocturne. Comme s'il avait tâche de vérifier le bien-fondé de toutes les existences, Bashô n'omet de visiter aucun site de renommée, il s'y porte à tous les endroits d'où la « vue » est recommandée par la tradition, il est prêt à faire cinq lieues sur une grève pour quelques touffes notables de glycines, — et encore, s'il n'y va pas, c'est parce que ce n'est plus tout à fait le jour où elles sont les plus belles. Engrenée au cercle des créatures et en mouvement comme lui on perçoit partout dans la *Sente* la roue sans fin qui efface mais aussi répétera chaque phase, chaque quartier vaporeux ou clair, chaque saison, des mille choses nommées. Et la mémoire est là, et la poésie, pour évoquer dans leurs différences mais rassembler en un tout ces primautés successives dont on a appris l'unité. Alors que les poètes de l'Occident accordent volontiers leur faveur à une saison de l'année, ainsi Mallarmé à « l'hiver lucide », parce que leur pensée, leurs perceptions mêmes, naissent d'une séparation qu'ils assument, Bashô semble s'accomplir dans une fusion des quatre, et aussi bien des quatre âges, dont les fleurs, promesses du fruit dans le dernier givre, disent l'intimité réciproque. Oui, tous les tournants de la sente, qui est étroite comme la vie mais mène à tout et partout. C'est ce que remarque d'ailleurs, bien que sans commentaire, brièvement, le premier copiste du livre : « Dans ce petit récit de voyage, écrit-il en un post-scriptum, est inclus tout ce qui existe sous le ciel, le chenu et le desséché comme ce qui est jeune et plein de couleur, et ce qui est imposant et robuste autant que le faible et l'éphémère... » Quelle confiance dans ce qui est ! Aucun ailleurs, au delà de la structure sensible, aucun manque dans ce qu'elle offre, aucun silence inquiétant dans ce qu'elle dit ou suggère. Et pourtant c'est dans cette profusion si précisément dessinée qu'on ne perçoit bientôt qu'un effacement, de toute part, et le vide.

Dans la mesure même, en effet, où les êtres, les événements, les choses ont été rassemblés par un acte de consentement, de lecture qui, articulant leurs aspects, a fait de leur totalité l'évidence immédiate, fondamentale, c'est ce tout qui commence à exister plus fortement que chaque partie, décolorant de son affirmation plus intense le ton local, l'existence particulière. Une vague se creuse dans ces figures, qui semblent par conséquent le simple graphisme d'une écume. Les voix ne nous parviennent plus qu'assourdies par un grand bruit de fond qui est en soi l'Univers. Immense déplacement, dérive de tous les centres ! A force de sympathie de chaque être pour tous les autres, l'épaisseur de présence de chacun d'eux se déchire, comme une nuée au soleil. Et l'on ne peut opposer à ce tournoiement pour se ressaisir, voyageur, comme origine de soi, le point d'appui d'un dieu au-delà : puisque, si l'univers nous a pénétré de son vide, tout autant il nous comble de sa suffisance de forme parfaitement accomplie, immanence en dehors de quoi aucune plénitude n'est concevable pour nos mots déjà satisfaits. Bashô dénie toute rêverie de transcendance, toute possibilité de recours contre l'évidence sensible. — Faut-il donc le tenir, selon nos contrastes à nous, pour panthéiste ? Mais on ne sent pas circuler dans l'abondance, — mais tout autant la délicatesse, la transparence — de l'univers qu'il évoque, le vaste flux secret d'une substance première. Non, rien n'a d'être ici qu'à son propre niveau, qui est l'unique, et celui de l'unique plénitude, et rien n'échappe pourtant au transissement qui fait de ce plein le vide. C'est le tout comme tel qui s'évapore, bien qu'il demeure, inexistant, comme forme. Et ainsi se propose-t-il, n'ayant ni centre, ni arrière-plan, ni fondement, ni matière, d'une façon assez singulière pour qu'il importe, au « voyageur d'Occident », de l'interroger davantage.

D'autant que cet exister sans substance a beau être inconnu de nos traditions religieuses : on voit bien qu'il rappelle, furtivement, quelque chose dont nous avons l'expérience ; et même qui nous devient de plus en plus familier.

III

Qu'est-ce qui n'a ni centre, ni arrière-plan, ni matière ? Qu'est-ce que nous pratiquons, nous aussi, qui soit concret, dans l'infini des aspects, qui soit à la puissance des choses, et pourtant va rester impénétrable à notre illusion ? Evidemment les mots, dans leurs réseaux, — notre langue.

Et c'est un fait que les choses, dans ce récit de Bashô, dessaisies par leur reconnaissance mutuelle de l'opacité du rapport à soi, et appréciées ainsi plus que désirées par ce pèlerin qui va parmi elles, désintéressé, conscient d'abord des constellations qu'elles forment — une tradition légendaire, une recette, une « vue » — n'ont d'être, transparent, qu'à la façon des vocables. Choses-mots, comme les haïkus en font s'élever dans leur espace diaphane. Et qui dans la nuit d'été autant que dans le poème (d'où ailleurs la rapidité avec laquelle on passe de l'une à l'autre) semblent ne resplendir que d'échanges au seul niveau sémantique. Ainsi dans les jardins de Kyoto ou de Nara les arbres, je me souviens : compris, guidés par un acte de sympathie aussi patient que la pénétration des racines vers leur forme la plus typique, et la plus heureusement accordée à ce qui se trouve près d'eux. Une main clairvoyante abolissait le hasard au sein des poussées aveugles, dégageait un des vouloirs essentiels du pin ou du cerisier, écrivait de chose à chose du monde une phrase qui ne disait, infiniment, que soi-même — je pensais au vers mallarméen, qui n'a trait qu'aux rapports, aux « phases corrélatives » des « notions pures ». Et aussi bien se diversifiaient dans cette musique toutes les nuances du vert, par exemple, et même brillait doucement le rayonnement le plus intérieur, eût-on dit, de la texture des mousses : moi, cependant, voyageur encore troublé par les antiques promesses, je ne retrouvais pas dans ce concret pourtant avivé, dans ce lieu devenu poème, ce que j'avais appris à appeler du réel. Ces essences bien dégagées, occupées l'une de l'autre, ces mots brillant de tous leurs pouvoirs, effaçaient le temps et l'espace, au profit d'un intelligible, — mais moi aussi, habitué à affronter les dimensions du hasard, à profiter pour exister et juger de leur arrière-plan de non-sens, je cessais d'être... « Ce dont les choses sont nées, ce par quoi, une fois nées, elles vivent, ce à quoi elles font retour à la mort, tâche de comprendre », demandent les *Upanishads*. Bashô répond peut-être que ce principe mystérieux, ce fond qui n'est pas un fond, ce sont les mots, et qu'il faut pratiquer les choses, pour se délivrer d'elles, et de soi, comme si elles étaient des mots.

Et nous serions ainsi reconduits à cette opposition méconnue en effet de notre tradition religieuse, mais révélée maintenant, et même obsédante de plus en plus depuis que Mallarmé (plus profondément que Saussure) l'a placée au centre de tout : celle des mots et de la parole. Que je me croie « réel », ou une origine, ou en tout cas premier par rapport à eux, et j'emploierai les mots à mes fins particulières, — mais aussitôt ils m'échapperont, me trahiront, diront autre chose que ce que ma conscience croit reconnaître, mes valeurs croient décider, ils m'anéantiront dans une intelligibilité qui va me rester inconnue. Que j'accepte au contraire, comme Bashô peut-être, comme Mallarmé en tout cas (mais l'a-t-il pu ?), de mourir à l'illusion que je suis, et je n'aurai plus, laissant les mots passer à travers moi dans mon écriture, qu'à m'enrichir de leur univers. Il faut choisir entre la parole qui veut fonder et l'écriture qui s'ouvre. Il faut choisir, oui, pour répondre à notre question sur l'origine et la fin — et à notre besoin de paix, après tant d'élans déçus, tant de doutes. Et si l'on peut trouver encouragement dans les œuvres, les cohérences, les bonheurs d'esprit d'autres époques, peut-être va-t-on imaginer que la *Sente étroite* est le livre de ce choix déjà décidé, et vécu : si bien que la philosophie de la langue, telle qu'elle s'est affirmée aujourd'hui en France, serait, comme Mallarmé l'a cru de sa pensée propre, bouddhiste sans l'avoir su tout d'abord.

Mais est-ce bien de cette façon, c'est-à-dire aussi simplement, qu'il faut lire la *Sente étroite* ? Ne sommes-nous pas, à durcir ainsi les oppositions, toujours des Occidentaux, — ou sur la voie encore, inavertis des dialectiques dernières comme d'ailleurs certains mêmes des protagonistes de Bashô ? Un épisode du livre m'a frappé dès la première lecture, et depuis ne cesse de me hanter. Je pense que son sens ne se réduit pas à des catégories si abstraites. Il *est*, en fait, avec une sérénité qui est déjà en soi-même une expérience malaisément pénétrable. Et j'ai ainsi le désir de tout d'abord le transcrire, comme à nouveau un copiste, heureux de l'écouter dans sa durée simple et son espace limpide avant de l'interroger davantage.

IV

« Au lieu dit Nasu no Kurobané, écrit Bashô, vivait quelqu'un de ma connaissance, aussi décidai-je, en coupant à travers champs, d'y aller par le plus court. Tandis que j'allais, les yeux fixés sur un village lointain, la pluie tomba et le jour baissait. Je demandai asile pour la nuit dans la maison d'un paysan et à l'aube derechef j'avançai à travers champs. Il y avait là un cheval qui paissait en liberté. Quand j'eus dit ma peine à un homme qui coupait de l'herbe, celui-ci, qui était un rustre certes mais qui pourtant n'était pas sans connaître des sentiments humains, dit : « Voyons, que puis-je faire ? De toute manière, cette campagne est coupée de chemins en long et en large, et je crains fort qu'un voyageur inexpérimenté ne se trompe de route, aussi, de l'endroit où ce cheval s'arrêtera, renvoyez-moi le cheval ! » Il dit et me le prêta. Deux petits enfants couraient derrière le cheval. L'un était une fillette du nom de Kasané. Ce nom inhabituel avait du charme, c'est pourquoi :

Kasané, dis-tu ?
à l'œillet double pour sûr
s'applique ce nom

(Sora)

Bientôt nous parvînmes à un lieu habité ; là je nouai le prix de la chevauchée dans le creux de la selle, et je renvoyai le cheval ». — Tel est l'épisode, sur lequel Bashô ne reviendra pas. La parenthèse après le poème signifie que ce haïku n'est pas de lui, mais du disciple, Sora, qui l'accompagne. Il faut savoir encore que Kasané, cela veut dire « fleur double ».

V

Et c'est elle, certainement, Kasané, qui donne sa lumière à ces quelques lignes, c'est elle qui sollicite ma pensée longtemps après avoir disparu. Je la vois distancée par le cheval (lui aussi, quelle figure troublante) puis dérobée par un tournant de la sente (s'il est vrai qu'elle passe là, dans ces herbes coupées de pistes), et je me dis « Où a disparu Kasané, dans quelle nuit, quel dehors ? » — une question qui se justifie, je crois, par le regard pensif de Bashô, et l'évidence dans son récit d'au moins une façon de réponse. Qu'il se soit posé la question ou pas, en effet, Sora (le disciple donc) a son opinion (sa certitude) et c'est de celles-ci et rien d'autre que son poème témoigne. Car le sens en est clair, comme l'association de mots dont il n'est que la conséquence. « Fleur double », si on en reste au sens littéral, cela donne l'idée de pétales plus nombreux ; et pensant donc à des fleurs sophistiquées, luxueuses, Sora leur rapporte cette notion, sous-entendant qu'elle ne saurait convenir à la petite fille des champs. On jugera de même, à la cour impériale, semble-t-il, et beaucoup d'élégantes bientôt s'appelleront Kasané. Toutefois, Sora n'a en rien valorisé la beauté complexe, il n'a pas dit qu'il préfère l'œillet double, simplement que cette autre fleur existe, a droit à son adjectif : il classifie, et c'est donc à la relation, aux « phases corrélatives », qu'il associe la valeur. Retourne à son néant la petite fille « réelle », avec son nom de travers ; le poète, qui délivre les mots du hasard et en laisse vibrer les cordes, rectifie avec une ironie amusée l'imprécision du vécu. Où disparaît Kasané, c'est, comme tout être le doit, et Sora aussi, qui le sait bien, qui y pense, dans le vide qui borde la « notion pure ». Et le disciple, en somme, a conclu comme son maître semble déjà nous suggérer de le faire, quand il fait vibrer devant nous dans l'annulation réciproque « tout ce qui existe sous le ciel ».

Mais ce n'est pas Bashô, cette fois, qui a composé le haïku. Et si nous interrogeons son récit de façon plus attentive, il nous est facile de voir qu'il n'a pas été sans y faire preuve d'un point de vue assez différent. Car c'est moins la parole de Sora qui importe, dans ce contexte, que les herbes, le paysan, les deux enfants, le cheval, toute la situation dans laquelle jugement a été rendu. Et bien que son auteur n'y apporte, comme le plus souvent d'ailleurs, aucun commentaire explicite, ce tableau parle, et d'autant plus clairement que le haïku a mieux affirmé sa propre pensée. Que voyons-nous ? Rien qui serve la cause de l'œillet double. Le cheval s'ébroue, le visage du paysan s'éclaire (*a touch of sympathy on his face*, indique la traduction anglaise) ; les deux enfants courent, la petite fille dit son nom, en rougissant peut-être, en riant : si ce sont là des phases, corrélatives, et la figure du monde, elles n'ont pas leur lieu dans l'intemporel, ne sont pas des rapports d'essence dans le grand herbier du langage, car elles se nouent au contraire dans ce qu'un herbier n'a pas de page pour retenir, la liberté de l'instant. C'est dans le temps, et ce qu'il fait ou défait, que ce paysan a paru près du voyageur égaré, c'est dans la durée, ouverte et imprévisible, que Kasané est enfant encore, timide encore.

Et une alternative nous est proposée, n'est-ce pas ? Quel est l'être de cette rencontre matinale, du point de vue même des mots ? Episode furtif d'une réalité immuable, n'est-elle, cette rencontre, qu'une buée autour de quelques vocables, une brume de l'aube qui se dissipe déjà, découvrant la constellation que forme à jamais, malgré l'illusion d'un temps ouvert, imprévisible — réel — l'éternel paysan, son cheval, des enfants qui jouent, leurs manières gauches : « êtres » comme il y en a toujours eu, qui n'existent chacun que comme type ? Ou ne faut-il s'arrêter plutôt à ces événements du hasard, se demandant s'ils ne portent pas la réalité dernière, à supposer par exemple que les qualités ou essences que Sora suppose autonomes et plus réelles que nous dans la pérennité de la langue aient été découpées, en fait, sur l'antériorité obscure du monde par une conscience occupée de sa condition finie, et pensant l'univers, même à des fins de sagesse, en termes de dialogue, d'attachement, de compassion, de maturation intérieure, en bref, dans la dimension du temps ? Le monde n'est peut-être que le champ où se déploie la présence ; et de celle-ci les mots, qui semblent la transcender, ne sont peut-être que l'inscription ? Nous regardons cette esquisse, rapide mais assurée. Rayonne ici la terre boueuse, le vert profond des herbages, et le vert plus clair, plus intense aussi — une tige neuve — de l'heure vernale de Kasané. Dans ce foisonnement de l'affirmation, l'œillet double, et même toute fleur un peu trop exquise, toute réalité *accomplie*, ont quelque chose de crépusculaire, de mort. Et nous nous demandons : la beauté simple, boueuse, de cette enfance naïve, mais confiante aussi, absolue, ne vaut-elle pas la beauté lointaine de l'essence ? A la charge ontologique de la relation intelligible, qui se veut « double » de celle de ses parties, ne faut-il pas opposer que la présence aussi est le doublement des êtres, intensité de leur exister qui révèle même, révèle seule, les plus profondes tensions qui soutiennent notre univers ? Nous nous disons encore : pourquoi Bashô a-t-il voulu connaître le nom de Kasané ? Pourquoi a-t-il retenu, dans ce livre de ce qui est, dans cet inventaire des noms communs, le mystère de ce qui *n'est pas*, eût-on pu penser : le nom propre ?

Non, tout n'est pas aussi simple, dans ce poème, que nos distinctions trop tranchées ne le suggèrent.

Comme disait le paysan : « Cette campagne est coupée de chemins en long et en large, et je crains fort qu'un voyageur inexpérimenté... » Il sait aussi que le cheval, qui ne pense pas, ira au but, et en reviendra, de lui-même... Ne nous en tenons pas aux enseignements — aux ambitions — d'une philosophie de la langue, nous perdrions aussitôt la « sente étroite ». Et cherchons à savoir plutôt s'il est exclu qu'ayant découvert nous aussi, bien que plus tard que les poètes du haïku, une polarité en somme élémentaire, nous ne la simplifions violemment et de façon, qui sait, volontaire, bien qu'inconsciente : par guerre contre une vieille espérance que nous abandonnons à regret.

Yves BONNEFOY.

N.B. Ces quelques pages sont le commencement d'une étude qui doit se poursuivre par des remarques sur Mallarmé avant de revenir à la pensée de Bashô. De celui-ci l'œuvre citée, *la Sente étroite du Bout-du-Monde,* a été traduite par René Sieffert, dans *l'Ephémère,* Paris, n° 6 (été 1968), p. 33-67. On pourra lire aussi *la Sente étroite* et les autres récits de voyage de Bashô dans la traduction anglaise de Nobuyuki Yuasa, *The Narrow Road to the Deep North and other Travel Sketches,* Harmondsworth, 1966 ; et consulter, bien entendu, le grand ouvrage de R.H. Blyth, *Haïku,* Hokuseido, 1949.

TABLE